Les ouvrages de **Maya Banks** figurent régulièrement sur les listes des best-sellers du *New York Times* et de *USA Today*, aussi bien en romance érotique, contemporaine et suspense, qu'en romance historique. Maya vit au Texas avec son mari et ses trois enfants, des chats et un chien. C'est une lectrice de romance passionnée, qui adore communiquer sur ses coups de cœur avec ses fans sur les réseaux sociaux.

D0067393

www.milady.fr

Maya Banks

MAÎTRISÉE

À BOUT DE SOUFFLE – I

Traduit de l'anglais (États-Unis) par Lauriane Crettenand

MILADY ROMANTICA

Milady est un label des éditions Bragelonne

Titre original : *Mastered*
Copyright © 2015 Maya Banks

Publié avec l'accord de Berkley Publishing Group, un label de Penguin Group
(USA) LLC, une division de Penguin Random House.
Tous droits réservés.

© Bragelonne 2016, pour la présente traduction

ISBN : 978-2-8112-1869-0

Bragelonne – Milady
60-62, rue d'Hauteville – 75010 Paris

E-mail : info@milady.fr
Site Internet : www.milady.fr

Note de l'auteure

Chers lecteurs,

Quand j'ai signé le contrat pour *Dominée*, puis pour les tomes deux et trois de la série « À bout de souffle », l'histoire de Drake et Evangeline tenait en un seul volume tandis que les deux suivants se concentraient sur Justice et Silas.

Mais l'histoire de Drake et Evangeline était si… intense et dévorante que quand j'ai dépassé les mille mots, je me suis rendu compte que j'étais à peine à la moitié de leur épique histoire d'amour.

Alors, après avoir évoqué le problème avec mon éditeur, nous avons estimé que cela ne rendrait pas service à l'histoire de supprimer des pans entiers du texte et de retirer des scènes seulement pour ne pas dépasser un certain nombre de mots. Nous avons donc décidé de diviser l'histoire de ce couple en deux parties : *Maîtrisée* et *Dominée*.

Malgré cette précaution, le nombre de mots des deux volumes reste élevé. Ces deux premiers tomes sont l'équivalent de trois de mes livres « standard ».

J'espère que vous aimerez le voyage de Drake et Evangeline vers une vie heureuse et que vous aurez envie de poursuivre l'aventure avec eux.

Tout cela est nouveau pour moi. C'est une première dans ma carrière, et je suis aussi surprise que vous, croyez-moi ! Mais je ne veux pas léser les personnages, ni vous, lecteurs, en vous soumettant une histoire diluée, moins passionnée et moins déchirante, seulement pour une question de nombre de mots. Cela ne serait juste pour personne.

Avec tout mon amour. Je vous porte dans mon cœur.

Maya

Chapitre premier

Evangeline contempla le miroir, reconnaissant à peine la femme aux grands yeux qui lui rendait son regard. Elle ne réagit pas pendant que ses amies, Lana, Nikki, et Steph, virevoltaient autour d'elle pour mettre la dernière touche à son maquillage et à sa coiffure, et s'assurer que tout était parfait.

— J'en suis incapable, maugréa Evangeline. C'est n'importe quoi, je n'arrive pas à croire que je vous ai laissées me convaincre.

Nikki lui adressa un regard perçant dans le miroir.

— Tu y vas. Pas question de te défiler maintenant, ma belle. Je serais prête à payer pour voir la tête de cet abruti quand il verra ce qu'il loupe.

L'abruti en question étant l'ex d'Evangeline, Eddie.

— Tu parles, il ne loupe rien du tout, souffla Evangeline, l'embarras s'emparant de nouveau d'elle.

Lana la fusilla du regard et Steph lui fit les gros yeux. En d'autres circonstances, Evangeline se serait sentie encouragée par cette démonstration de loyauté et d'amitié de la part de ses amies. Mais elle regrettait de leur avoir révélé les détails humiliants de sa rupture avec Eddie. Elle aurait dû se contenter de leur dire qu'ils avaient décidé de prendre des chemins séparés. Seulement, elle leur avait déjà avoué qu'elle était vierge et que, lors de son dernier rendez-vous avec Eddie, elle avait décidé de lui offrir sa virginité, convaincue que c'était le bon.

Qu'est-ce qu'elle pouvait être naïve, c'était pathétique. Les mots d'Eddie résonnaient encore dans son crâne. Chaque parole lui avait fait l'effet d'un couteau dans le cœur. Sauf qu'il ne s'était pas contenté de planter la lame ; il l'avait remuée dans la plaie, prolongeant la douleur autant que possible.

—Eddie est un enfoiré, siffla Steph entre ses dents. Chérie, on le savait toutes. Tu ne te rappelles pas qu'on a essayé de te dissuader de te lancer ce soir-là ? Ou tout autre soir, d'ailleurs… Tu n'as à avoir honte de rien. Rien du tout. C'est un connard.

—Amen, renchérit Nikki avec ferveur. C'est pour ça que tu vas débarquer à l'*Impulse* comme si t'étais chez toi. Tu es canon. Et je ne dis pas ça parce que je suis ta meilleure amie et que j'essaie de te remonter le moral. Je dis ça en tant que femme consciente qu'il y a sur son territoire une nana bien plus canon à qui j'aimerais arracher les yeux parce que je sais que je ne lui arrive pas à la cheville.

Evangeline eut un mouvement de recul, surprise, et son regard choqué croisa celui de Nikki dans le miroir.

Lana secoua la tête et soupira.

— Tu ne comprends pas, Vangie. Et ma foi, je crois que c'est à moitié ça qui excite les mecs. Tu ne sais pas à quel point tu es belle, avec tes grands yeux, ta chevelure splendide, ton visage à se damner, ta douceur et ta bonté d'âme. Si tu étais un tant soit peu intéressée, les hommes se plieraient en quatre pour te séduire. Ils te traiteraient comme une reine, et tu ne mérites pas moins ; mais tu ne t'en rends même pas compte et cela ne les séduit que davantage.

Evangeline secoua la tête, visiblement déroutée.

— Vous êtes dingues, les filles. Je suis une toute récente ex-vierge de vingt-trois ans, maladroite comme pas deux. Je débarque à peine de ma ferme et mon accent traînant du Sud exaspère les New-Yorkais et leur donne envie de me caresser la tête en lançant un condescendant : « Elle est mignonne. » Je ne suis pas dans mon élément, ici, et vous le savez toutes. Je n'aurais jamais dû venir à New York. Si je ne faisais pas tout ça pour mes parents, je rentrerais et trouverais du travail là-bas.

Lana leva les deux mains en l'air.

— Un jour, quelqu'un va te montrer comment tous les autres te voient. Eddie n'est qu'un sale prétentieux qui a voulu compléter son tableau de chasse. Il sait qu'il ne mérite même pas de te lécher les godasses et qu'il est nul au pieu, mais jamais il ne l'admettrait… Il préfère te faire du mal.

Evangeline leva la tête.

— S'il te plaît. On pourrait ne pas parler d'Eddie ? L'idée de le voir ce soir est déjà assez horrible comme ça, même s'il a peut-être changé d'avis et ne compte pas y aller. Il a peut-être menti quand il a dit vouloir m'y emmener, comme il a menti sur tout le reste. Je ne suis pas prête pour ça. Je suis morte de trouille et je n'ai aucune envie d'être humiliée une fois de plus.

— Ma puce, c'est précisément pour ça qu'il faut qu'il te voie ce soir. Qu'il se morde les doigts en voyant ce qu'il a laissé filer, lui rappela Nikki.

Steph fourra un pass VIP dans la main d'Evangeline, s'assurant qu'elle le prenait et ne le mettait pas de côté.

— Je n'ai pu en obtenir qu'un seul, sinon une de nous serait venue avec toi. Mais la file d'attente est longue et les gens attendent toute la nuit sans jamais entrer. Avec ce pass, tu vas direct à l'avant, tu le montres au videur à la porte, et voilà. Tu es à l'intérieur. Et ensuite, ma belle? Tu assures. Tu entres là-dedans, la tête haute, comme si tu n'avais besoin de personne, et tu montres à tous les mecs, y compris Eddie, un aperçu de ce qu'ils pourraient avoir – mais attention, on touche avec les yeux! Tu bois quelques verres. Et si Eddie te regarde, tu ne bats pas en retraite. Tu ne baisses pas la tête. Tu le regardes droit dans les yeux et tu souris. Puis tu ne lui accordes plus une seule seconde d'attention, et tu fais comme s'il n'existait pas. Danse si tu veux. Flirte. Retrouve ton assurance. Et quand tu es prête à rentrer, tu appelles le numéro sur la carte que je t'ai donnée. Tu attends un quart d'heure, puis tu sors. Ta voiture sera là, et tu ramèneras tes fesses ici pour nous raconter toute la soirée en détail.

Lana posa une main sur son épaule.

— Et écoute. Si tu as un problème, quel qu'il soit, tu nous appelles ou tu nous envoies un SMS. On peut être là en moins de deux, on ne fait rien ce soir. On sera là pour toi quand tu rentreras, mais si tu as besoin de nous avant, tu nous le dis. Je me fiche du monde qu'il y aura devant. Je botterai le cul du videur s'il essaie de nous empêcher de porter secours à notre copine.

Un petit sourire se dessina sur les lèvres d'Evangeline et ses yeux pétillèrent d'amusement, mais non parce qu'elle ne croyait pas Lana. Elle la croyait. Ses amies étaient très protectrices envers elle, entre elles, et Evangeline ne doutait pas une seule seconde que Lana s'attaquerait à un videur de cent kilos – et aurait le dessus – si elle savait qu'Evangeline avait besoin d'elle.

Elle attrapa la main de Lana et la serra. De toutes ses forces. Puis elle leva les yeux pour embrasser Steph et Nikki du regard avec reconnaissance.

— Vous êtes les meilleures, les filles. Vous avez tant fait pour moi. Je ne sais pas comment vous remercier.

Nikki leva les yeux au ciel et Steph pouffa.

— Comme si tu n'avais pas été là pour nous ! Tu ne nous as pas consolées quand nous avions le cœur brisé ? Tu n'as pas tenu nos cheveux quand on dégueulait après s'être soûlées à cause d'un salaud pas assez bien pour nous ? Tu ne nous as pas dit que le connard qui nous avait brisé le cœur ne méritait même pas de toucher l'ourlet de nos jupes, sans parler du reste ? Ça te rappelle quelque chose ?

Le reproche de Steph fit grimacer Evangeline. Parce qu'elle avait raison. Ses amies ne faisaient que lui rendre la pareille. Mais elle n'avait pas l'habitude qu'on s'occupe d'elle. Elle n'avait pas eu beaucoup d'histoires avec des garçons. Pendant les deux premières années qui avaient suivi son déménagement en ville depuis son petit village du Sud où elle était née et où elle avait grandi, elle n'avait pas eu la moindre liaison. Elle avait été trop absorbée par son travail, acceptant des heures supplémentaires, mettant autant d'argent de côté que possible pour l'envoyer à sa mère.

Ce ne fut que lorsque Eddie était venu dans le bar où Evangeline était serveuse et avait continué de venir soir après soir jusqu'à l'avoir à l'usure qu'elle avait accepté de sortir avec lui. Il lui avait fait du rentre-dedans, mais Evangeline avait repoussé ses avances. Il lui semblait désormais évident qu'elle n'avait été rien de plus qu'un défi pour lui. Comme un drapeau rouge qu'on agite sous les naseaux d'un taureau. Plus elle refusait de lui céder, plus il redoublait d'assiduités, déterminé à la conquérir.

Le fait qu'il ait été le premier à le faire ne rendait sa victoire que plus douce.

Enfoiré.

Elle serra les dents et la colère lui fit monter le rouge aux joues, mais elle s'efforça de garder une contenance pour ne pas gâcher son maquillage, appliqué avec soin. Les filles avaient passé une heure à l'apprêter à la perfection. Une heure pendant laquelle elles lui avaient tourné autour, offert leur soutien inconditionnel —entre deux menaces marmonnées contre Eddie qui ne méritaient pas d'être répétées— et reboosté sa confiance en elle qui avait volé en éclats.

C'était sur les conseils de ces trois amies qu'Evangeline allait se rendre dans la boîte de nuit dont Eddie s'était vanté d'être membre, même si cette simple pensée lui donnait envie de se cacher sous son lit pendant une semaine, et elle allait assurer. Téméraire. Belle. Confiante. Elle donnerait à Eddie un aperçu de ce qu'il aurait pu avoir.

Elle fit presque la moue. Il l'avait *déjà* eue. Et à l'en croire, ça n'avait pas été extra. Non, pire. Ça – elle – avait été épouvantable. Comment pourrait-elle faire regretter à un homme de l'avoir entubée alors qu'il avait déjà eu ce que, selon ses amies, il regretterait d'avoir laissé passer?

Il était plus probable qu'il lui rirait au nez et lui demanderait quel homme voudrait d'une fille frigide comme elle.

L'assurance qu'elle avait passé l'après-midi à rassembler s'envola en un éclair, et elle leva les yeux vers ses amies dans le miroir, ouvrit la bouche pour tout annuler, quand elles lui adressèrent toutes trois leur regard le plus féroce.

Comment faisaient-elles? Elles savaient exactement ce qu'elle était sur le point de dire. Enfin, elles avaient toujours su lire en elle comme dans un livre ouvert. D'ailleurs, selon Eddie, tout le monde en était capable. À l'entendre, c'était un défaut. L'honnêteté. Ne pas se faire passer pour ce qu'on n'était pas.

Cela ne la dérangeait pas avec ses amies, car cela lui donnait l'impression d'être unique. Comme si elles étaient si proches qu'elles savaient ce qu'Evangeline pensait à tout moment. Mais ça avait été loin d'être rassurant d'apprendre qu'elle était visiblement transparente pour tout le monde.

Comment était-elle censée se protéger et se préserver de toute souffrance si elle était incapable de dissimuler ses pensées et ses sentiments?

—N'y pense même pas, prévint Lana.

Nikki s'agenouilla pour se mettre à hauteur d'yeux d'Evangeline, perchée sur le tabouret de la coiffeuse. Où elle avait passé la dernière heure à se faire pomponner par ses amies. Ses sœurs. L'expression de Nikki était douce et compréhensive.

—Écoute-moi, ma belle. Il faut que tu fasses ça pour toi. Pas pour nous. Certainement pas pour Eddie. Pour personne d'autre que toi. Il t'a pris quelque chose et il faut que tu le reprennes. Si tu le laisses entrer dans ta tête et que tu crois les conneries qu'il t'a débitées, il gagne. Et tu ne peux pas le laisser t'atteindre à ce point. Parce que ce qu'il t'a dit, c'est des conneries. Ce n'est pas vrai. Et je refuse que tu y croies. Alors sors-toi ça de la tête. Il te reste un quart d'heure avant l'arrivée du taxi qui te déposera au club, alors reprends-toi. Fais ce que tu as à faire, mais fais-le pour toi.

Evangeline cligna rapidement des yeux, s'efforçant de retenir ses larmes. Ses amies la tueraient si elle ruinait son maquillage. Elles devraient tout recommencer et elle serait en retard au club, ce qui ne ferait que lui donner une raison de plus pour renoncer. Et Nikki avait raison. C'était quelque chose qu'elle avait besoin de faire pour elle-même.

Eddie lui avait pris quelque chose. Et pas seulement sa virginité, dont, au fond, il n'y avait pas de quoi faire toute une histoire. Tout comme le sexe. Il l'avait dépouillée de sa dignité et du peu de confiance en elle qu'elle possédait. Il l'avait laissée les mains vides, au comble de l'humiliation. Son amour-propre était ruiné.

Aucun homme ne valait cette peine, et cela l'agaçait que les mots d'Eddie la blessent encore. Le sexe ? Pas mémorable du tout. Mais jamais elle n'oublierait les mots. Ils avaient fait un trou dans son cerveau et causé une blessure dont elle doutait qu'elle cicatrise un jour.

Si cette soirée pouvait lui donner un tant soit peu de la résolution qui lui faisait tant défaut, alors oui, cela valait la peine de se rendre seule dans une boîte populaire bondée et de tenir bon.

Ses amies n'avaient pas voulu qu'elle y aille seule. Pas du tout. Mais Steph n'avait pu mettre la main que sur un seul pass VIP, et les pass VIP pour *Impulse* étaient rares et précieux, réservés au beau monde. Aux gens riches. Importants. Evangeline n'était rien de tout cela, mais quel mal y aurait-il à faire semblant de faire partie de ce monde pour une soirée ?

Pourquoi ne pourrait-elle pas être Cendrillon pour un soir, et reprendre ce qui lui appartenait en montrant à Eddie ce qu'il avait jeté ? Car si Evangeline manquait de confiance en elle, elle savait que ses amies étaient capables de rendre n'importe quelle fille canon.

Le lendemain, elle pourrait redevenir l'ennuyeuse, discrète et timide Evangeline. Qui travaillait tard le soir dans un bar où les pourboires étaient bons et où le propriétaire veillait sur ses filles. Et elle pourrait mettre Eddie derrière elle pour de bon.

Voire renoncer aux hommes pour de bon. Elle n'était pas là pour trouver un homme, pour sortir, ni même pour avoir une vie sexuelle. Elle était là parce que ses parents avaient besoin de son aide, et, pour eux, elle pouvait mettre et mettrait sa vie entre parenthèses indéfiniment.

Bien sûr, elle avait des rêves, des objectifs. Faire autre chose de sa vie qu'être serveuse dans un bar, vêtue d'une jupe au ras des fesses et de talons qui la faisaient atrocement souffrir. Mais pour le moment, son travail lui permettait de pourvoir à ses besoins et à ceux de sa famille. Elle avait tout le temps de suivre son propre chemin. Elle n'avait que vingt-trois ans. Elle allait travailler quatre, peut-être cinq ans de plus. Amasser suffisamment d'argent pour que sa mère n'ait pas à s'inquiéter financièrement.

Elle s'était promis que, quand elle aurait trente ans, elle ferait ce qu'elle voudrait. Mènerait sa propre vie, une vie dont elle pourrait être fière, et s'entourerait d'amis fiables et solides comme Steph, Nikki et Lana.

Elle voulait reprendre une formation. Apprendre un métier. Être davantage qu'une serveuse ayant du mal à boucler ses fins de mois. Ses parents n'avaient pas eu les moyens de l'envoyer à l'université ; elle avait seulement réussi à terminer le lycée en obtenant son diplôme en candidat libre, car elle avait été obligée de trouver du travail dès qu'elle avait été en âge de le faire, afin de subvenir aux besoins de sa famille.

Elle n'avait aucun regret. Elle ferait tout pour son père et sa mère. Mais cela ne voulait pas dire qu'elle vivrait ainsi éternellement. Un jour… un jour, elle aurait plus. Elle voulait un mari et des enfants. Une relation stable. Mais pas dans l'immédiat.

—Tu es prête? demanda Nikki, ramenant brusquement Evangeline au moment présent.

Elle inspira profondément, redressa les épaules, et se contempla dans le miroir. Elle était jolie. Elle n'irait pas jusqu'à dire «canon», comme ses amies, mais elle n'était pas moche. Elle était même mieux que la moyenne, même si elle devait cette performance aux dons de ses amies pour le maquillage et la coiffure.

—Oui, murmura-t-elle doucement. Je suis prête.

Chapitre 2

Drake Donovan s'arrêta devant l'entrée du parking réservé aux employés situé à l'arrière de l'*Impulse* et composa rapidement le code de sécurité dans la console de sa voiture, puis attendit impatiemment que la porte s'ouvre pour pouvoir entrer. La plupart du temps, son chauffeur le conduisait où qu'il aille, mais il préférait se rendre seul au club pour pouvoir en partir quand il le voulait sans attendre qu'il vienne le chercher.

Il se gara sur la place la plus proche de l'entrée sur laquelle figurait la mention « RÉSERVÉ ». Il y avait beaucoup de places réservées à l'avant du parking, toutes pour ses associés, mais il s'abstenait d'y mettre son nom – ou les leurs –, ne tenant pas à révéler l'emplacement de chacun.

Son attaché-case à la main, il sortit de la voiture et gagna d'un pas rapide l'entrée de derrière, où il devrait composer son code d'accès une nouvelle fois. Mais alors qu'il n'était qu'à quelques pas de la porte, une femme se précipita sur lui, le forçant à reculer.

Il lui jeta un bref regard et jura intérieurement. Elle était en petite tenue, maquillée à outrance, avec une coiffure dispendieuse, et on lisait une invitation à la luxure dans ses yeux noisette, même s'il était difficile d'en voir la couleur avec tout le maquillage effet smoky couvrant l'intégralité de sa paupière.

— Monsieur Donovan, lâcha-t-elle en tendant la main pour la poser sur son bras.

Il l'évita, le regard glacial.

— Vous êtes sur une propriété privée. N'avez-vous pas vu les panneaux et le portail sécurisé à l'entrée du parking?

Elle fit une moue boudeuse, mais ses yeux luisaient toujours d'un éclat lubrique.

— J'espérais que vous auriez envie de compagnie ce soir, dit-elle, haletante. Je peux me montrer très arrangeante.

À en juger par son attitude, Drake comprit sans peine que s'il lui disait de se mettre à genoux, là, sur le trottoir, et de le sucer, elle le ferait sans hésitation et en un temps record. Putain. Pour arriver jusque-là, elle avait dû escalader la haute clôture qui entourait le parking des employés. Ou bien… on l'avait laissée entrer. Si c'était le cas, des têtes allaient tomber, et quelqu'un allait être viré. Dès qu'il serait en haut, il regarderait les images des caméras de vidéosurveillance pour déterminer comment cette femme avait franchi son périmètre de sécurité.

Il s'enorgueillissait de sa sécurité impénétrable. Même si elle avait escaladé le mur, elle aurait dû être détectée, appréhendée, et escortée hors de la propriété bien avant l'arrivée de Drake.

—Malheureusement pour vous, je ne suis pas d'une humeur très arrangeante, ce soir, dit-il d'un ton glacial.

Il inséra immédiatement l'oreillette qui lui permettrait d'être en relation avec toute l'activité du club, son lien direct avec tous ses employés, et aboya un ordre bref.

—J'ai besoin de la sécurité sur le parking.

La femme écarquilla les yeux, horrifiée.

—Qu'allez-vous faire? Je voulais seulement vous faire plaisir. Vous êtes un très bel homme, monsieur Donovan. Je pense que quand vous aurez goûté à ce que je peux vous offrir, vous ne serez pas déçu.

—Je suis surtout déçu que vous me mettiez en retard et que vous ayez pénétré dans une propriété privée sans y être invitée.

La porte s'ouvrit à la volée, et deux de ses videurs rejoignirent Drake en courant, prêts à passer à l'action.

—Que se passe-t-il, patron? s'enquit Colbin.

Drake désigna l'intruse, qui fulminait à présent.

—Fais-la sortir d'ici immédiatement. À partir d'aujourd'hui, si quelqu'un, qui que ce soit, entre sur ce parking sans autorisation, je renverrai toute l'équipe de surveillance.

—Vous ne savez pas ce que vous perdez, siffla la femme, ses doigts s'enroulant comme des griffes.

—Oh, détrompez-vous, je sais parfaitement ce que je perds, répliqua-t-il d'une voix traînante. Et je ne pourrais être moins intéressé par une traînée qui se jette à mon cou en promettant de me donner du plaisir alors que le simple fait de vous voir me déplaît au plus haut point.

Elle se jeta sur Drake, ses longs ongles manucurés en avant, droit sur son visage.

Matthews s'interposa immédiatement entre Drake et elle, et Colbin passa son bras autour de sa taille, la soulevant sans effort tandis qu'elle poussait un cri indigné et se débattait à coups de pied et de poing, essayant de lui griffer le visage.

—Putain! s'écria Colbin. Reprends-toi, sale garce. D'abord t'es en train de te ridiculiser, tu n'intéresses pas M. Donovan. Et en plus, il ne tolère aucune intrusion dans sa vie privée. S'il veut de toi, il te contactera. Ne recommence jamais ça, ou je te fais envoyer en taule. Dis-toi que tu as de la chance qu'il te laisse partir avec un simple avertissement pour cette fois.

—Salaud! lança-t-elle à Drake tandis que Colbin la traînait jusqu'au portail.

Pendant ce temps, Matthews exigea par radio qu'une voiture se rende immédiatement au portail pour se débarrasser d'une « intruse », ce qui fit hurler la femme encore plus fort.

—Je suis désolé, patron, s'excusa Matthews, la mine grave. J'ignore comment elle est entrée, mais je vais me renseigner sur-le-champ et m'assurer que cela ne se reproduise pas.

—Fais donc, rétorqua Drake. Et pendant que tu y es, demande à ce que des barbelés soient installés en haut de la clôture. Quelques chiens de garde ne seraient pas de trop non plus. Il faudra juste prendre le temps de familiariser le personnel avec les chiens pour s'assurer qu'ils ne les prendront pas pour des intrus. C'est ridicule.

—Je m'en occupe, patron. Je ne vous décevrai pas.

Drake passa devant Matthews, le congédiant implicitement, et parla dans son micro.

—Viper, Thane. Trouvez les images de vidéosurveillance du parking des employés et envoyez-moi le fichier des deux dernières heures. Je veux l'avoir dès que j'arrive. Je suis en train de monter.

—Ça marche, répondit aussitôt Thane.

Drake secoua la tête de dégoût. Cette femme n'était en rien différente de celles qui faisaient la queue dans la rue à l'entrée d'*Impulse*, attendant toutes impatiemment d'avoir la chance d'entrer. Certaines y parviendraient ; d'autres pas. Il y avait quelques couples, à la fois des histoires sans lendemain et des couples stables, mais de manière générale les femmes – comme les hommes – venaient ici pour draguer, être vues, se pavaner, se faire passer pour ce qu'elles n'étaient pas.

Il entra à grandes enjambées et hocha tout juste la tête en réponse aux salutations des employés qu'il croisait, pressé de rejoindre son bureau, d'où il avait une vue d'ensemble sur tout ce qu'il se passait dans son club. Il répondait aux besoins de la clientèle qu'*Impulse* attirait, mais cela ne diminuait ni son dégoût ni son impatience face au type de personnes qui fréquentaient son établissement.

Il se prêtait même au jeu quand cela lui chantait, mais il ne gardait jamais une fille plus d'une nuit – deux au grand maximum – et il y avait deux endroits où il n'emmenait jamais une femme : son bureau et chez lui. Ses conquêtes répondaient à des critères précis, le premier étant une soumission absolue : il n'acceptait en aucun cas de laisser les commandes à un autre que lui. C'était aussi le cas dans sa vie professionnelle et personnelle, dont il contrôlait chaque aspect.

Il avait créé un empire, en se montrant impitoyable et acharné quand c'était nécessaire, et il n'avait aucun regret, car il était devenu un homme redouté par beaucoup de ses semblables, et à qui on accordait un respect et une déférence absolus. Cela lui était profitable. Il n'avait aucune faiblesse à exploiter. Il n'existait aucun moyen de pénétrer ses défenses soigneusement gardées et sa sécurité haut de gamme. S'il était arrogant de se prendre pour Dieu, qu'il en soit ainsi, car il *était* Dieu. Dans *son* monde, du moins.

Maddox et Silas attendaient dans son bureau, l'air sombre.

— J'ai cru comprendre que tu avais eu un problème sur le parking, dit Maddox.

Silas se contenta de rester là, le regard inquisiteur, mais ce n'était pas un homme bavard par nature. Il n'avait pas besoin de mots pour se faire comprendre. Et les gens ne se pressaient pas vraiment pour lui parler, puisqu'un simple regard de sa part suffisait à les terrifier.

— Apparemment, répondit Drake d'un ton amer.

Il attrapa la télécommande et se concentra sur l'écran où les images de surveillance du parking s'affichèrent. Impatient, il fit avancer la bande en accéléré jusqu'à découvrir enfin la source de la brèche.

— Fils de pute, grogna Maddox.

La mine sombre, Drake observa l'un de ses plus récents employés se garer au bout du parking et sortir de la voiture comme s'il se rendait au travail. Ce n'était qu'une fois qu'il était entré dans le bâtiment que la portière arrière de la voiture s'était ouverte et que la femme qui s'était jetée au cou de Drake était sortie furtivement du véhicule, recroquevillée pour ne pas être vue.

—Vire-le, aboya Drake à l'intention de Maddox. Escorte-le en dehors des locaux et fais-le mettre sur liste noire, je veux que toutes les entrées de la boîte lui soient interdites.

Maddox ne perdit pas une seconde pour mettre ses ordres à exécution, laissant Silas seul avec Drake. Ce dernier s'assit à son bureau et s'assura que les moniteurs qui lui montraient chaque centimètre carré du club étaient connectés. Puis il se tourna vers Silas, l'homme qui s'occupait de tous les problèmes que Drake pouvait rencontrer. Qui se débarrassait également de tout désordre malvenu. Il venait à bout de toutes les situations délicates avec calme et efficacité.

—Je veux que tu rendes visite à Garner pour lui dire qu'il est en retard dans ses paiements. Il a exactement quarante-huit heures pour payer, sans quoi il perd ma protection. Je ne bluffe pas, et je tiens à ce que ce soit clair. Et s'il échoue, il est seul et c'est un homme mort.

Silas opina du chef.

—J'y vais tout de suite.

Drake hocha la tête.

—Tiens-moi au courant dès que tu lui auras parlé. Il me doit beaucoup d'argent. Tu peux aussi lui dire que s'il ne paie pas, Vanucci sera le dernier de ses soucis, car je le traquerai moi-même. Et ce que Vanucci est susceptible de lui faire, c'est de la rigolade à côté de ce que je lui ferai.

— C'est comme si c'était fait, dit Silas, qui tourna les talons et disparut dans un coin, où l'obscurité masquait une autre sortie du bureau.

Drake serra les dents. Un jour comme un autre au bureau. Seulement, la nana désespérée qui s'était jetée sur lui l'agaçait bien plus que les défauts de paiement de Garner. Quand il voulait une femme, il n'avait jamais à aller bien loin. Il n'avait assurément pas besoin d'une pouffiasse qui s'accrocherait à lui comme une teigne, pensant qu'il s'empresserait de prendre ce qu'elle offrirait si trivialement.

Les femmes ne faisaient pas la loi avec lui. Jamais. S'il voyait quelque chose qu'il voulait, il le prenait. Il commandait. Toujours. Sans exception. Pas une femme. Personne. Et il avait bien l'intention de continuer ainsi.

Evangeline sortit avec hésitation du taxi après avoir réglé la course — avec l'argent donné par ses amies, dont les regards lui avaient dit « Ne songe même pas à refuser » — et, l'espace d'un instant, elle resta debout comme une idiote, inspectant nerveusement la file d'attente qui s'étendait sur le trottoir et se poursuivait au-delà du coin de la rue.

Puis, prenant conscience qu'elle attirait l'attention — et ne semblait pas à sa place — en restant à regarder bêtement la foule, elle avança en direction de l'entrée, où un videur baraqué à la mine patibulaire se tenait devant une zone délimitée par une cordelette, ses larges bras croisés sur sa poitrine encore plus large.

Elle avala nerveusement sa salive lorsqu'il l'aperçut et comprit manifestement son intention d'entrer. Il plissa les yeux et l'examina de la tête aux pieds, lèvres pincées. Elle se redressa, et leva le menton. Elle en avait assez de se sentir indigne et ça lui ferait mal d'être jugée et considérée comme inepte par un fichu videur.

Un simple regard sur le trottoir lui fit comprendre pourquoi il la regardait comme si elle était cinglée. Des centaines d'hommes et de femmes ayant fière allure faisaient la queue, impatients de pouvoir entrer. Des gens élégants, glamour. Des femmes portant des robes de haute couture, en talons, couvertes de bijoux de la tête aux pieds, arborant des coiffures qui leur avaient certainement coûté les yeux de la tête. Puis il y avait les hommes. Élégants. B.C.B.G. Visiblement riches. Certains étaient seuls, se servant sûrement d'*Impulse* comme d'un terrain de chasse pour ramasser une fille facile. D'autres étaient là avec leur partenaire pour la soirée, un bras fermement passé autour d'une belle plante.

Elle était si jalouse que l'espace d'un instant, elle fut incapable de respirer. Elle aurait aimé être une de ces filles sublimes, à l'aise avec son corps, capable de séduire l'homme qu'elle voulait en claquant des doigts.

Elle remarqua qu'elle avait attiré l'attention des premières personnes dans la file. Les femmes la regardaient avec mépris, lui lançant des regards moqueurs comme pour lui dire : « Comme si toi, tu allais entrer. »

Elle reporta son attention sur le videur, qui n'était plus qu'à quelques centimètres. Il fit un pas en avant, prenant la parole avant qu'elle puisse dire quoi que ce soit.

— Le quota de ce soir est atteint, dit-il simplement. Désolé, mais vous allez devoir aller ailleurs, ajouta-t-il après l'avoir de nouveau examinée.

Le jugement qui se lisait dans ses yeux lui embrasa les joues. Il ne lui conseillait même pas d'aller faire la queue. Il ne lui rappelait pas seulement que l'attente serait longue. Il la congédiait, lui faisait savoir qu'elle n'était pas la bienvenue dans un endroit comme l'*Impulse*. Cela la révolta.

Elle sortit donc son atout, le tendit brusquement devant le visage de l'homme, tenant le pass VIP de façon qu'il lui soit impossible de ne pas le voir.

— Je ne crois pas, siffla-t-elle entre ses dents.

Il eut l'air surpris. Puis embarrassé. Hésitant, même. Et il n'avait pas l'air d'être un homme indécis. Puis elle se rendit compte qu'il était en train d'envisager de lui refuser l'accès bien qu'elle soit en possession du précieux sésame : le pass VIP permettait à son détenteur d'entrer sans qu'on lui pose de questions. Il devait savoir que quelqu'un d'important dans la boîte lui en avait fait cadeau. Il n'avait pas besoin de savoir que ce n'était pas directement à elle qu'on l'avait offert. Il faudrait être fou pour faire don d'un pass VIP pour ce club. Le videur en conclut qu'on avait dû lui remettre le pass personnellement et elle se garderait bien de le détromper là-dessus.

Toutefois, il ne sembla pas ravi quand il défit la corde en velours tendue entre deux poteaux en métal juste devant la porte de la boîte de nuit.

— Bonne soirée, mademoiselle, dit-il solennellement en lui faisant signe de passer.

Elle considéra la file d'attente et ressentit un élan de satisfaction complaisante en repérant plusieurs mines stupéfaites. Certaines personnes semblaient scandalisées. Elle entendit même quelqu'un se plaindre qu'elle était entrée alors qu'eux attendaient encore sur le trottoir.

— Pass VIP, gronda le videur pour seule explication.

Oui, tout était dit. VIP était synonyme d'accès illimité dans le club. Steph était déjà venue et lui avait parlé de la boîte de nuit, de son organisation, pour qu'elle ne se ridiculise pas totalement en ne sachant pas quoi faire une fois à l'intérieur.

Même si Steph avait évoqué le bar situé à l'entrée, elle fut tout de même agréablement surprise par le calme qu'il y régnait lorsqu'elle se faufila dans la zone luxueusement décorée à l'écart de la piste de danse et de l'immense bar en son centre.

C'était une idée de génie, cet endroit plus tranquille avec un bar pour que les gens puissent se parler et s'entendre au lieu de crier par-dessus la musique. Cela lui laisserait le temps de prendre un verre au calme afin de trouver le courage de s'aventurer sur la piste de danse.

Steph lui avait expliqué que le dancefloor était comme un stade avec le bar au centre et la piste de danse tout autour. Ensuite, on trouvait des endroits où s'asseoir. C'étaient des espaces ouverts avec des tables et des chaises pour se reposer après avoir dansé et prendre un verre, même s'il semblait impossible d'y tenir une conversation.

Au-dessus se trouvaient les box privés – des pièces fermées avec une serveuse attitrée, d'où on pouvait choisir d'écouter la musique ou non en activant un interrupteur. C'étaient des espaces plus grands et plus confortables que les simples places assises du rez-de-chaussée, avec canapés, fauteuils luxueux, et une grande table pour poser boissons et nourriture.

La seule chose qu'il manquait, avait sèchement fait remarquer Evangeline, était un lit pour que les gens venus draguer puissent baiser. Elle s'était vite tue quand Steph l'avait informée avec le plus grand sérieux qu'il y avait des pièces encore plus privées tout en haut de la boîte, à l'accès strictement surveillé, ce qui voulait dire qu'il fallait être sacrément important – ou riche – pour y accéder. Ces pièces-là étaient équipées de tout le confort nécessaire pour que les couples fassent ce qu'ils voulaient.

Comment Steph connaissait-elle l'existence de ces espaces privés ? Evangeline s'était bien gardée de poser la question. Cependant, elle avait remarqué la curiosité de Nikki et Lana, et savait qu'elles interrogeraient certainement Steph à la première occasion. Si Steph avait voulu qu'elles le sachent, elle aurait volontiers raconté d'où elle tenait ses informations. Elle n'avait donc pas insisté, et avait posé d'autres questions avant que Nikki ou Lana ne puissent bondir sur l'occasion de cuisiner leur amie.

Evangeline se dirigea vers le bar, réfléchissant au nombre de verres qu'elle pouvait s'offrir et à la façon de les espacer correctement pour dissimuler le fait qu'elle n'était pas à sa place. Si elle en prenait un, elle pouvait le siroter longuement et aurait au moins l'air de faire autre chose que de rester plantée là avec la désagréable impression d'être une imposture. Cela dit, il lui faudrait plus d'un verre pour se donner du courage avant de s'aventurer sur la piste de danse, où elle avait de fortes chances de croiser Eddie et sa dernière conquête.

Elle baissa les yeux. Elle avait été folle de penser, ne serait-ce qu'un instant, qu'Eddie la regarderait et regretterait ce qu'il avait si brutalement rejeté. Même ce fichu videur ne l'avait pas trouvée à la hauteur… Qu'allait-elle imaginer?

Elle passa commande auprès du barman qui lui sourit, les yeux pétillants. C'était le premier signe de bienvenue manifeste qu'elle recevait depuis son arrivée, et elle lui rendit son sourire. Un sourire sincère. Qui disait «merci». Il lui décocha un clin d'œil et lui prépara son cocktail de fille «chochotte», comme les appelaient ses amies. Elle n'y pouvait rien si elle ne tenait pas l'alcool. Ce n'était pas parce qu'elle en servait tous les soirs qu'elle devait en boire.

Et puis, elle aimait les boissons fruitées et elle apprécia tout particulièrement que le barman mette dans son verre une de ces ombrelles tropicales ainsi qu'une cerise avant de poser son cocktail sur le bar.

—C'est offert par la maison, ma belle, dit-il quand elle sortit un billet de sa minuscule pochette, qu'elle portait en bandoulière pour ne pas avoir à s'inquiéter de la lâcher ou la poser et de l'oublier.

Elle leva vivement les yeux vers lui, surprise.

—Mais vous ne pouvez pas faire ça! Vous allez avoir des ennuis!

Il lui décocha un nouveau clin d'œil et secoua la tête avant de s'éloigner pour s'occuper d'un autre client.

Bon. Peut-être que tout le monde ne la considérait pas comme une minable. Et il était plutôt mignon. Non, pas mignon. Elle ne s'était certes pas encore aventurée très loin dans la boîte de nuit, mais elle commençait à se rendre compte d'une chose : les hommes qui travaillaient ici n'étaient pas de jolis garçons. C'étaient des mecs musclés et bien foutus, qui tireraient certainement leur épingle du jeu si on en venait aux mains. Les femmes, quant à elles, étaient belles, classes et élégantes. On ne pouvait pas regarder les serveuses de haut ici, car on aurait dit des femmes de la haute société qui s'improvisaient serveuses. Apparemment, être beau n'était pas requis seulement pour pénétrer dans cette boîte, mais aussi pour y travailler.

Elle était si peu à sa place que ce n'était même pas drôle.

Elle se retourna, porta son verre à ses lèvres et surprit quelques regards posés sur elle. Elle gigota, mal à l'aise. Était-il si évident qu'elle n'appartenait pas à ce monde ? Même si elle était venue ici avec la ferme intention de reprendre ce qui lui appartenait, sa résistance au mépris avait des limites.

Après avoir surpris d'autres regards braqués sur elle, elle décida qu'elle en avait assez. C'était absurde. Qu'essayait-elle de prouver ? Et pourquoi ? Elle n'avait rien à prouver à personne si ce n'était à elle-même, et elle savait qu'elle se portait bien mieux sans Eddie. Elle n'était pas venue pour qu'il se mette à genoux et la supplie de revenir. Même si cette idée ne lui déplaisait pas pour la seule raison qu'elle pourrait lui donner un coup de pied dans les parties et lui lancer un retentissant : « Plutôt crever. »

Une douleur lui enserra la poitrine. Non, elle était seulement venue parce qu'elle voulait lui démontrer qu'il avait tort. Qu'elle n'était pas une femme effacée, fade. Qu'elle pouvait être belle. Même si tout cela n'était dû qu'aux soins de ses amies pour la coiffer et la maquiller. Sans parler de la robe et des chaussures qu'elles avaient choisies pour elle. La robe, excessivement moulante, soulignait chaque courbe et chaque creux de son corps. Une robe qu'elle n'aurait jamais osé porter auparavant, même si ses amies se désespéraient qu'elle cache ce qu'elles appelaient un «corps de maman canon».

N'importe quoi. C'étaient ses amies et elles avaient le droit d'être partiales. Mais Evangeline savait à quoi s'en tenir. Tout comme Eddie. Elle était stupide d'être venue ici et de penser qu'il changerait d'avis et regretterait quoi que ce soit.

Elle était sur le point de se retourner pour poser son verre sur le bar avant de filer quand elle l'aperçut du coin de l'œil.

Oh merde, merde, merde!

Elle se figea, ne voulant pas se retourner brusquement pour se cacher au cas où il l'aurait déjà vue, car elle ne voulait pas qu'il soit flagrant qu'elle tentait de lui échapper. Non, elle fit semblant de s'intéresser à la piste de danse, de l'autre côté des doubles portes insonorisées, comme si elle était simplement en train de finir son verre avant de se décider à aller danser.

Il ne l'avait peut-être pas vue. Peut-être qu'il s'en allait.

Son rire se rapprochait. Il était trop proche.

Merde.

Toutes ses incertitudes volèrent en éclats.

— Qu'est-ce que tu fous ici, Evangeline ? demanda Eddie, visiblement amusé.

Elle le regarda avec froideur, puis écarquilla les yeux comme si elle était surprise de le voir.

— Oh, salut Eddie ! dit-elle.

Elle adressa un signe de tête poli à la femme agrippée au bras d'Eddie. Elle ne semblait pas ravie qu'il parle à Evangeline.

— Je pense que la raison de ma présence est évidente. Que fait-on ici ? On boit quelques verres et on danse. Ce qui est exactement ce que je compte faire. Si tu veux bien m'excuser, j'allais justement danser. Ravie de t'avoir revu. Passez une bonne soirée.

Elle voulut partir en se faufilant à côté d'Eddie, mais il tendit la main et l'attrapa brusquement par le bras. Elle tourna sur elle-même, sous le choc. Avait-il perdu la tête ?

— Lâche-moi ! s'écria-t-elle d'une voix rauque. Eddie, tu me fais mal !

Il laissa échapper un éclat de rire cruel.

— À quoi tu joues, Evangeline ? Tu es venue me voir ? Pour me supplier de revenir ? Tu veux une autre chance avec moi alors que je t'ai virée de mon lit ? Allons, chérie. Personne n'est aussi désespéré… Fourrer ma bite dans ta chatte, c'était comme baiser un bonhomme de neige.

Evangeline fut choquée par son langage grossier. D'autant qu'il parlait si fort qu'on pouvait l'entendre à l'autre bout du club. Elle rougit de honte, et se mit à tituber comme s'il l'avait frappée.

— Lâche-moi, siffla-t-elle.

Mais il ne fit que resserrer son emprise, meurtrissant sa peau pâle. Elle garderait la trace de ses doigts pendant des jours.

La femme à ses côtés se mit à rire, un son qui lui fit penser à des glaçons tombant dans un verre.

—Oh, c'est d'elle que tu me parlais, dit-elle d'une voix caressante.

Elle regarda Evangeline, une fausse pitié dans les yeux.

—Dommage que tu n'aies pas été assez femme pour le garder, ronronna-t-elle. Mais tu peux parier que je saurai l'être pour le satisfaire.

Evangeline était trop choquée, trop humiliée pour répondre. Elle aurait dû rétorquer avec une remarque cinglante de son cru. Ne pas leur montrer à quel point ils la brisaient. Sa seule victoire fut qu'elle retint –à grand-peine– les larmes qui lui brûlaient les yeux, car elle n'aurait pu supporter une telle humiliation. Il l'avait fait pleurer une fois, ça ne se reproduirait plus.

—Ce que je pense, dit-elle, fière de son ton calme et posé, c'est que toi et ta petite traînée devriez filer d'ici et retourner dans votre ruelle sombre. Et si tu ne me lâches pas, je porte plainte pour agression.

Eddie plissa les yeux, la colère se dessinant sur ses traits. Ses joues s'empourprèrent tandis qu'il avançait, se plaquant contre elle jusqu'à ce qu'elle sente son haleine fétide sur son visage. Elle devinait la menace dans son regard, et sut alors que ses ennuis ne faisaient que commencer.

—Sale petite garce!

Chapitre 3

Drake Donovan la repéra à l'instant où elle pénétra dans le club. Il était posté dans ses quartiers privés, bien au-dessus de la piste de danse, des moniteurs de vidéosurveillance stratégiquement placés pour qu'il puisse observer chaque centimètre carré de la boîte. Il ne se contentait pas d'être propriétaire du club et d'adopter une approche non interventionniste. Il possédait de nombreuses entreprises et les gardait toutes sous surveillance. Et il observait de très près tout ce qui se passait chaque fois qu'il était là.

Il zooma rapidement sur la blonde pulpeuse qui entrait prudemment dans le premier bar en regardant autour d'elle, les yeux grands ouverts. Un juron cinglant lui échappa tandis qu'il guettait ses moindres mouvements.

Quelqu'un allait se faire virer pour ça.

Drake avait une règle stricte pour réguler qui entrait ou n'entrait pas dans sa boîte. Et les filles à l'air naïf et innocent comme celle qui venait d'accéder d'un pas hésitant à son bar sans homme à ses côtés pour la protéger n'étaient assurément pas le genre de clientes que le videur aurait dû laisser passer.

Putain, Anthony le savait. À quoi pensait-il pour l'avoir laissée entrer ? Des têtes allaient tomber dès qu'il l'aurait dégagée de son club en lui faisant comprendre qu'elle n'aurait jamais le droit de revenir.

Cependant, il hésitait, car elle le fascinait. Elle avait un truc, sans qu'il parvienne à mettre le doigt dessus. Il l'observa attentivement alors qu'elle se dirigeait d'un pas hésitant vers le bar, où elle reçut un clin d'œil et un sourire de Drew, son barman. Un homme qu'il eut soudain envie de licencier pour la seule raison qu'il flirtait avec cette enchanteresse aux yeux bleus. Drew flirtait avec toutes les femmes. Alors pourquoi Drake était-il soudain si révolté qu'il flirte avec une femme qui ne reviendrait jamais dans son club ?

Il poussa un long soupir lorsqu'elle se détourna du bar pour faire face à la piste de danse. Il eut droit à une vue de face, de près, et c'était spectaculaire.

Tout l'excitait en elle, et pourtant elle était à l'opposé des filles qu'il séduisait. À en juger par les nombreux regards admiratifs des hommes et ceux résolument hostiles des femmes, il ne se trompait pas sur son compte.

Elle allait finir par causer une émeute s'il ne la faisait pas sortir de là très vite.

Une femme comme elle dans un club comme celui-ci ? Ces grands yeux, ce corps pulpeux, cette robe qui ne laissait aucune place à l'imagination. Une femme qui respirait l'innocence et donnait envie à tout homme de la mettre dans son lit dès que possible pour lui apprendre comment elle pourrait lui faire plaisir.

Oui, cette beauté allait sûrement lui causer des problèmes. Malgré cela, il n'avait qu'une envie : l'emmener dans un lieu privé avant qu'un autre mec puisse lui faire des avances.

Perdu dans la contemplation de la belle inconnue, il ne remarqua pas tout de suite l'homme et la pouffiasse collée à lui qui se dirigeaient droit sur elle. Il vit la femme lever la tête et zooma, centrant la caméra sur elle. La surprise se lisait dans ses yeux, mais il y avait également autre chose. Quelque chose qui ne plaisait pas à Drake.

De la peur.

L'homme lui parlait, et il était clair que ce qu'il disait était loin d'être gentil ou flatteur. Le visage de la femme pâlit, et elle chancela comme si ses jambes allaient se dérober. Puis les doigts de l'homme s'enroulèrent autour de son bras.

Il la vit grimacer de douleur, aussi clairement qu'il vit l'homme resserrer son emprise. Puis l'homme avança encore, menaçant.

Drew, le barman, sautait par-dessus le bar au moment où Drake appuya sur le bouton pour appeler Maddox.

Putain. Putain !

Maddox apparut trois secondes plus tard.

Drake désigna le moniteur du doigt.

—Va la chercher. *Tout de suite !* aboya-t-il. Amène-la-moi et assure-toi que l'homme qui l'a accostée soit foutu dehors et reçoive une bonne leçon. Qu'il ne remette plus jamais les pieds dans un de mes clubs.

Les yeux de Maddox trahirent sa surprise, et Drake savait pourquoi. Seuls ses hommes les plus fidèles étaient admis dans les quartiers privés de Drake. Aucune femme n'était jamais venue ici. Mais c'était la preuve de la discipline et de la loyauté de Maddox. Il n'hésita pas. Ne posa aucune question. Il se contenta d'opiner et disparut en un éclair. Sur l'écran, Drake vit Drew se redresser, l'air furieux, les sourcils froncés de mécontentement. Maddox devait lui avoir dit que l'homme était à lui.

Tous ses employés portaient une oreillette afin de pouvoir communiquer à tout moment pour faciliter les interventions.

Drew semblait être sur le point de désobéir à la directive de Maddox et de mettre le mec KO. Drake ne punirait pas son employé comme il l'aurait fait en temps normal s'il désobéissait à un ordre direct. Il comprenait parfaitement la rage de Drew, pourquoi il ne supportait pas l'idée que cette femme soit malmenée par cet homme une seconde de plus.

Les yeux brillants de satisfaction, Drake regarda Maddox soulever l'homme du sol par le col —après lui avoir assené trois coups rapides comme l'éclair qui l'avaient laissé sans connaissance— et le jeter vers un Zander furax, un autre homme de Drake qui était aussitôt apparu sur l'ordre de Maddox. Zander traîna l'homme vers la porte de derrière, où Silas et Jax les attendraient. Ils allaient donner une bonne leçon à ce salaud. Un trois contre un était exactement ce que méritait un homme pour avoir maltraité une femme sans défense, même si un seul des hommes de Drake aurait fait l'affaire contre ce gringalet.

En proie à la peur et à la douleur, Evangeline retint son souffle en voyant Eddie fondre sur elle, l'air assassin. Sa poigne sur son bras était violente, et il s'était débarrassé de sa conquête du jour, libérant ainsi son autre main.

Elle posa les yeux sur cette main, devenue un poing qu'il armait. Oh bordel! Il était sur le point de la frapper et elle ne pouvait rien y faire. Elle tenta de lever le genou pour lui donner un coup dans les parties, mais sa robe était si serrée qu'elle ne pouvait lever la jambe de plus de quelques centimètres.

Elle commença à se débattre violemment en regardant autour d'elle, implorant quelqu'un, qui que ce soit, d'intervenir. Allaient-ils tous rester à ne rien faire alors qu'il l'agressait en public?

Elle parvint à plaquer sa main sur son visage et à lui griffer la joue, défense lamentable puisqu'elle était bien plus petite et loin d'être aussi forte que lui. Eddie rugit et Evangeline sut qu'elle avait fait une grave erreur.

Elle vit son poing s'abattre sur elle, essaya de l'éviter tout en sachant parfaitement qu'il la frapperait, se fit à l'idée qu'il la mettrait KO, la rendant complètement incapable de se défendre.

Là, elle fut surprise de voir une énorme main attraper le poing d'Eddie comme s'il s'agissait de celui d'un enfant. Un homme imposant surgit au-dessus de lui. La rage se lisait sur son visage. Il serra la main d'Eddie et Evangeline aurait juré qu'elle avait entendu ses os se briser.

Eddie lui lâcha le bras et cria. Il hurla. Elle grimaça : c'était vraiment pathétique. Un homme chouinant comme une fillette. L'étranger ne s'arrêta pas en si bon chemin, tordant le bras d'Eddie jusqu'à ce qu'il soit à genoux, gémissant comme un chiot malmené.

Evangeline recula précipitamment, désireuse de sortir aussi vite que possible. Elle aurait couru si ses jambes ne tremblaient pas autant.

L'homme, imperturbable face à Eddie, lequel était à genoux en train de le supplier piteusement, se tourna et riva ses yeux verts sur Evangeline. Elle déglutit parce que… waouh. Non seulement cet homme était canon, mais il était aussi extrêmement intimidant. À cet instant, elle ne savait plus lequel des deux l'effrayait le plus d'Eddie ou de l'homme qui avait pris sa défense.

— *Vous*, ne bougez pas, ordonna-t-il.

Elle serra les genoux et hocha la tête. Pourquoi obéissait-elle à cet homme ? Cela dit, il semblait pouvoir l'écraser comme un insecte – il venait d'écraser *Eddie* comme un vulgaire insecte, et Eddie était bien plus imposant qu'Evangeline. Voilà qui pouvait expliquer sa docilité.

Merde, merde, merde.

Dans quel merdier s'était-elle fourrée ? Elle savait que c'était une mauvaise idée, elle n'aurait jamais dû laisser ses amies la convaincre d'aller au club : la débâcle était totale.

Elle avait besoin de s'excuser en vitesse et de jurer qu'elle ne reviendrait jamais, avant de dégager de là aussi vite que possible. De retrouver ses copines pour engloutir un litre, non, cinq litres de crème glacée, et leur donner, au moins, la satisfaction d'apprendre l'humiliation d'Eddie.

L'intéressé se trouvait à présent sur le sol en position fœtale, et Evangeline repéra seulement alors le barman à ses côtés, une expression de dégoût sur le visage. Avait-il eu l'intention d'intervenir ? D'ailleurs, un rapide coup d'œil sur la scène lui permit de mesurer le mépris avec lequel les hommes de main considéraient Eddie. Cela ne lui procurait pas une satisfaction immense, mais c'était toujours bon à prendre. Ce n'était pas cher payé, quelques bleus sur le bras, pour assister à une telle humiliation. Sa gentillesse et sa miséricorde avaient des limites, aussi ne ressentait-elle pas la moindre compassion face à la détresse d'Eddie, car il méritait absolument tout ce qu'il était en train de subir.

D'accord, elle aurait très mal au bras pendant quelques jours. Mais quand même.

L'homme qui lui avait ordonné de ne pas bouger sur un ton autoritaire reporta son attention sur Eddie et le souleva brusquement par le col pour le jeter comme une poupée de chiffon à un autre homme tout aussi imposant et intimidant. Le nouveau, qu'elle n'avait pas remarqué auparavant, se retourna en tirant Eddie derrière lui comme s'il ne pesait rien dans la direction opposée à l'entrée par laquelle Evangeline avait pénétré dans les lieux. Comment n'avait-elle pas remarqué l'arrivée de cet autre homme ? Il était tout aussi impressionnant que celui qui lui était venu en aide, et assurément pas le genre de personne qu'elle pourrait ignorer dans d'autres circonstances. Bon sang, soudain le petit bar s'était trouvé rempli de gros durs à tomber par terre, qui s'étaient matérialisés en l'espace de quelques secondes et avaient empêché Eddie de lui donner un coup de poing en pleine figure. Il aurait pu lui briser la mâchoire ou le nez, et Dieu seul savait quelles autres blessures il lui aurait infligées sans leur intervention. Bien qu'ils n'aient pas l'air commode, ils ne l'avaient pas menacée une seule fois, et elle ne s'était pas sentie en danger. Elle ne pouvait pas s'empêcher d'être nerveuse, parce qu'on lui avait ordonné de ne pas bouger, mais elle avait la certitude que ces hommes ne lèveraient pas la main sur elle. Au risque de passer pour une fille stupide, à choisir entre eux et Eddie, qui lui voulait vraiment du mal, elle choisirait les inconnus sans hésitation. Et cela la rassurait et la réconfortait, d'une certaine façon.

Elle ne saurait jamais comment ils avaient fait pour intervenir aussi rapidement, car ils ne passaient pas inaperçus, même au sein d'une foule dense. Ils étaient grands, forts, les épaules larges, les muscles puissants, et leurs visages semblaient pouvoir encaisser tous les coups. Et puis, ils avaient tous l'air en colère. Contre elle ? *Pour* elle ? Difficile à dire, même si aucun d'entre eux ne lui accordait le moindre regard. Non, leur colère et leur dégoût étaient réservés à Eddie et au spectacle désolant qu'il offrait.

Eddie n'était pas du genre gringalet, mais à côté de ces mecs-là, il avait l'envergure d'une larve.

Elle déglutit. Péniblement. Elle eut machinalement un geste de protection lorsque l'homme qui l'avait secourue braqua son regard sur elle, à présent qu'Eddie avait été embarqué.

Elle se demanda vaguement où ils l'emmenaient exactement, avant de se demander comment elle allait sortir d'ici. Ou s'ils allaient l'emmener, elle, quelque part. La panique la submergea et elle sentit les prémices d'une crise d'angoisse. Elle n'avait pas besoin de ça ce soir. Elle voulait seulement appeler le numéro que ses amies lui avaient donné pour être récupérée et emmenée loin d'ici le plus vite possible.

—Euh… merci, balbutia-t-elle. Je vais y aller maintenant. Je n'aurais pas dû venir.

Le visage de l'homme s'adoucit et il posa sa main sur son épaule. Elle tressaillit malgré elle, réaction naturelle comme elle venait d'être agressée par un autre homme. Il fronça les sourcils et plissa les yeux, comme s'il s'était senti insulté par sa réaction, intentionnelle ou non, mais sa contrariété ne se traduisit pas dans son geste.

Au contraire, il se montra extrêmement doux et il lui entoura les épaules de son bras comme pour la rassurer, tandis que son air renfrogné s'effaçait et qu'il la considérait presque avec tendresse.

À présent, Maddox ne comprenait que trop bien la réaction de Drake et sa sommation immédiate pour que lui, Zander et Silas interviennent, car un putain de salaud était en train de passer sa colère et sa frustration sur une belle femme deux fois plus petite que lui.

Il comprenait aussi la réaction inhabituelle de Drake face à cette femme en particulier : c'était un agneau perdu au milieu d'une meute de loups féroces et avides de sang.

—Vous allez bien ? demanda-t-il avec douceur, ne voulant pas l'effrayer ou l'intimider davantage.

Il était clair qu'elle était sur le point de craquer, et cela éveillait tous ses instincts protecteurs. Elle avait besoin qu'on s'occupe d'elle avec la plus grande douceur, ou elle allait s'effondrer à tout instant. Et, putain, cela le gonflait royalement. Il aurait voulu être dehors à tabasser ce sale type. Les autres étaient plus qualifiés que lui pour donner à ce petit con une bonne leçon qu'il n'oublierait pas de sitôt, seulement Maddox aurait aimé participer. Néanmoins, il devait se charger de cette femme avec délicatesse, et il comprenait que Drake ait été si catégorique en lui demandant de s'occuper d'elle et de l'escorter jusqu'à ses quartiers privés pour la mettre en sécurité. Si Drake n'avait pas déjà jeté son dévolu sur elle, cette femme rentrerait avec lui ce soir et n'aurait jamais plus à craindre que le salaud dont il l'avait débarrassée s'approche d'elle.

—Oui. Non. Ça va aller. Dès que je serai partie d'ici, grommela-t-elle.

À l'évidence, Evangeline était en train de perdre les pédales. Les hommes comme lui n'étaient pas tendres et attentionnés. Il serait probablement horrifié si elle lui avouait qu'elle trouvait ses gestes doux et son expression tendre. Il le considérerait certainement comme une insulte.

Il secoua la tête.

Elle le regarda, paniquée.

—Qu'est-ce que ça veut dire?

—Je suis désolé, mais je ne peux pas vous laisser partir. Ça ne plairait pas au patron, et il n'aime pas qu'on le fasse attendre. M. Donovan veut vous voir. Il m'a envoyé vous chercher.

Puis il retroussa les lèvres de dégoût en jetant un coup d'œil par-dessus son épaule comme pour s'assurer que le problème avec Eddie était résolu.

—Et sortir les ordures.

Ce dernier mot gronda du plus profond de sa poitrine, et elle sut qu'il était furieux.

Puis elle paniqua pour de bon.

—Mais pourquoi? Je n'ai rien fait! Je ne demandais rien à personne et ce... ce... connard m'a agressée, bredouilla-t-elle.

Le regard de l'homme s'assombrit, la colère se lisait sur son visage; elle regretta d'avoir ouvert la bouche. Puis, comme s'il s'était rendu compte qu'il lui fichait la trouille, son expression s'adoucit de nouveau.

—Je suis vraiment désolé, dit-il d'une voix apaisante. Mais je dois vous conduire à lui. Je ne vous ferai aucun mal. Je m'appelle Maddox, au fait. Et je vais vous dire, Drake est intimidant, mais il ne vous fera pas de mal lui non plus. Vous comprenez ce que je vous dis? N'ayez pas peur. Vous lui expliquerez pourquoi ce connard s'est comporté comme un abruti avant d'être renvoyé du club. Et sachez que non seulement cet enfoiré ne sera plus jamais admis dans aucun des clubs de Drake, mais il sera aussi blacklisté de tous les clubs sélect des environs. Drake a des contacts dans toute la ville.

Elle lui adressa un autre regard surpris. Il se présentait comme s'ils étaient simplement en société alors qu'en réalité, il la retenait prisonnière. Implicitement.

—E-Evangeline, parvint-elle à articuler.

Il sourit, et… waouh. Il avait un sourire ravageur. Ses genoux flanchèrent un peu et elle fut soudain contente qu'il ait toujours un bras passé autour de ses épaules. Sinon, elle se serait cassé la figure.

—Très joli, souffla-t-il. À présent, si vous voulez bien venir avec moi, je vais vous conduire à M. Donovan.

Elle céda à un nouvel accès de panique. La peur remonta le long de sa colonne vertébrale, se lisant sur son visage.

Maddox la poussait en direction d'une volée de marches, juste après la porte menant à la piste de danse, quand il remarqua son expression et s'arrêta aussitôt pour la regarder droit dans les yeux.

—Il ne vous fera aucun mal. Personne ne vous fera de mal. Vous avez ma parole.

—Alors pourquoi… Je ne comprends pas, avoua-t-elle, décontenancée.

Elle voulait en demander davantage mais il s'arrêta de nouveau, se retourna, et prit tendrement sa joue au creux de sa main ; geste surprenant, car il n'avait pas l'air du genre à se montrer affectueux ou réconfortant, même s'il s'était montré incroyablement gentil et compatissant envers elle depuis qu'il était venu à son secours.

— Vous n'avez rien fait, Evangeline. Allons, s'il vous plaît, venez avec moi.

Elle n'eut pas le temps de poser d'autre question, on l'escorta en direction de l'escalier. Elle ne savait pas exactement cet homme s'y prenait. Les pieds d'Evangeline ne voulaient pas obéir, c'était certain. Pas plus qu'elle. Et pourtant, en quelques secondes, l'homme et elle se retrouvèrent en bas de l'escalier. Cependant, il le contourna pour pénétrer dans un hall sombre, ce qui ne dissipa en rien les craintes d'Evangeline.

Il dut sentir qu'elle tremblait, car il lui pinça l'épaule pour la rassurer puis la tira contre lui, au creux de son bras, tout en appuyant sur le bouton d'un ascenseur. Un ascenseur ?

— Détendez-vous, chuchota-t-il. Je vous ai juré que personne ne vous ferait de mal. Et je tiens toujours parole.

— Toujours ?

Une lueur amusée passa dans les yeux de l'homme alors que les portes de l'ascenseur s'ouvraient.

— Toujours.

— Ce doit être obligatoire, marmonna-t-elle.

L'ascenseur se referma sur eux et entama son ascension.

Il la dévisagea, perplexe.

— Pour travailler ici, expliqua-t-elle patiemment. Ce doit être un critère obligatoire.

— Quoi donc ? demanda-t-il, visiblement confus. De tenir parole ?

— D'être canon. Tout le monde est canon ici. Même les videurs. Et les serveuses. Et vous et les autres mecs, qui que vous soyez. Ce devrait être un crime.

Elle le disait comme si c'en était un, et c'était le cas. Personne ne devrait être aussi canon. Ou gentil. Ils semblaient tous bien trop endurcis pour prendre le temps de rassurer une femme paumée qui avait la trouille de sa vie. Le videur à l'entrée. Le barman. Le mec canon numéro un, qui avait écrasé Eddie comme un vulgaire insecte. Le mec canon numéro deux, à qui le mec canon numéro un avait lancé Eddie. Sans parler de l'autre homme qui était apparu pour aider le mec canon numéro deux à mettre Eddie dehors. Les serveuses. Et les clients eux-mêmes.

— Et apparemment, les clients sont triés sur le volet, marmonna-t-elle dans un souffle, mais manifestement assez fort pour que Maddox l'entende, à en juger par son expression amusée. Je savais que c'était une erreur de venir. Je ne suis pas à ma place. J'aurais dû rester chez moi.

À ces mots, il redevint aussitôt sérieux et son air terrifiant réapparut. Il la considéra avec férocité. Il la dévisagea, yeux plissés, incrédule.

— Vous ne vous trouvez pas belle ?

— Ben non ! répliqua-t-elle, surprise par sa question. Je sais parfaitement que je ne suis pas belle ! C'est comme ça, on n'y peut rien.

Son affirmation ne semblait pas le satisfaire, mais avant qu'il puisse répondre, l'ascenseur s'ouvrit directement sur une vaste pièce plongée dans l'obscurité. Elle dut cligner des yeux pour s'adapter à la faible luminosité et se rendit compte que la seule source de lumière provenait de moniteurs placés au mur. Vidéosurveillance. Voilà pourquoi on avait volé à son secours. Eh bien, Dieu soit loué, parce que ce n'était pas comme si les autres clients allaient intervenir.

Maddox jura dans sa barbe et secoua la tête tout en poussant Evangeline dans la pièce. Il avait ouvert la bouche comme pour répondre à sa déclaration, mais l'avait refermée aussi sec quand l'ascenseur s'était ouvert. Toutefois, il avait encore l'air en colère, ce qui devait être un autre prérequis pour travailler ici. Canon et perpétuellement en colère. Elle devait l'avouer, quand sa colère n'était pas dirigé contre elle, elle le trouvait irrésistible.

— Elle s'appelle Evangeline, dit Maddox.

— Laisse-nous, répondit une voix masculine grave.

Elle regarda autour d'elle pour localiser la source de la voix. Puis elle se tourna vers Maddox, car, soudain, il ne semblait plus si mal. Et il avait été gentil avec elle. Enfin, sauf en ce qui concernait son refus de la laisser partir.

Mais Maddox avait disparu, les portes de l'ascenseur se refermaient déjà, la laissant seule avec le mystérieux M. Donovan.

Merde, merde, merde.

Elle comprit qu'elle était tombée de Charybde en Scylla, et, cette fois, il n'y avait personne pour la sauver.

Chapitre 4

Evangeline jeta un regard nerveux autour d'elle.
Quelque chose dans l'atmosphère lui donnait une impression
de pouvoir qui la fit frissonner. Elle aurait juré qu'elle pouvait
sentir cet homme, et c'était enivrant.

—Euh… monsieur Donovan ?

Elle regarda de nouveau autour d'elle, essayant de le
localiser.

Puis elle le vit. Il sortit de la pénombre dans le coin opposé
de la pièce, et elle écarquilla les yeux, surprise et admirative.
Waouh. Elle comprenait, maintenant. Elle comprenait les
règles et de qui elles s'inspiraient. Si M. Donovan dirigeait
l'*Impulse*, il était sensé qu'un homme aussi beau que lui
s'entoure de gens tout aussi séduisants.

Elle l'observa, fascinée, tandis que lui l'examinait attentivement, ses yeux noirs parcourant son corps, lui donnant
soudain la sensation d'être à nu et extrêmement vulnérable.

Elle déglutit péniblement car elle aurait juré avoir vu un éclair d'intérêt dans ses yeux captivants. Eddie devait l'avoir frappée en définitive, car elle perdait la tête. Mais le fantasme était plaisant.

Il avait les cheveux courts, et un style élégant et sophistiqué qui trahissait richesse et pouvoir. Ses traits étaient bien dessinés, sa mâchoire dure. Il avait un torse et des épaules larges et musclés, et était bien plus grand qu'elle. Il aurait fallu qu'elle se mette sur la pointe des pieds pour atteindre son menton !

Le regard d'Evangeline fut attiré par la bouche de l'homme. Elle y revenait sans cesse. Après avoir examiné un autre de ses traits, ses yeux revenaient sans cesse sur la ligne inflexible de sa bouche, et elle fut tout émoustillée en pensant à ce qu'elle ressentirait si cette bouche se posait sur sa peau.

Une vague de chaleur l'envahit, suivie de près par la mortification d'avoir des pensées si absurdes. Comme si un homme comme lui allait lui accorder la moindre attention.

Puis, soudain, il avança à grandes enjambées, l'air déterminé et furieux à la fois, et elle se prépara à l'inévitable confrontation.

À sa grande surprise, il attrapa délicatement le bras qu'Eddie avait meurtri, et le manipula pour évaluer l'étendue de la blessure. La colère flambait dans ses yeux, mais il ne lâcha pas son bras, même si sa poigne était infiniment tendre.

Les poils d'Evangeline se hérissèrent sur le bras qu'il touchait, et une sensation étrange s'installa au creux de son ventre. Son vagin se contracta et ses tétons la titillèrent, soudain hypersensibles, devenant deux pics rigides. Elle eut envie de croiser les bras sur ses seins, persuadée qu'il pouvait voir ses tétons pointer à travers le tissu fin de sa robe.

Que se passait-il? Avait-elle atterri dans une réalité alternative? Cela ne lui ressemblait pas. Elle n'était pas du genre à perdre ses moyens en présence d'un homme. Elle n'avait pas de temps à consacrer aux hommes, et la seule fois où elle avait fait une entorse à la règle… Eh bien, voilà où ça l'avait menée.

Et soudain la bête était lâchée. Elle tenta de reculer d'un pas, mais la poigne à la fois ferme et douce de l'homme l'en empêcha.

— À quoi pensiez-vous en venant dans un endroit pareil? demanda-t-il, la fureur pointant dans sa voix.

Elle baissa aussitôt les yeux, accablée par la honte.

— Je sais que je ne suis pas à ma place ici, dit-elle d'une voix qui n'était presque qu'un murmure. Je ne suis pas assez bien pour aller dans un club fréquenté par des clients qui sont tous riches et beaux.

Sa voix se faisait plus fataliste et étouffée à chaque mot. Elle pouvait à peine parler, l'humiliation lui nouant la gorge.

— Je vais y aller. Je suis désolée de vous avoir dérangé. J'ai causé une… scène. Ça ne se reproduira pas. Je vous le promets. Vous n'aurez plus à craindre de me voir revenir ici.

Elle se crispa sous son emprise, s'attendant à ce qu'il la libère pour la laisser partir. Comme il ne bougeait pas, la panique la saisit de nouveau et, désespérée, elle leva les yeux vers lui, puis blêmit en voyant la rage dans son regard.

—S'il vous plaît. Laissez-moi partir. Je vous jure que je ne reviendrai jamais.

Son expression était dure, son visage comme taillé dans la roche, cette mâchoire puissante qu'elle avait observée plus tôt bien plus notable à présent.

—Alors pourquoi être venue? demanda-t-il brutalement, ce qui la fit grimacer.

Allait-il vraiment la forcer à tout lui avouer? Lui dire en détail pourquoi elle ne méritait pas d'honorer le club de sa présence? Maudite soit sa tendance à toujours dire la vérité, si douloureuse soit-elle. C'était un défaut dont elle serait ravie de se débarrasser. Mais non. Sans même qu'elle soit consciente de ce qu'elle disait, la triste vérité lui échappa.

—L'homme qui s'en est pris à moi est mon ex… petit ami. Amant. Peu importe. Même si je ne nous considère pas vraiment comme des amants, dit-elle amèrement. Je représentais un défi pour lui. Enfin, tout ça c'est du passé. Il savait que j'étais vierge, et il m'a amadouée, invitée à dîner, m'a fait boire beaucoup d'alcool, a fait semblant de s'intéresser à moi parce qu'il voulait être m-mon p-premier, balbutia-t-elle, le visage en feu.

Drake jura férocement et sa véhémence fit sursauter Evangeline, mais elle poursuivit, voulant en finir, dans l'espoir qu'il la laisserait enfin partir.

—J'ai été stupide, j'ai cru que c'était un mec bien, et le jour où j'ai fini par céder, il m'a aussitôt larguée. Il a dit que j'étais un mauvais coup. Je l'ai entendu se plaindre auprès de ses amis et d'autres gens. Je ne sais pas qui, dit-elle péniblement. Il a dit que fourrer sa bite dans ma ch-chatte...

Elle se tut, humiliée par son usage de ce mot dégradant. Puis elle respira profondément et ferma les yeux.

—Il a dit que c'était comme baiser un bonhomme de neige. Et que ça ne valait vraiment pas les trois mois d'attente avant que je cède. Il me l'a répété en face ce soir.

—Vous êtes donc venue ce soir pour le voir ? demanda Drake, incrédule. Pourquoi faire une chose pareille ? Putain, vous vouliez le récupérer ou quoi ?

Elle releva vivement la tête, la colère inondant ses veines.

—Non, siffla-t-elle. Ça non. Jamais. Mes copines m'ont convaincue de venir. Elles ont dit que j'avais besoin de retrouver ma confiance en moi. Steph m'a fourni un pass VIP, et elles ont passé une heure à me préparer. Chaussures, talons hauts, coiffure, maquillage, tout ça. Elles disaient qu'il ne savait pas ce qu'il avait perdu et que c'était la seule façon de lui ouvrir les yeux. Je leur ai dit que c'était stupide. Cet endroit est réservé aux gens sublimes. Même les membres du personnel sont triés sur le volet. Tout le monde est parfait. Et puis il y a moi au milieu, qui fais tache. Tout le monde sait que je ne suis pas à ma place ici ; ceux qui attendent dehors comme ceux qui sont à l'intérieur. Et vous êtes visiblement arrivé à la même conclusion puisque vous avez envoyé votre sbire pour vous débarrasser de moi. Alors j'apprécierais que vous me laissiez partir. J'ai déjà promis que je ne mettrais plus les pieds ici. La soirée a été suffisamment humiliante comme ça. Je ne peux pas en supporter davantage.

Il lui adressa un regard à mi-chemin entre confusion et colère extrême.

— Vous ne croyez pas plutôt que vous éclipsez toutes les garces du club et qu'elles le savent ? lâcha-t-il avec colère. Vous n'avez pas vu que la pouffiasse au bras de votre ex était sur le point de vous arracher les cheveux parce qu'elle ne vous arrive pas à la cheville ? Vous êtes d'une beauté unique. Et ces garces vous détestent parce qu'elles savent très bien qu'elles ne peuvent pas rivaliser avec vous.

Les yeux écarquillés, elle le regarda, sidérée, sous le choc.

Il jura méchamment, la faisant de nouveau frissonner.

— Non, il est évident que vous ne vous en rendez pas compte, dit-il d'une voix grave. Vous n'êtes pas consciente de votre charme, et cela vous rend encore plus irrésistible aux yeux des hommes.

— Ne vous sentez pas obligé de me dire des trucs pareils pour me remonter le moral, dit-elle doucement. C'est gentil de votre part, mais la vérité est toujours préférable. Je préfère rester moi-même. Je ne me fais pas d'illusions.

Avant qu'elle ne puisse comprendre ce qu'il faisait, il l'attira violemment dans ses bras, si bien qu'elle atterrit contre son torse avec un bruit sourd. Il lui redressa le menton, sa main couvrant presque la moitié de son visage tant elle était grande, puis il écrasa sa bouche sur la sienne, dévorant ses lèvres comme un affamé.

Elle eut l'impression d'avoir été frappée par la foudre. Chaque terminaison nerveuse de son corps tressauta immédiatement, et elle reprit son souffle, permettant l'accès à sa langue saillante. Il la sonda délicatement, avec une patience qui contredisait ses gestes ardents.

Elle laissa échapper un délicieux soupir, parce que... quelle bouche! Bon sang, elle avait eu raison au sujet de sa bouche, mais à présent qu'elle goûtait à sa langue, son attention n'était plus tout à fait concentrée sur ses lèvres.

Il avait un goût – et un parfum – divin. Canon; un mâle alpha, un vrai. Arrogant. Sûr de lui. Et si succulent qu'elle ne comprenait pas ce qu'elle faisait dans son bureau ni pourquoi il l'embrassait comme jamais on ne l'avait embrassée auparavant.

Et cela ne faisait que cinq minutes qu'elle le connaissait!

Elle posa ses mains sur son torse, dans l'intention de le repousser, mais dès que ses paumes entrèrent en contact avec ses muscles, elles s'arrêtèrent et se contentèrent d'absorber sa chaleur tandis qu'elle s'abandonnait à son baiser.

Drake ne pouvait supporter davantage de sottises du genre « Je ne suis pas assez bien, pas belle, pas à ma place » ce soir-là. Evangeline, Ange. Oui, son nom lui allait à la perfection. C'était la plus belle femme de toute la boîte, et pourtant elle se tenait là à débiter des conneries. Comme il lui était impossible de la faire changer d'avis en quelques mots, il fit ce qu'il mourait d'envie de faire depuis qu'il l'avait vue passer la porte du premier bar.

Il sentit ses seins contre son torse et se consuma à ce contact, malgré les deux épaisseurs de tissu. Puis il écrasa sa bouche sur la sienne et se régala comme un homme longtemps privé d'une telle beauté.

Ses lèvres se firent plus légères et il lécha délicatement la lèvre inférieure charnue d'Evangeline, la mordillant légèrement, invitation à ce qu'elle ouvre sa bouche pour qu'il puisse en découvrir l'intérieur, encore plus doux.

Avec un halètement, elle obtempéra. Il ne savait pas s'il s'agissait d'une décision réfléchie ou si elle manquait simplement d'air, puisqu'elle n'avait pas repris sa respiration depuis qu'il avait écrasé sa bouche sur la sienne. Il n'attendit pas de savoir.

Il plongea sa langue dans sa bouche, grognant presque lorsqu'elle répondit timidement à son élan du bout de la langue. Un toucher si doux qu'on aurait dit les ailes d'un papillon.

Bon sang, si sa bouche était si sucrée, il osait à peine imaginer la douceur de son sexe. Et il eut soudain très envie de le découvrir.

Il enroula ses bras autour d'elle, moulant son corps contre le sien de manière qu'il n'y ait plus d'espace entre eux. Il sentit ses seins, les pointes gonflées de ses tétons, à travers ce qui devait être un fin soutien-gorge en dentelle offrant bien peu de protection. D'ailleurs, il était possible qu'elle n'en porte même pas, puisque le décolleté de la robe laissait peu de place à un quelconque sous-vêtement.

À cette simple pensée, son sexe se dressa dans son pantalon comme celui d'un un ado excité qui ferait l'amour avec sa petite amie pour la première fois.

N'écoutant que son envie de goûter son nectar féminin, il se pencha et la souleva dans ses bras, passant outre à son cri de stupeur. Elle ne se débattit pas. Si elle l'avait fait, il lui aurait assuré qu'il n'allait pas lui faire de mal. Elle se contenta de rester raide dans ses bras, le souffle court et sporadique, ses joues joliment rosées.

L'excitation empourprait le visage d'Evangeline et il savoura la satisfaction primaire de savoir qu'elle avait envie de lui. Baiser un bonhomme de neige ? Son ex devait être fou. Drake n'avait pas besoin d'être en elle pour savoir qu'elle l'embraserait. Il était sur le point de jouir dans son pantalon avant même d'avoir eu le temps de la poser sur le bureau et de relever sa robe jusqu'à sa taille.

Il lui posa les fesses sur le bord du bureau et, d'un geste impatient, il débarrassa la surface de son espace de travail, envoyant tout valser au sol. Ses affaires se dispersèrent dans la pièce et elle écarquilla les yeux, les pupilles dilatées de telle façon que seul un fin cercle bleu les entourait tandis qu'elle l'observait avec circonspection.

Ne lui laissant pas le temps de réfléchir, encore moins de rassembler ses émotions éparpillées, il l'allongea sur le dos, jambes pendantes sur le côté du meuble. Il était sur le point de profiter d'une femme qui était encore étourdie par les événements de la soirée, ce qui faisait certainement de lui un vrai salaud. Mais cela lui était bien égal : il avait besoin de la goûter à tout prix. Il voulait lui donner un aperçu de ce que son connard d'ex n'avait pas pris la peine, ou n'avait pas été capable de lui donner.

Elle partirait d'ici complètement satisfaite et elle lui reviendrait. Ça oui, elle lui appartiendrait. Même si elle ne le savait pas. Pas encore.

Il lui retira ses chaussures avec douceur, hésitant un instant car l'idée de se trouver entre ses jambes alors qu'elle portait ces escarpins le faisait déjà presque jouir. Ce serait pour plus tard. Il la baiserait avec ces chaussures et rien d'autre.

Il les laissa tomber sur le sol puis remonta sa robe sur ses jambes et ses hanches pour ramasser le tissu autour de sa taille. Elle était vêtue d'une culotte en dentelle qui couvrait ses boucles dorées. Il tira sur la fine bande élastique, faisant glisser le délicat tissu sur ses cuisses jusqu'à ses pieds avant de le laisser tomber sur le sol à son tour.

Impatiemment, il lui écarta les cuisses et grogna quand il put admirer son sexe luisant d'excitation. Les lèvres roses de son intimité l'appelaient et il pencha la tête pour passer sa langue entre ses lèvres, de son point d'entrée mouillé à son clitoris vibrant.

Elle poussa un cri et se cambra violemment, ses jambes tremblant convulsivement. Il l'attrapa par les hanches pour la maintenir en place tandis qu'il se mettait à sucer et lécher. Sa cyprine déferla sur la langue de Drake et il fut satisfait de constater qu'il avait raison : elle était aussi délicieuse qu'il l'avait imaginé.

Il pouvait mourir heureux entre ses jambes, la baiser doucement avec sa langue, la goûtant tout entière. Par petits lapements, il remonta jusqu'à son clitoris et décrivit des cercles autour du bourgeon contracté, jusqu'à ce qu'elle laisse échapper un gémissement de plaisir. Puis il effleura sa féminité d'un doigt avant de le glisser à peine en elle.

La sentant mouiller autour de son doigt, il redoubla d'audace à la fois avec sa main et sa langue. Il caressa ses parois veloutées, allant plus loin, vers la surface légèrement plus rêche de son point G. Dès qu'il exerça une légère pression tout en suçotant délicatement son clitoris, elle se déchaîna, se cambra, le souffle lourd.

— Oh mon Dieu, lâcha-t-elle, d'une voix émerveillée. Je ne savais pas que ça pouvait être comme ça, que ça pouvait être si bon. Si… *parfait*.

Ses mots glissèrent comme de la soie sur les oreilles de Drake et il ressentit un élan de satisfaction comme jamais il n'en avait connu. Cette femme méritait un homme qui pouvait la satisfaire et lui donner du plaisir au lit, et il avait bien l'intention d'être cet homme. Il se l'attribuait, apposait son sceau sur elle, même s'il ne la posséderait pas entièrement ce soir.

Mais savoir qu'il l'aurait bientôt entièrement, complètement, lui conféra un élan de satisfaction masculine.

Il suça son clitoris palpitant entre ses lèvres en enfonçant un deuxième doigt en elle sans cesser son va-et-vient.

— Oh. Oh! Je ne veux pas que ça s'arrête. C'est trop parfait. Bordel. Que dois-je faire? J'ai l'impression que je vais perdre la tête!

— Laisse-toi faire, Ange, murmura-t-il. Ressens le plaisir et oublie tout du passé. Voilà ce qu'une femme doit ressentir quand son homme s'occupe d'elle sans se comporter en putain d'égoïste obsédé par son plaisir.

Il la distendit davantage avec ses doigts, puis se remit à aller et venir, appréciant les murs soyeux de son vagin. Il lécha et suçota son clitoris jusqu'à ce qu'elle se crispe entièrement, les fesses totalement décollées du bureau comme si elle cherchait désespérément sa bouche.

Il sentit son sexe se contracter autour de ses doigts, et regretta de ne pas l'avoir pénétrée avec sa queue. Il bandait tant que c'en était douloureux. Jamais il n'avait autant désiré une femme dans sa vie et jamais il n'avait été aussi excité – et altruiste.

— Vas-y, exigea-t-il. Jouis dans ma bouche, Ange. Laisse-moi te goûter.

Il fit glisser ses doigts sur son clitoris puis apposa sa bouche contre son orifice pour laper son jus sucré.

Le cri d'Evangeline fendit le silence et elle s'abandonna, se tordant et se tortillant alors qu'elle explosait dans la bouche de Drake, sur sa langue, trempant son menton de son nectar onctueux. Les caresses de Drake se firent plus lentes, car il savait qu'elle serait hypersensible dans ces instants suivant l'orgasme, mais il continua de la lécher, recueillant chaque goutte de son essence.

Puis elle devint totalement amorphe, et lorsqu'il releva la tête, Drake vit son expression hébétée et l'air rêveur et brumeux de ses yeux. C'était la plus belle chose qu'il ait jamais vue.

Il croisa le regard d'Evangeline ; l'incertitude, la honte et l'embarras avaient remplacé la joie. Elle détourna le regard, les joues en feu.

Drake la releva délicatement en position assise puis lui remit sa culotte. Ensuite, il l'aida à descendre du bureau et réajusta sa robe avant de se pencher pour lui remettre ses chaussures.

Il prit sa joue au creux de sa paume, caressant tendrement sa peau.

—Maddox va te raccompagner chez toi, mais il viendra te chercher demain à 19 heures pétantes pour te ramener ici.

Elle hocha la tête d'un air hébété, manifestement sonnée, perdue. Elle ne remarqua même pas que Drake appelait Maddox dans son bureau et resta sans réaction quand Drake prit son visage entre ses mains pour l'embrasser longuement.

—À demain, Ange. D'ici-là, rêve de moi.

Chapitre 5

Assise à l'arrière de la luxueuse voiture, Evangeline était tétanisée, sous le choc. Elle aurait dû se mettre à trembler comme une feuille. Elle était morte de trouille, mais elle refusait de le montrer à l'homme imposant et silencieux qui avait été chargé de la raccompagner chez elle. Celui-là même qui était intervenu plus tôt pour empêcher Eddie de la frapper.

Savait-il ce qu'il s'était passé dans le bureau de Drake ? Cette pièce ressemblait davantage à l'antre d'une bête sombre et menaçante. Une bête qui avait une bouche incroyable et savait merveilleusement bien s'en servir pour donner du plaisir à une femme.

Soudain mortifiée, elle faillit perdre son sang-froid. Elle s'était laissé escorter depuis le bureau de Drake comme s'ils avaient simplement conversé et qu'il ait été assez prévenant pour s'assurer qu'elle rentrait chez elle sans encombre. Mais

Evangeline était dans un état second, profondément troublée par l'orgasme le plus époustouflant qu'elle puisse imaginer.

Elle n'avait pas de points de comparaison, mais tous les orgasmes ne devaient pas être aussi stupéfiants. Si c'était le cas, tout le monde passerait son temps à faire l'amour. Le monde tournerait autour du cul.

Si elle avait un homme comme Drake, ce serait certainement tout ce qu'elle aurait envie de faire. Était-il aussi doué avec les autres parties de son corps qu'avec sa bouche ? Imaginer son pénis en elle la fit presque jouir de nouveau, et elle jeta un coup d'œil en direction de Maddox, priant pour ne pas s'être trahie à cause du frisson révélateur qui avait parcouru son corps et avait de nouveau fait fourmiller son intimité.

Elle était encore hypersensible. Le somptueux cuir sur lequel elle était assise vibrait doucement contre son clitoris palpitant et enflé alors que la voiture traversait Brooklyn. C'était la pire des tortures, car l'*Impulse* était assez éloigné de l'appartement qu'elle partageait avec ses trois colocataires dans le Queens.

Elle ne se risqua pas à regarder Maddox trop longtemps. Elle ne voulait pas qu'il se rende compte qu'elle le scrutait, et elle était certaine que, d'un seul regard, il pourrait deviner ses pensées. Cela la perdrait, alors que ses nerfs étaient déjà à vif…

Quoi qu'il en soit, il l'ignorait totalement, regardant droit devant lui, au-dessus de l'épaule du chauffeur, comme s'il examinait les rues, en alerte constante. S'attendait-il à ce qu'on s'attaque à la voiture ou quelque chose dans le genre ?

Elle faillit éclater de rire mais il valait mieux ne pas trahir son hystérie.

Elle doutait qu'escorter les femmes égarées depuis le club de son patron figure sur sa liste de tâches habituelle. Si elle n'avait pas passé la nuit en enfer – et au paradis, bon sang, la dernière partie avait été merveilleuse – elle aurait presque pu éprouver de la compassion pour lui et sa mission, à savoir la raccompagner jusque dans le Queens.

Ils poursuivirent la route en silence, et lorsqu'ils ne furent plus qu'à quelques minutes de son appartement, elle soupira de soulagement. Là, Maddox la surprit en se tournant vers elle, reconnaissant sa présence pour la première fois de tout le trajet.

— Vous allez bien ? demanda-t-il avec douceur.

Puis il secoua la tête, et reprit, jugeant soudain sa question stupide :

— Bien sûr que vous n'allez pas bien. Mais ça va aller ? Vous n'avez besoin de rien ?

Elle resta bouche bée : elle avait d'abord eu l'impression qu'elle représentait un contretemps pénible et malvenu, mais à présent, une inquiétude et une compassion sincères se lisaient dans les yeux de Maddox.

Elle ne voulait pas de la pitié de cet homme. Ni de celle de Drake, d'ailleurs. Cette soirée avait été désastreuse, mis à part l'incroyable orgasme que Drake lui avait donné, parce qu'il avait été douloureusement évident pour tous dans cette fichue boîte qu'elle n'était pas à sa place, quoi que Drake ait essayé de lui dire pour l'en dissuader.

—Ça va, murmura-t-elle.

Il lui jeta un regard dubitatif. Un regard disant que son mensonge flagrant ne le dupait pas. Evangeline n'avait jamais été capable de tromper qui que ce soit. Pour tous, elle était l'incarnation de la petite fille modèle, raison pour laquelle Eddie avait vu en elle un défi et avait voulu être le premier à l'humilier et à la couvrir de honte. Pour séduire la reine des glaces et s'enorgueillir de sa victoire – et quelle victoire! Il avait été nul au lit, et il ne lui avait fallu que la bouche de Drake pour en prendre conscience.

—Enfin, ça va aller, ne vous en faites pas, marmonna-t-elle. Je vais m'en remettre. Comme toujours.

Il fronça les sourcils, la colère brillant soudain dans ses yeux, mais il scella ses lèvres, Dieu merci. Elle n'avait aucune envie de se mettre à nu une nouvelle fois devant un étranger comme elle l'avait fait avec Drake au bout de cinq minutes. Elle et sa ridicule habitude de toujours confesser la vérité, si humiliante soit-elle. Elle s'en était voulu de ne pas lui avoir dit que ce n'étaient pas ses affaires. Même s'il fallait avouer que Drake ne semblait pas être un homme à qui on disait de s'occuper de ses oignons. Elle s'était convaincue qu'il lui fichait la frousse, puis il avait été extraordinairement tendre et doux avec elle, et elle avait été incapable de le craindre alors qu'il lui faisait perdre la tête à l'aide de sa bouche. Mais ensuite? Quand elle avait repris ses esprits, il l'avait terrifiée pour de bon.

Le chauffeur s'arrêta devant un vieil immeuble décrépit. Elle vivait au sixième et dernier étage avec ses colocataires, et l'ascenseur ne fonctionnait plus depuis un an ; ce radin de propriétaire n'avait pas jugé bon de le réparer. Monter les courses en devenait insupportable, et le pire était de monter les six étages après une longue nuit de travail, les pieds endoloris et enflés.

Evangeline n'attendit pas que Maddox ou le chauffeur sorte. Elle se hâta d'ouvrir sa portière et descendit sur le trottoir, espérant qu'aucun des deux hommes ne prendrait la peine de sortir et qu'ils partiraient, plus qu'heureux de se débarrasser d'elle.

Elle n'eut pas cette chance. Il fallait dire que rien ne s'était passé comme prévu ce soir-là, alors pourquoi aurait-il fallu que ça change ?

Maddox sortit de son côté après avoir vérifié la circulation, très faible vu l'heure avancée et le fait que c'était une rue à sens unique, pour des raisons pratiques puisque les véhicules étaient garés le long du trottoir des deux côtés, rendant le passage trop étroit pour que deux voitures puissent se croiser.

Il fit le tour du véhicule pour se poster à côté d'Evangeline et leva les yeux vers son immeuble délabré, l'air renfrogné.

—Vous vivez ici ?

Elle se raidit face à ses sous-entendus, et lui jeta un regard glacial.

—C'est le mieux que je puisse me permettre et je vis avec trois colocataires. On s'en sort très bien. C'est tout ce dont nous avons besoin.

Il secoua la tête et voulut l'attraper par le coude, mais elle l'évita.

—Merci de m'avoir ramenée, dit-elle, poliment distante.

Il ne tint pas compte de sa rebuffade et referma sa main sur son coude pour la tirer vers l'entrée.

—Je vous escorte jusqu'à votre appartement.

Elle décela dans ses yeux une lueur tenace : elle aurait beau protester, elle ne le ferait pas changer d'avis. Elle soupira et leva la main en signe de reddition.

—Si vous voulez. Qu'on en finisse. La soirée a été longue et je suis prête à m'écrouler sur mon lit.

La bouche de Maddox tressauta très légèrement. Elle aurait juré qu'il se retenait de sourire, mais aucun des hommes de Drake qu'elle avait vus ce soir ne semblait être du genre à sourire. Jamais.

Lorsqu'il se dirigea vers l'ascenseur, elle s'arrêta et secoua la tête, avant de le guider vers les escaliers.

—L'ascenseur ne fonctionne pas. Nous devons prendre les escaliers.

Il fronça les sourcils.

—Vous habitez à quel étage ?

—Au dernier, répondit-elle, se préparant déjà à sa réaction.

—Bon sang, marmonna-t-il.

Puis il se pencha, attrapa l'une des mains d'Evangeline, et la posa sur son épaule.

—Accrochez-vous à moi.

Elle n'eut pas le temps de poser de questions et heureusement qu'elle était trop désarçonnée pour désobéir à son ordre, car il lui souleva subitement le pied, la faisant chanceler, et lui retira un de ses escarpins, puis l'autre.

—Je peux savoir ce que vous faites? demanda-t-elle d'une voix étranglée, retrouvant enfin l'usage de la parole.

—Vous allez vous briser le cou si vous montez six étages avec ces cure-dents, grommela-t-il.

Elle leva les yeux au ciel tandis qu'ils entamaient leur ascension.

—J'ai l'habitude de porter ce genre de talons.

Il haussa un sourcil moqueur à son intention.

—Je ne suis pas vraiment convaincu après le fiasco de ce soir. Vous avez failli vous tuer.

Elle grogna à son tour et lui adressa un regard furieux.

—Oh, mince alors, faut m'excuser: j'étais plus occupée à esquiver les coups qu'à penser à rester droite dans mes pompes.

Elle n'aurait pas dû lui rappeler cet épisode. L'expression de Maddox se fit glaciale et une lueur assassine apparut dans ses yeux.

—Je peux vous garantir qu'il ne recommencera pas.

L'assurance dans sa voix la mit mal à l'aise. Elle usa du sarcasme pour ne pas penser à la certitude qui accompagnait cette déclaration.

Elle haussa un sourcil.

—Vous avez une boule de cristal ou quoi? Comment vous pouvez savoir qu'il ne reviendra pas?

—Faites-moi confiance. Il ne s'approchera plus de vous.

Son ventre se serra et elle ravala la peur qui lui nouait la gorge. Il ne plaisantait pas. Elle ne tenait pas à savoir pourquoi il était convaincu qu'Eddie ne serait plus jamais un problème pour elle. Il était préférable d'ignorer certaines choses. Parfois, moins on en savait, mieux on se portait, devise à laquelle elle avait adhéré toute sa vie. Aucune raison d'en changer maintenant. «Si c'est pas cassé, faut pas le réparer», disait toujours sa mère.

— Nous y voilà, dit-elle à voix basse quand ils atteignirent le bout du couloir.

Son appartement était au numéro 716, mais le 6 était de travers et le 7 pendouillait à l'envers de manière précaire. Il pouvait tomber à tout moment et elle avait l'intention de le remettre en place elle-même, puisque son propriétaire était un sale type qui ne mettait jamais les pieds dans l'immeuble, sauf s'il n'avait pas reçu son loyer à temps. Dans ces cas-là, il était sur le qui-vive et tambourinait à leur porte, les menaçant de les expulser sur-le-champ, même si ce n'était pas légal.

— Bon sang, marmonna encore Maddox.

Sachant que s'il entrait dans son appartement avec son air protecteur, ses colocataires ne la laisseraient pas aller se coucher sans lui avoir tiré les vers du nez pour connaître le soap opera qu'avait été sa soirée, elle déverrouilla la porte et l'ouvrit juste assez pour pouvoir se glisser à l'intérieur. Puis elle se retourna, appuyant de tout son poids contre la porte fragile, bien qu'elle sache qu'il n'aurait aucun mal à entrer quand même. Il pourrait certainement défoncer la porte sans verser une goutte de sueur.

— Demain, 19 heures, dit vivement Maddox, soudain sérieux. Ne descendez pas. Je ne veux pas que vous attendiez dans la rue. Attendez à l'intérieur que je monte vous chercher.

Elle parvint à peine à contrôler son tressaillement. À peine. Malgré tout, elle était certaine d'avoir blêmi.

Après lui avoir offert la meilleure expérience sexuelle de sa vie, Drake l'avait calmement informée que son chauffeur serait chez elle le lendemain à 19 heures pour qu'elle passe la soirée avec lui. Comme ça. Sans même demander son avis. Il avait tout planifié sans la consulter… et elle était censée trouver son chauffeur et aller Dieu sait où avec cet homme terrifiant dont la bouche et le corps la rendaient folle.

Elle avait été trop ébranlée par son orgasme pour faire autre chose qu'opiner sans un mot quand il lui avait donné ses instructions, puis on l'avait conduite jusque dans la voiture qui l'avait ramenée chez elle.

—Dix-neuf heures, répondit-elle en hochant la tête, même si elle n'avait aucunement l'intention d'honorer ce rendez-vous.

Puis elle ferma la porte, remerciant le ciel que les filles ne soient pas toutes en train de l'attendre dans leur petit salon pour connaître les détails de sa soirée. Elle s'adossa à la porte, les yeux fermés, son sang-froid la quittant finalement, et elle se mit à trembler de la tête aux pieds. Elle se mit même à claquer des dents en se remémorant la façon dont Drake s'était rué entre ses jambes, comme un affamé, pour lui faire un cunnilingus.

Hors de question qu'elle soit là le lendemain à 19 heures. Elle devait travailler, payer son loyer, et envoyer de l'argent à sa mère. Et rien, pas même un homme aussi canon qu'effrayant, qui la faisait frémir en des endroits où elle n'avait jamais frémi auparavant, n'allait l'empêcher d'assumer ses responsabilités.

Elle n'avait pas quitté son petit village du Sud pour une grande ville lointaine plus peuplée que son État natal pour faire la fête, ni même pour s'amuser. Elle était venue en ville parce que sa famille avait besoin d'elle, et elle ne comptait pas les laisser tomber.

Chapitre 6

C'était le summum de la lâcheté, et Evangeline n'essaya même pas de s'en excuser quand elle quitta l'appartement bien avant 19 heures le soir suivant.

Bien qu'elle ait eu droit à un répit temporaire quand elle était rentrée car ses copines ne l'attendaient pas, à sa plus grande surprise, pour lui soutirer les détails de sa soirée à l'*Impulse*, elles l'avaient réveillée le lendemain matin en s'entassant toutes sur son lit dans la chambre qu'elle partageait avec Steph, lui sautant littéralement dessus.

Evangeline avait protesté. Elle aurait voulu dormir encore un peu, elle devait travailler tard ce soir-là, mais ses amies avaient ignoré ses protestations, arguant qu'elle aurait tout le temps de faire la sieste *après* leur avoir raconté dans les moindres détails et mot pour mot la vengeance suprême qu'elles l'avaient persuadée d'accomplir. Comme si elle aurait envie de dormir après leur avoir raconté.

Elle hésita longuement, se mordant la lèvre, jusqu'à ce que ses amies s'inquiètent ; Evangeline avait fini par cracher le morceau, sinon elles auraient imaginé le pire, et elles n'auraient eu aucun scrupule à rendre une visite inopinée à Eddie pour le tabasser.

Et un mec peureux contre ses trois amies féroces, indéniablement méchantes – leur principale qualité aux yeux d'Evangeline – n'aurait eu aucune chance. Evangeline aurait passé le reste de la journée à se demander comment payer leurs cautions pour les faire sortir de prison, alors qu'elle n'avait même pas de quoi faire libérer l'une d'elles.

Ses amies étaient loyales et protectrices, et leur amitié inconditionnelle. Evangeline ne les aurait échangées pour rien au monde, raison pour laquelle elle finit par leur raconter cette désastreuse soirée d'humiliation, sans oublier cette fin inoubliable et son départ tel un automate programmé pour obéir sans discuter.

Elle prit un certain plaisir à raconter les mésaventures d'Eddie, car elle se rendait compte à présent à quel point il avait été pathétique. Quelle imbécile elle avait été de coucher avec lui. Et dire qu'il était son premier amant. Pourtant, même si cela l'amusait, l'humiliation était omniprésente dans son esprit, car elle avait été stupide et naïve. Elle n'en était pas à son premier coup du sort, mais elle aurait préféré se passer de celui-ci.

Une fois passée la rage de ses amies en apprenant l'agression dont Evangeline avait été victime, elles rirent en chœur, ravies que les agents de sécurité de l'*Impulse* aient donné à Eddie une leçon dont il se souviendrait longtemps. Finalement, il avait été bien plus humilié qu'elle.

C'est alors qu'Evangeline avait marqué une pause dans son histoire, et Steph, toujours à l'affût, avait plissé les yeux avec méfiance. Elle avait la capacité troublante de donner l'impression à Evangeline d'être une écolière coupable qu'on attraperait en train de tricher à un devoir.

—OK, tout ça s'est déroulé durant les premières minutes où tu étais là-bas. Je veux dire, tu venais d'arriver et de commander un verre quand Eddie est venu te voir avec cette petite garce à son bras. Ce qu'il avait à dire n'a pas dû lui prendre plus de quelques minutes avant que le videur intervienne pour le jeter dehors avec sa pouffe. Mais tu es restée bien plus longtemps que ça. Alors que s'est-il passé d'autre ?

À ces mots, Nikki et Lana comprirent où Steph voulait en venir, et Nikki adressa à Evangeline un regard pénétrant, comme ceux dont Steph avait le secret, et qui avaient le don de la mettre mal à l'aise.

—Tu nous caches quelque chose, accusa Nikki.

—Ouais, sans déconner, marmonna Lana. Raconte, ma belle. Raconte tout. Et n'oublie pas un seul détail, sinon on va toutes à l'*Impulse* pour retrouver ce videur qui s'est occupé d'Eddie, et découvrir ce qui s'est *exactement* passé.

Evangeline grogna. Elle savait que ses colocs n'hésiteraient pas à le faire. Les hommes qui travaillaient avec ou pour Drake – elle n'avait pas su déchiffrer la dynamique de cette situation dans le peu de temps qu'elle y avait passé – étaient *tous* des gros durs. Il ne lui avait pas fallu plus de quelques secondes en leur compagnie pour le comprendre. Quiconque avait des yeux et un minimum de bon sens saurait que ce n'étaient pas des hommes avec qui on plaisantait. Jamais.

Elle faillit exploser de rire en imaginant Maddox face à ces trois femmes, petites mais très têtues et déterminées, pareilles à des pitt-bulls lâchés sur un steak dès lors que quelque chose leur tenait à cœur. Elles ne seraient ni intimidées ni rebutées par Maddox – ni par aucun des gros bras travaillant à l'*Impulse*. Ces pauvres gars ne comprendraient même pas ce qui leur était tombé dessus.

Enfin, sauf Drake. Elle frissonna presque en repensant à son regard. Comme s'il la déshabillait, couche après couche, pour sonder chaque pensée, réaction et émotion qu'elle s'évertuait à cacher au reste du monde.

Non, les filles n'auraient aucune chance avec lui. Et même si ses amies ne se laissaient pas facilement intimider, un regard de Drake suffirait probablement à les faire fuir. Ce qui était précisément ce qu'Evangeline aurait dû faire, et elle se demandait encore pourquoi elle ne l'avait pas fait. Elle avait été sous le choc, complètement submergée par la succession d'événements. Rien ne s'était passé selon le plan soigneusement établi par ses amies. Enfin, Evangeline n'avait jamais vraiment pensé que tout se passerait comme prévu, mais elle s'était sottement laissé convaincre de s'engager dans ce sordide bourbier. Et quel bourbier !

Elle se mordit la lèvre inférieure, ce qui trahissait son émoi. C'était son tic, comme le lui faisaient souvent remarquer ses amies. Si elle racontait effectivement ce qui s'était passé, ses colocataires se mettraient en tête d'aller affronter Drake, et c'était la *dernière* chose qu'elle souhaitait. Surtout pour des raisons de sécurité, mais aussi parce que tout ça était déjà assez humiliant. Si, en plus, ses amies se rendaient à l'*Impulse* et faisaient une scène à Drake…

Cette idée la fit frémir. Déjà qu'elle était passée pour une froussarde incapable de se défendre ; si ses amies intervenaient en sa faveur, cela ne ferait que renforcer cette impression.

L'expression de Steph s'adoucit, et l'inquiétude creusa ses traits. Elle demanda d'une voix douce :

— Vangie, que s'est-il passé ?

Evangeline les regarda tour à tour avec une assurance inhabituelle. Elle était trop timorée pour provoquer un conflit et était la pacificatrice du groupe. Elle était perpétuellement conciliante, au grand dam de ses amies, qui voulaient l'endurcir, faire d'elle une vraie garce – ce qu'elles croyaient être elles-mêmes, à tort, évidemment. C'étaient les meilleures amies qu'une femme puisse avoir. Mais Evangeline voulait seulement la paix. Elle ne voulait pas mener une existence chaotique. Elle appréciait sa vie tranquille, son petit groupe d'amies, et son travail au pub du coin, un endroit beaucoup moins sélect que l'*Impulse*, mais fréquenté par des locaux – à l'exception d'Eddie, bien entendu, qui était venu dans l'unique but de la séduire. Le pub était le lieu où se retrouvaient policiers, pompiers, et urgentistes en particulier, ce qui donnait à Jess l'impression d'être en sécurité. Autre preuve de sa naïveté, sans aucun doute. Les clients étaient aimables et l'appelaient par son prénom. Elle récoltait de généreux pourboires grâce à ses belles jambes, ses chaussures sexy et son sourire radieux. C'est du moins ce que prétendaient ses amies, car elle ne se voyait pas ainsi. Elle savait bien qu'elle n'était pas conforme à la description que ses amies faisaient d'elle, mais elle les aimait de tout son cœur pour leur amour et leur soutien inconditionnels. Les heures interminables qu'elles passaient à lui redonner confiance en elle et leurs regards encourageants lui réchauffaient le cœur.

Evangeline s'était contentée de lever les yeux au ciel. Pour elle, ça n'avait rien d'un traitement de faveur : n'importe quelle serveuse capable de se souvenir des prénoms et des boissons préférées des clients et de les mettre à l'aise après une longue journée recevrait de généreux pourboires.

Steph avait pouffé et fait remarquer que si c'était vraiment le cas, toutes les trois gagneraient autant de pourboires qu'Evangeline.

Evangeline, au pied du mur, se résigna à passer aux aveux. Si elle ne leur racontait pas tout, elles se rendraient à l'*Impulse*, interrogeraient Maddox et les autres, ce qui les mènerait droit dans l'antre de Drake.

Et si elle leur avouait tout jusqu'au moindre détail ? Ne risquait-il pas de se passer exactement la même chose ? Certainement, dans la mesure où elles pourraient bien se passer de Maddox et des autres sbires pour s'adresser directement à *Drake*.

Elle fit donc une chose qu'elle n'avait pas l'habitude de faire parce qu'elle faisait entièrement confiance à ses amies, et ne doutait ni d'elles ni de leur loyauté. Cependant, elle savait aussi qu'une fois qu'elles lui auraient promis de ne rien faire, même si cela leur coûtait – ce qui serait sûrement le cas –, elles tiendraient parole. Elle posa donc ses conditions.

— Je vais vous raconter le reste, mais seulement si vous me *jurez* que, primo, ce que je dirai ne quittera jamais cette pièce et restera entre nous. Et deuzio, que vous ne ferez rien – rien du tout. Vous oublierez tout ce que je vous aurais raconté dans cinq minutes et vous ne vous en prendrez à personne, n'interrogerez personne, n'enquêterez sur personne. Vous devez le jurer, répéta Evangeline avec emphase. Sinon je ne dirai pas un mot.

Ses trois amies parurent sidérées, mais elles hochèrent la tête une par une, bien que Steph semble loin d'être ravie de devoir promettre avant même de savoir ce qu'Evangeline allait leur révéler. Elle parut hésiter, mais Evangeline soutint son regard, ne la quittant pas des yeux jusqu'à ce que Steph lève les mains, capitulant.

— D'accord, d'accord, céda-t-elle, exaspérée. Nous promettons *toutes*, ajouta-t-elle après un regard en direction de Lana et Nikki. Tu veux bien continuer maintenant ? On meurt d'envie de savoir !

Satisfaite d'avoir leur consentement, et sachant qu'elles ne reviendraient pas sur leur parole, Evangeline leur fit d'une voix hésitante le récit des événements après qu'Eddie avait été expulsé de la boîte. Elle raconta absolument tout. Y compris les mots que Drake lui avait dits. Ils étaient gravés dans sa mémoire, elle ne pourrait jamais les oublier.

Quand elle eut fini, elle avait les joues en feu à tel point qu'elle donnait l'impression d'avoir pris un coup de soleil. Il lui sembla subitement qu'il faisait bien trop chaud dans la pièce et elle eut désespérément besoin d'une douche froide, ou, mieux encore, d'une baignoire pleine de glaçons dans laquelle s'immerger jusqu'à ce que son excitation se dissipe et que son corps se libère des effets persistants de la bouche, des lèvres, de la langue de Drake. De son toucher. Bon sang, son seul contact l'avait embrasée. Elle n'osait pas imaginer ce qu'elle aurait ressenti si les choses étaient allées plus loin et s'ils avaient fait l'amour. Une nouvelle vague de chaleur déferla dans son corps, et elle sentit son sexe frémir. Il fallait qu'elle arrête!

Comment était-il possible que, des heures plus tard, le simple souvenir de ce qu'il lui avait fait la mette dans un état pareil? Elle n'avait même plus le courage de soutenir le regard de ses amies et avait depuis longtemps ancré le sien sur un point distant pour ne pas voir leurs réactions.

Lorsqu'elle osa enfin faire cas de l'expression de ses amies, elles étaient bouche bée et écarquillaient les yeux, sous le choc. Et pour une fois, surtout Steph, qui n'était jamais à court de choses à dire, elles étaient complètement sans voix.

Nikki ouvrit et referma la bouche plusieurs fois d'affilée, tandis que Steph la regardait fixement, stupéfaite. Étonnamment, ce fut Lana, la plus discrète des trois, qui couina:

— *Quoi?* Pour de vrai? T'es *sérieuse?*

Un authentique couinement teinté d'incrédulité.

Comme Lana avait brisé le silence, un déferlement de questions s'abattit de toutes parts sur Evangeline, qui se couvrit les oreilles en grognant et se laissa retomber sur son oreiller, les yeux fermés. Elle attrapa un deuxième coussin et l'aurait mis sur sa tête pour ne plus les entendre si on ne le lui avait pas aussitôt arraché des mains ; en rouvrant les yeux, Evangeline se retrouva face au visage outré de Steph.

—Ah, ça non ! gronda Steph, dont les yeux lançaient des éclairs, la tête planant juste au-dessus du visage d'Evangeline. Tu ne t'en sortiras pas comme ça.

Puis elle s'arrêta, pantoise pour la seconde fois en quelques instants. Elle leva la main au-dessus de l'épaule, paume vers le haut et doigts écartés en hurlant : « Quoi ? » Son expression, elle, disait tout ce que son geste ne traduisait pas : *Pourquoi ? Comment ? Putain de merde ! Vraiment ?*

Si rien de tout cela ne lui était arrivé, Evangeline aurait trouvé les réactions de ses amies comiques et se serait même tenu les côtes en riant comme une hystérique, ravie de leur avoir fait gober le meilleur des canulars – ce dont elle était absolument incapable : sa candeur était légendaire et elle n'aurait même pas su comment s'y prendre pour duper qui que ce soit.

Ses amies considéraient que c'était un terrible défaut, et peut-être même un péché capital. Les gens s'enorgueillissaient-ils d'être malhonnêtes, ou pire, d'être convaincants et de triompher dans cet exercice ?

Evangeline soupira, car elle se savait conforme au jugement de ses colocataires. Sa naïveté et son incapacité à faire preuve de méchanceté envers ceux qui le méritaient les désespéraient. Elles lui reprochaient d'être trop gentille, trop innocente, trop indulgente, trop candide.

Elles l'aimaient de tout leur cœur pour ces choses qu'elles considéraient comme des défauts, mais redoutaient que cet aspect de sa personnalité finisse par causer sa perte. Elles avaient peut-être raison, mais Evangeline était ainsi faite, elle n'y pouvait rien. Ne l'avait-elle pas prouvé la veille au soir sans l'ombre d'un doute ?

De plus, elle n'avait pas *envie* de changer. Elle se trouvait très bien comme elle était, avec ses défauts et tout le toutim. Personne n'était parfait. Il se trouvait qu'elle avait plus de défauts que la plupart des gens. Et alors ? Elle ne pouvait rien y faire, alors pourquoi gaspiller du temps et de l'énergie à essayer d'être quelqu'un que non seulement elle ne pourrait jamais être, mais qu'elle n'avait aucune envie de devenir ?

Sous cet angle, les événements de la nuit précédente ne semblaient plus si terribles, et Evangeline ressentit une certaine forme d'apaisement, désamorçant un peu son humiliation. Même si ses amies l'observaient encore comme si elles étaient sur le point de lui sauter dessus si elle ne développait pas davantage la révélation choquante qu'elle leur avait lancée comme une bombe.

—Il t'a vraiment fait un cunni ? *Sur* son bureau ? demanda Nikki dans un murmure, perdant manifestement toute patience, et jugeant qu'Evangeline allait devoir être interrogée puisqu'elle refusait de communiquer les détails croustillants que ses amies brûlaient d'envie de connaître.

—Bon sang, quand tu le dis, ça a l'air si… sordide, gémit Evangeline. J'ai l'impression que je devrais aller me confesser sur-le-champ.

—Ma belle, je crois qu'il faut être catholique pour pouvoir se confesser, répliqua sèchement Lana.

—Arrête de la distraire! hurla presque Steph, avec agitation. Et Vangie, je déteste d'avoir à te le dire, mais c'était bel et bien sordide. D'un sordide délicieux, incroyable, à vous donner la chair de poule. Je veux bien de ce genre de sordide, parce que rien de ce que j'ai fait dans ma vie ne s'approche un tant soit peu d'un tel délice hédoniste.

Evangeline haussa un sourcil, surprise. Elle s'était attendue… Elle fronça les sourcils et secoua légèrement la tête pour chasser sa confusion. Elle ne savait pas exactement à quoi elle s'était attendue. Peut-être à une condamnation? À de la déception? À être jugée?

Pourtant, ce n'était pas du tout ce qu'elle lisait dans les yeux de ses amies. Elle y lisait trop d'émotions pour parvenir à les distinguer, mais rien qui la fasse se sentir honteuse ni même désolée pour ce qu'elle avait fait. Cela dit, elle n'avait rien fait. Elle avait seulement été une participante paumée – complètement paumée –, si on pouvait qualifier sa réaction de véritable participation. Elle l'avait seulement laissé faire. Prendre le contrôle de chaque aspect de la série d'événements bouleversants qui avait débuté par une simple vengeance mesquine. Elle ne pouvait pas mettre ça sur le compte du choc, de son accablement, ni même sur le fait que ses sens avaient été si épars qu'elle avait à peine été consciente de ce qu'il se passait. Elle savait qui était responsable, et ce n'était pas Drake. C'était sa faute, car elle n'avait pas eu le courage de mettre un terme à cette mascarade. Elle n'avait pas une once de bravoure en elle, et la nuit dernière n'avait fait que le prouver sans l'ombre d'un doute.

Pire, elle avait su exactement ce qu'il faisait, ce qu'il allait faire, et elle avait frémi tout entière, tremblant violemment d'un désir étouffé. Il avait allumé en elle un feu qui avait été longtemps en sommeil, et elle l'avait voulu, y avait aspiré, l'avait désiré, lui, de tout son corps. Avec un désespoir fou qui la déroutait encore, car la femme désespérée dont elle ne soupçonnait pas l'existence avait réagi en s'abandonnant complètement à un homme qu'elle ne connaissait que depuis quelques minutes. Pour une fois dans sa vie, elle avait cédé à la spontanéité. Fait quelque chose qui ne lui ressemblait pas. Profité de l'instant et savouré chaque seconde de ce plaisir inimaginable. Comme dans les fantasmes érotiques qu'elle n'avait jamais partagés avec personne. Pas même ses amies. Parce qu'elle en avait honte, et pire encore, ils lui faisaient peur ; car dans ses fantasmes les plus fous, elle perdait tout contrôle. Elle appartenait à un homme qui la choyait, la protégeait, la gâtait sans cesse, mais qui en retour était exigeant, impitoyable même, avec un soupçon de danger et de mystère l'enveloppant comme une seconde peau, qu'il portait avec le confort et l'aisance d'un homme familiarisé avec un tel mode de vie.

Quel genre de fille paumée était-elle donc ? Elle ferma les yeux, refusant de s'appesantir sur des choses qu'il valait mieux laisser dans le passé. Si ça ne tenait qu'à elle, elle ne reverrait jamais cet homme, et ne mettrait plus les pieds dans un endroit comme l'*Impulse*, où même le personnel lui donnait des complexes.

Même si cela devait faire d'elle la pire des lâches, même si elle n'était pas censée travailler ce soir-là, il était hors de question qu'elle attende à 19 heures qu'on vienne la chercher. Elle refusait d'être la «chose» de Drake et qu'on lui demande de faire des trucs inimaginables – bien que le simple fait d'y penser l'embrase tout entière.

Elle soupira doucement, ne tenant pas compte de l'impatience qui se lisait sur le visage de ses amies. Elle s'était autorisé un aperçu et cela devrait lui suffire. Car Drake Donovan n'était pas un homme avec qui on pouvait jouer. Il exigeait et s'attendait à une docilité inconditionnelle. C'était évident.

Il fallait qu'elle travaille jusqu'à la fermeture ce soir, et bien que les filles lui aient dit qu'elle pourrait toujours faire la sieste après leur avoir révélé le scoop, Evangeline savait qu'elle n'avait aucune chance de se rendormir. Pas alors qu'elle se repassait en boucle les détails de la soirée.

Non, elle allait simplement partir tôt. Rattraper certaines choses qui s'étaient accumulées au cours des dernières semaines et avaient été ignorées par les autres employés.

Mais d'abord, elle donnerait à ses amies ce qu'elles voulaient – ce qu'elles méritaient – parce qu'elles ne lui avaient jamais rien caché, et ne le feraient jamais.

Ensuite, elle se demanderait quoi faire à propos de Drake Donovan. Dès qu'elle aurait trouvé tout ce qu'elle pourrait sur lui et les raisons qui le poussaient à vouloir d'une femme aussi insignifiante qu'elle.

Chapitre 7

Evangeline était épuisée quand elle sortit du pub en chancelant, une heure après l'heure de fermeture officielle. Elle avait les pieds en compote, gonflés à cause des nombreuses heures occupées à servir leurs verres aux clients au pas de course dans des chaussures à talons très inconfortables. Elle fut tentée de les enlever pour rentrer chez elle pieds nus. Elle avait été si lessivée par les événements de la veille et l'interrogatoire épuisant de ses colocataires qu'elle avait oublié la paire de ballerines confortables qu'elle apportait au travail afin de les mettre sur le trajet du retour. Voilà qu'elle était obligée de marcher en pleine nuit avec des chaussures qu'elle avait envie de jeter dans la première poubelle qu'elle trouverait. Au moins, ses poches étaient remplies de pourboires encore plus généreux que d'ordinaire, ce qui rendait sa souffrance plus supportable; elle pourrait envoyer plus d'argent que d'habitude à sa mère.

Elle était si épuisée, rêvant déjà des douze heures de sommeil qui l'attendaient, qu'elle ne remarqua même pas l'homme devant le pub avant de manquer de le percuter. Elle eut une brusque montée d'adrénaline et son sang ne fit qu'un tour. Elle recula en chancelant, adoptant une position défensive.

Un cri se coinça dans sa gorge face à la menace potentielle. Puis elle reconnut l'homme, mais cela ne fit qu'accroître sa peur. Son instinct lui dicta de se sauver en courant.

Maddox, le sbire de Drake, se tenait devant elle, bloquant efficacement son évasion, l'air faussement décontracté. Elle faillit éclater d'un rire hystérique quand elle se demanda si elle avait le temps d'envoyer valser ses chaussures pour courir : cet homme l'attraperait avant qu'elle ait enlevé la première chaussure.

— Désolé de vous avoir effrayée, Evangeline, dit-il sur le même ton prévenant qu'il avait employé lorsqu'il l'avait secourue au club.

— Que faites-vous là ? bégaya-t-elle. Que me voulez-vous ?

Elle ne prit pas la peine de dissimuler sa peur. Quelle femme ne serait pas terrifiée dans sa situation ? Elle était surprise d'avoir été capable de formuler ces questions, même si ses paroles tenaient plus du couinement que du discours cohérent.

L'expression de Maddox était neutre mais il y avait une lueur de menace dans ses yeux.

— Ce n'est pas une bonne idée de faire attendre Drake. Vous deviez être chez vous à 19 heures et j'avais l'ordre de vous conduire à lui. C'est un homme qui exige obéissance et docilité. En toutes choses.

Son malaise la paralysa alors qu'elle assimilait ses derniers mots. *En toutes choses?* Il exigeait l'obéissance *en toutes choses?* Pour qui se prenait-il? Dieu? Dans quoi s'était-elle fourrée en se laissant convaincre d'aller à ce club? Putain, elle aurait mieux fait de s'écouter et de ne pas mettre les pieds dans cet endroit. Où était sa résolution? Ah, oui, elle l'avait déjà oubliée.

Il consulta ostensiblement sa montre avant de poser de nouveau les yeux sur elle, renouvelant sa mise en garde muette.

—Il est 4 heures du matin, ce qui signifie que vous avez neuf heures de retard, et Drake n'attend personne pendant neuf heures.

Evangeline montra les dents.

—Parfait! Dans ce cas, que faites-vous là? Vous avez vous-même admis que Drake n'attend personne, et cela fait neuf heures. S'il ne m'attend pas, alors que faites-vous là à me foutre les jetons?

Une lueur amusée passa dans les yeux de Maddox.

—Il semblerait qu'il fasse une exception pour vous. Je vous conseille de ne pas le faire attendre plus longtemps, en restant là à discuter à 4 heures du matin.

Evangeline resta bouche bée.

—Vous êtes sérieux? Qu'est-ce qui lui donne le droit de me donner des ordres ou de penser que je vais me plier à ses exigences, comme si j'étais son larbin ou l'une de ses employés?

Elle secoua la tête, car cela devenait plus que suspect. Bien plus que les événements étranges qui s'étaient produits au club, en particulier dans le bureau de Drake.

— Vous êtes tous dingues ! Déments. Et puis, je devais aller au boulot. Vous savez, ce truc qu'on appelle un travail, pour lequel on reçoit un salaire ? Certains d'entre nous n'ont pas le luxe de pouvoir partir sur un coup de tête. J'ai des factures à payer et une famille à soutenir. J'ai besoin de ce travail, et il est hors de question que je laisse tomber mon boulot juste parce que le tout-puissant Drake Donovan a décidé que ma présence était requise pour je ne sais quelle raison. Cela me rendrait aussi tarée que vous tous !

Une fois encore, une lueur rieuse dansa dans les yeux de Maddox, mais elle y décela aussi ce qui ressemblait étrangement à du respect, pour son attitude de défi et sa franchise. Elle n'était pas du genre malpoli, mais rien dans ses réactions ne pouvait être perçu autrement que comme de l'impolitesse. Voire du mépris, et bien qu'elle n'ait pas côtoyé longtemps Drake et ses chiens de garde, elle savait qu'ils n'avaient pas l'habitude d'être méprisés, surtout pas par une fille comme elle.

La colère poussa Evangeline à s'emporter de plus belle face à l'absence de réaction de Maddox.

— Que peut-il bien me vouloir ? Nous évoluons dans des sphères complètement différentes. Je ne suis rien. Normale tout au plus. On n'a rien à voir et on n'est pas du même monde. Je ne suis qu'une nana lambda qui passe inaperçue.

À ces mots, l'expression de Maddox passa d'amusée à fâchée et mauvaise en un clin d'œil, son regard brillant dangereusement.

— Foutaises, lâcha-t-il, sans plus d'explications.

Au lieu de justifier son juron, il l'attrapa gentiment par le coude, passa son bras autour de sa taille, et la conduisit jusqu'à une voiture garée à quelques mètres. La voiture dans laquelle il l'avait ramenée chez elle la veille. Il passa outre à ses protestations et à ses tentatives de se soustraire à son emprise, et se contenta de raffermir sa poigne, ralentissant le pas pour s'assurer qu'elle ne trébuchait pas avec ses talons ridiculement hauts. Comment un mec aussi costaud et flippant pouvait-il être si délicat pour assurer sa sécurité alors qu'il était en train de la kidnapper ? Cela n'avait aucun sens, d'autant que le cerveau d'Evangeline était déjà cramé à cause de la soirée à l'*Impulse* et du long service qu'elle venait d'effectuer, entièrement debout.

Lorsqu'elle atteignit la voiture et que Maddox ouvrit la portière arrière, elle céda à un élan de panique et recula aussitôt, ce qui lui valut d'entrer en collision avec le torse musclé de Maddox, qui ne bougea pas d'un pouce alors qu'elle commençait à se débattre.

Il la poussa gentiment dans le dos et entreprit de l'asseoir avec déférence.

—Vous ne pouvez pas me kidnapper ! s'écria-t-elle, la gorge serrée.

La terreur qu'elle ressentait transformait presque les mots qu'elle voulait crier en croassements.

—Pourtant, vous n'avez pas trop protesté quand je vous ai très galamment conduite jusqu'à la voiture, dit sèchement Maddox.

—Définissez «trop», rétorqua-t-elle. Parce que de mon point de vue, je ne me suis pas laissé faire comme un agneau allant docilement à l'abattoir. Je suis certaine que c'est ce que vous avez cru parce que vous pourriez me briser en deux entre vos doigts, mais cela ne veut pas dire que je ne protestais pas.

Puis elle baissa les yeux pour se rendre compte qu'elle était assise plutôt confortablement sur le cuir doux et onéreux. Comment avait-il réussi à la faire monter en voiture avec si peu d'efforts ? Elle avait beau soutenir qu'elle avait résisté et qu'elle ne se rendait pas docilement à l'abattoir, il semblait bien qu'elle avait, aux yeux de Maddox, obéi à ses ordres sans la moindre objection. Cela la répugna.

—J'avais peur que vous me tiriez dessus, marmonna-t-elle dans un souffle.

Pour autant, Maddox l'entendit et il eut une espèce de sourire en coin, même si elle supposait qu'il ne souriait pas souvent, voire jamais. Cela aussi semblait être un critère requis pour travailler dans les établissements de Drake. Beau, gros dur, bien bâti, intimidant, effrayant, et ne souriant pas. Jamais.

Il ferma la portière et fit le tour du véhicule par l'arrière pour monter de l'autre côté. Evangeline tira aussitôt sur la poignée, avec la ferme intention de sortir et de courir aussi vite que ses chaussures le lui permettraient avant qu'il n'entre.

Mais rien ne se passa. Elle actionna la poignée, jurant dans sa barbe, crachant des mots pour lesquels sa mère lui aurait lavé la bouche au savon, car une dame ne penserait même jamais les mots qu'Evangeline débitait sans discontinuer.

Puis une paume chaude et réconfortante se referma sur son autre main. Maddox la serra, mettant fin à ses tentatives futiles pour ouvrir cette porte qui refusait de s'ouvrir à cause d'une simple sécurité enfant. Elle était donc réduite au statut d'enfant récalcitrante, de nuisance qu'on avait ordonné à Maddox de récupérer parce qu'elle était sortie du cadre. Un cadre dont elle n'avait aucune connaissance ni compréhension. Les choses ne se passaient pas ainsi dans son existence protégée. Elle avait l'impression que, le soir où elle avait été forcée d'aller à l'*Impulse*, elle était entrée dans une réalité parallèle qui obéissait à des règles complètement différentes, dont elle n'avait aucune connaissance.

—Evangeline.

Même si son nom n'avait pas été prononcé de manière brutale ou intimidante, c'était un ordre. Elle *devait* le regarder. Un ordre auquel elle se sentit contrainte d'obéir bien qu'elle n'ait aucune envie de faire face à cet homme. Elle s'en voulut de songer à obéir et pourtant, à son grand dam, elle céda. N'était-ce pas insensé? Si elle n'était même pas capable de tenir tête à l'un des larbins de Drake, comment pourrait-elle avoir une chance face à Drake lui-même? Elle était au-delà de la peur et de la panique à ce stade. Elle s'approchait de l'effondrement total et se demanda si elle pouvait, d'une manière ou d'une autre, sortir discrètement son téléphone de son sac pour appeler les secours. Toutefois, elle ignorait où Maddox l'emmenait et aucun crime n'avait été commis. Du moins pas encore...

À contrecœur, mais incapable de défier son autorité, elle tourna la tête, les yeux baissés, s'avouant vaincue. Elle s'avachit sur son siège, épuisée mentalement et physiquement, au bord des larmes. Elle respira un grand coup, puisant dans ses réserves pour se ressaisir. Elle refusait que cet homme la voie pleurer et la considère comme une femme sans défense ayant accepté sa défaite.

—Evangeline, regardez-moi, dit Maddox avec douceur.

Il agrippait toujours sa main, faisant glisser son pouce sur sa peau comme pour la réconforter. Et ce qui était invraisemblable, c'est que cela l'apaisait effectivement. S'il prévoyait de l'assassiner, il n'essaierait certainement pas de la rassurer. Elle grogna presque à haute voix, car, une fois encore, sa naïveté extrême reprenait le contrôle de son cerveau. Les tueurs en série étaient souvent des hommes normaux, lambda, qui gagnaient la confiance de leurs victimes avant de mettre cruellement fin à leurs vies.

Sachant qu'elle se comportait comme une lâche – ce qu'elle était, en définitive –, elle leva lentement la tête pour croiser le regard pénétrant de Maddox. Elle avait horreur du conflit. Elle n'avait qu'une envie : creuser un trou très profond et s'y enterrer.

—Aucun mal ne vous sera fait, dit-il d'un ton qui ne laissait aucun doute sur son honnêteté. Drake ne vous blessera d'aucune manière. Et il n'autorisera personne d'autre à vous faire du mal. Je sais que vous n'avez aucune raison de me faire confiance, ni à Drake d'ailleurs, mais je vous jure sur ma vie que vous serez toujours en sécurité. Je vous escorterai personnellement jusqu'à Drake et une fois que vous serez avec lui, personne, et je dis bien personne, ne pourra s'approcher de vous. Et bien qu'il soit parfaitement capable de se sortir seul de n'importe quelle situation, il est entouré en permanence par une équipe de sécurité. Ses gardes du corps sont les meilleurs dans leurs domaines respectifs. Nous sommes très entraînés et chacun de nous est prêt à donner sa vie pour Drake, et, par procuration, pour vous.

Elle l'observa, perplexe, essayant d'assimiler tout ce qu'il venait de dire. Des émotions contradictoires s'agitaient dans son esprit, lui faisant tourner la tête.

— Pardonnez mon scepticisme, dit-elle, faisant son possible pour empêcher sa voix de trembler et ainsi trahir sa peur.

Non, la « peur » était un mot trop faible. Elle avait « peur » des araignées et des insectes. Drake, lui, la terrifiait.

— Mais il vous a envoyé me kidnapper. Vos jolis mots et vos explications ne changeront rien au fait que j'ai été emmenée contre ma volonté. Vous n'avez pas tenu compte de mon refus. Mon absence au rendez-vous de 19 heures qu'il m'a imposé aurait dû suffire à vous indiquer que je n'avais pas le moindre désir de me plier à sa volonté. D'ailleurs, il ne m'a jamais demandé de le retrouver. Il ne m'a pas laissé le choix. Il m'a dit d'être chez moi à 19 heures et que quelqu'un viendrait me chercher pour me conduire jusqu'à lui. J'étais en état de choc et je voulais quitter les lieux sans attendre, je me suis donc contentée de hocher la tête. Si je lui avais dit non, je ne pouvais être certaine qu'il m'aurait laissée partir. Alors dites-moi, quelle personne saine d'esprit n'aurait pas la trouille ? Quelle personne saine d'esprit croirait effectivement qu'aucun mal ne lui serait fait et qu'elle serait en sécurité, alors qu'elle serait à la merci d'un homme capable de la briser en deux d'un simple regard ? Et qu'est-ce qui pourrait, au juste, dans cette espèce de traque louche à 4 heures du matin, convaincre une femme qu'elle est en sécurité ou que l'homme qui a donné l'ordre qu'on l'enlève ne prévoit pas de lui faire du mal ?

Le visage de Maddox s'adoucit, ses yeux trahirent ses remords. D'un instant à l'autre, il passait de l'apparence du type pas commode auquel il valait mieux ne pas chercher noise à celle d'un être humain doté d'une conscience. Il semblait sincèrement regretter de l'avoir intimidée, comme s'il n'en avait jamais eu l'intention et était horrifié qu'elle perçoive ses actes ainsi.

Il ne fallait pas oublier qu'il restait un mâle alpha baraqué capable de décimer une foule entière. D'ailleurs, tous les hommes à l'*Impulse*, même le barman, semblaient être d'anciens agents spéciaux. Ou issus d'un commando de marine ou d'une autre unité militaire tout aussi féroce. Où Drake avait-il pu lever une telle armée d'hommes bâtis comme des armoires à glace ? Elle serait prête à parier que les balles rebondissaient sur leur peau et que même une grenade ne les ralentirait pas. Enfin, pas trop.

Elle réprima ses folles pensées avant de se laisser trop emporter, et s'efforça de se concentrer sur son problème.

— Je suis désolée que vous ayez eu peur, dit doucement Maddox. Ça n'a jamais été mon intention, ni celle de Drake. Drake…

Il se tut un instant, comme pour trouver les mots justes, qui ne la tétaniseraient pas davantage.

—Drake édicte sa propre loi et il est habitué à la docilité. Il a bâti un empire et amassé sa fortune en travaillant dur sans jamais céder. Personne ne lui a rien donné. Il s'est retrouvé seul à un jeune âge et a appris à ses dépens que la vie est ce qu'on en fait, et que si on attend d'être aidé ou que tout tombe du ciel, alors on ne va nulle part.

Il marqua une pause, grimaçant, comme si ce qu'il lui disait était une information militaire top secrète et que si Drake apprenait qu'il la lui avait confiée, il lui ferait la peau.

—C'est un homme très secret, poursuivit-il, confirmant le soupçon d'Evangeline.

Maddox commettait une faute grave en divulguant ces informations personnelles.

—Il n'est pas arrivé jusque-là en prenant des gants ou en tolérant l'insubordination.

Evangeline plissa les yeux et leva une main pour faire taire Maddox, ce à quoi il n'était certainement pas habitué à en juger par son expression. Mais dans l'immédiat, elle s'en fichait.

—C'est très bien quand il s'agit de son entreprise et de ses employés, dit-elle amèrement. Sa façon de gérer son club ne me regarde pas, et si ses employés sont prêts à travailler pour un tyran, ça les regarde. Mais moi, je ne suis pas son employée. Je ne travaille pas pour lui. Je ne suis rien pour lui. Je trouve donc absurde sa volonté de me soumettre à ses ordres.

C'est le comble de l'arrogance. Il peut jouer à Dieu dans son petit univers autant qu'il veut, mais je n'en fais pas partie et il dépasse les bornes.

Maddox soupira. Il n'avait qu'une envie : arrêter la voiture et la mettre dehors. Il ne faisait aucun doute que la plupart des femmes que son patron l'avait envoyé « convoquer » s'étaient empressées de rejoindre Drake. Mais elle avait également appris, lors de leur brève rencontre, que ses employés étaient manifestement bien entraînés et d'une loyauté à toute épreuve. De ce fait, même si Evangeline était une emmerdeuse, Maddox n'allait pas se présenter devant son patron les mains vides. Ce qui voulait dire qu'elle devait se résigner à son destin et espérer que Maddox disait vrai.

Chapitre 8

UNE TORTUE SERAIT PASSÉE POUR UNE FUSÉE À CÔTÉ d'Evangeline alors qu'elle s'avançait dans le couloir de la boîte de nuit à présent fermée où son rendez-vous avec Drake allait apparemment avoir lieu. Maddox bouillonnait d'impatience, mais il se maîtrisait et progressait à ses côtés, une main posée dans le bas du dos, l'autre en travers de son torse pour tenir le bras tremblant d'Evangeline. Il devait penser que, s'il ne la tenait pas fermement, elle tomberait la tête la première, et il fallait bien l'avouer : il n'avait pas tort.

Lorsqu'ils s'étaient garés sur une place de parking réservée à l'arrière du club, elle était restée assise raide comme une statue, la mâchoire serrée pour empêcher ses dents de claquer. La boîte de nuit ? Vraiment ? À cette heure ? L'avait-il attendue ici toute la nuit, s'échauffant de plus en plus comme elle ne se montrait pas ? Ou était-ce seulement qu'il travaillait tard et s'occupait de la gestion de son entreprise tandis que ses employés annonçaient la fermeture imminente et vidaient l'endroit pour pouvoir commencer à nettoyer?

Maddox avait fait le tour de la voiture et lui avait ouvert la portière, puis il était resté debout là pendant de longues minutes avant de soupirer, comme s'il avait envie de l'étrangler. Il avait fini par prendre les choses en main : il avait passé un bras sous ses cuisses et l'autre autour de son dos pour la sortir de voiture et la porter contre son torse sans peine, comme si elle n'était qu'une enfant.

Cela avait mis un terme à son immobilité et son refus de bouger. Elle avait tambouriné sur son torse, exigeant qu'il la repose par terre. Ça lui ferait mal de devoir être portée à l'intérieur comme une captive réticente. Même si c'était précisément ce qu'elle était.

Ce ne fut qu'une fois à l'intérieur que Maddox avait renoncé à la porter et l'avait délicatement posée à terre, lui attrapant les épaules des deux mains jusqu'à ce qu'elle soit suffisamment stable pour marcher.

Sur le chemin de l'ascenseur, elle l'entendit plus d'une fois marmonner, maudissant ses « foutues chaussures », ou gronder : « Vous allez vous briser le cou. »

Lorsqu'ils furent dans l'ascenseur, Evangeline avait la gorge si nouée qu'elle avait du mal à respirer. Lorsqu'elle tenta en vain de reprendre son souffle, elle céda à un accès de panique et se mit à trembler de tous ses membres.

À ses côtés, Maddox jura puis l'attrapa fermement par les épaules, la faisant pivoter pour qu'elle se retrouve face à lui.

Il baissa la tête jusqu'à ce que leurs yeux se croisent ; son regard était pénétrant.

—Respirez, bon sang. Vous n'avez pas intérêt à tourner de l'œil. Reprenez-vous. Vous avez tenu tête à votre connard d'ex, à moi et à Drake, et vous n'avez jamais cédé alors que vous étiez certaine que nous pouvions vous briser comme une brindille. Alors ne faiblissez pas maintenant, putain. Vous avez trop de fierté pour entrer dans le bureau de Drake dans cet état.

Puis il la lâcha en secouant la tête.

—Oubliez. Vous avez trop de fierté pour que je vous porte dans le bureau de Drake, ce qui est précisément ce qu'il va se passer si vous ne vous reprenez pas.

Sa voix claqua comme un fouet et eut le même effet. Soudain, la chaleur se répandit dans ses joues froides et sa gorge se détendit, laissant passer l'air, qui lui remplit les poumons.

Le soulagement la rendit fébrile et elle était à deux doigts de sombrer après cette montée d'adrénaline. Ses genoux tremblaient, mais elle repoussa les tentatives de Maddox pour lui faire retrouver l'équilibre, choisissant de se distancier de lui pour se caler contre la paroi de l'ascenseur.

Quel temps fallait-il pour que ce fichu machin monte à peine quelques étages ? Il fallait avouer que, bien qu'elle ait eu l'impression que cela avait duré une éternité, sa défaillance et la réprimande acerbe de Maddox n'avaient duré que quelques secondes.

Elle se sentait si à l'étroit et si humiliée par sa lâcheté qu'elle soupira de soulagement lorsque l'ascenseur s'arrêta et que les portes s'ouvrirent. Puis elle se rendit compte qu'elle allait affronter un homme bien plus intimidant que Maddox. Et après ce que ce dernier lui avait révélé sur son patron, Evangeline savait que Drake ne serait pas ravi qu'elle l'ait fait attendre plus de neuf heures.

Maddox la délogea de sa place au fond de l'ascenseur, mais lorsqu'elle atteignit le seuil du bureau de Drake, elle s'arrêta brusquement et tenta de faire un pas en arrière, heurtant le torse massif de Maddox. Elle dut faire appel à toute sa fierté et sa maîtrise d'elle-même pour ne pas geindre ni faire quoi que ce soit d'humiliant, comme fondre en larmes ou défaillir à nouveau et s'évanouir aux pieds de Maddox.

Elle inspira profondément pour se reprendre, puis elle se prépara mentalement, le dos bien droit. Elle redressa le menton d'un air de défi et chercha rageusement Drake du regard, déterminée à ne pas être intimidée lorsque leurs regards se croiseraient.

Elle tendit machinalement la main en arrière, presque malgré elle, pour trouver du réconfort auprès de Maddox, mais il s'était volatilisé. Merde ! Cet homme était un roi de l'évasion. C'était la deuxième fois qu'il « l'escortait » jusqu'au repaire de Drake avant de disparaître. Elle n'avait même pas entendu les portes de l'ascenseur se refermer. Voilà qu'elle était coincée avec un homme qui n'aimait pas qu'on le fasse attendre et exigeait qu'on se plie à chacun de ses ordres.

Et puis merde. Elle ferma les yeux, abandonnant l'idée de chercher Drake, où qu'il se cache, et refusant de se dérober à son regard.

—Vous êtes en retard, dit Drake, sans chercher à dissimuler son mécontentement.

Néanmoins, alors même qu'il assenait sa réprimande, il l'observa et remarqua qu'elle était manifestement épuisée ; elle dormait debout. Elle tenait à peine sur ses talons absurdes et semblait pouvoir s'écrouler à tout instant.

Il savait bien pourquoi elle n'était pas chez elle à 19 heures comme il en avait donné l'ordre. Elle était allée travailler dans un pub et avait servi des clients pendant des heures avec ces chaussures aux talons vertigineux. Elle était pâle, et la fatigue se lisait sur son visage.

Murmurant un juron, il la rejoignit d'un pas raide, lui attrapa délicatement le bras, et la conduisit promptement jusqu'au canapé. Il planta ses deux mains sur ses épaules et la poussa vers le bas de façon à la forcer à s'asseoir.

—Allongez-vous et détendez-vous, dit-il sèchement.

Puis il posa un genou à terre et lui enleva ses chaussures, jurant de plus belle en constatant à quel point elle avait les pieds enflés. Elle semblait perplexe, les yeux écarquillés comme si c'était la dernière chose à laquelle elle s'attendait. Il fallait dire qu'il n'avait rien fait pour la convaincre qu'il n'était pas un salaud sans cœur, une sorte de monstre qui se jetterait sur elle à la première occasion.

Sans un mot, il lui massa le pied, prenant garde à ne pas lui faire mal et à ne pas lui causer la moindre gêne.

Elle laissa échapper un gémissement et, l'espace d'un instant, elle ferma les yeux et se détendit, la tension quittant son corps. Il s'affaira sur le premier pied, s'occupant de chaque centimètre carré et apportant un soin particulier à sa voûte plantaire. Puis il se concentra sur l'autre, lui accordant le même soin.

Il l'observait attentivement, guettant chacune de ses réactions et le plaisir pur qui se lisait sur son visage. Elle était si réactive à son toucher. Parfaitement honnête, aucune simulation. Sincère jusqu'au bout des ongles et si belle que le désir s'éveilla entre ses jambes.

La veille, il avait bandé toute la nuit, incapable de dormir, car chaque fois qu'il fermait les yeux, il la goûtait, la sentait, entendait ses cris d'extase, et il la revoyait, jambes écartées devant lui sur son bureau, telle une déesse offerte en sacrifice. Mais il ne pouvait pas l'acheter et tout son pouvoir ne suffisait pas à la faire apparaître sur commande; c'était un trésor inestimable. Pour le gagner, il devrait faire preuve d'une qualité dont il était dépourvu : la patience.

Il avait dû user de toute sa retenue pour ne pas descendre son pantalon et s'enfoncer si profondément en elle qu'elle le sentirait jusque dans son âme. Il se demandait encore pourquoi il ne l'avait pas fait. Seul l'avertissement tenace au fond de son esprit lui disant qu'il devait marcher sur des œufs avec elle et ne pas la pousser trop fort, trop vite, l'avait retenu d'assouvir son désir sans considération pour la peur qu'elle éprouvait à son égard. Cela l'avait suffisamment effrayée qu'il lui prodigue un cunnilingus. Il était également limpide que son seul amant – son con d'ex – ne lui avait rien donné. Il n'avait fait que prendre. Il avait laissé partir un bijou pour lequel la plupart des hommes tueraient, mais Drake n'avait aucune pitié à accorder à cet imbécile. Sa perte profitait à Drake, et il comptait saisir cette chance, prendre le contrôle, et s'assurer qu'à partir de maintenant, elle serait dans son lit, sous ses ordres. Et bon sang, elle ne manquerait jamais de rien, il lui donnerait tout.

Il laissa nonchalamment tomber ses mains de son pied et elle laissa échapper une protestation inarticulée.

— Putain, pourquoi vous tuez-vous à travailler dans ce bar miteux tous les soirs ? lui demanda-t-il brutalement.

Elle poussa un soupir et le fusilla du regard.

— Vous pourriez au moins poursuivre ce fabuleux massage de pied si vous comptez m'interroger, protesta-t-elle avec humeur.

Il faillit éclater de rire, avant de se reprendre. Il ne riait pas souvent, et quand il le faisait, ce n'était pas parce qu'il s'amusait. Les gens avaient tendance à être nerveux quand Drake riait. Il ne souriait pas non plus. Mais la démonstration de fausse bravoure d'Evangeline l'amusait. Elle était intimidée, et le doute était manifeste dans son langage corporel, mais elle refusait de le montrer. Bien. Il n'aurait que faire d'une froussarde. Oui, il exigeait obéissance et soumission, mais cela ne voulait pas dire que sa concubine devait être un robot sans cervelle, programmé pour obéir à ses ordres sans réfléchir, sans opinion propre. Il aimait son feu. Sa fierté. Il appréciait surtout parce que c'était un trait qu'il connaissait bien et respectait.

Il referma sa paume sur son autre pied et reprit ses bons soins.

— Vous allez répondre à ma question maintenant ? demanda-t-il avec une légèreté trompeuse.

L'inquiétude soudaine remplaça le plaisir alangui, et le corps d'Evangeline se raidit alors que, quelques instants auparavant, dès qu'il s'était mis à lui masser les pieds, elle s'était mollement avachie dans le canapé. Elle se redressa brusquement, ses pieds tombant sur le sol avec un bruit sourd.

Il jura, sa patience déjà bien mince menaçant de s'effilocher totalement en même temps que sa colère montait.

— Qu'est-ce qui ne va pas encore ? demanda-t-il, les yeux rivés sur elle.

S'il pensait que cette réprimande peu subtile la ferait céder, il avait tort. Elle leva vers lui de grands yeux empreints d'inquiétude, et il fut saisi par le besoin d'apaiser ses peurs. Bordel, il ne voulait pas qu'elle ait peur de lui, mais elle ne lui facilitait pas vraiment les choses.

— Mes amies, balbutia-t-elle. Oh mon Dieu. Elles doivent être folles d'inquiétude. Elles ont même peut-être déjà appelé la police ! Déjà que je suis sortie en retard du boulot, j'ai ensuite été fourrée dans une voiture par votre homme de main et amenée ici. Quelle heure est-il ?

Drake soupira et parvint à contenir son humeur bouillonnante. À peine. Il se foutait complètement de ce que pensaient ses colocataires, mais il était furieux qu'Evangeline soit visiblement bouleversée, et que la police puisse être impliquée.

Si elle était interrogée, Evangeline convaincrait sans aucun doute les policiers que Drake l'avait bel et bien enlevée et la retenait contre sa volonté.

Chose qu'il comptait rectifier sur-le-champ. Elle resterait. Cela ne faisait aucun doute. Mais certainement pas contre son gré. Cependant, jamais il n'y parviendrait avec ces interruptions incessantes. Non seulement il détestait être dérangé, mais il ne tolérait pas ça. Alors pourquoi le tolérait-il quand il s'agissait de cette femme exaspérante et bornée ?

Parce que tu la désires comme jamais tu n'as désiré une autre femme.

Il y avait de ça. Même si cet aveu ne lui plaisait pas. Evangeline était une complication dont il se passerait bien. Mais bordel, ce qu'il la désirait ! Complications, frustrations, désagréments et autres. Il secoua presque la tête. Pas banal de se retrouver dans une telle situation pour une femme réticente. Ses hommes — les plus proches, ceux qu'il appelait ses frères dans tous les sens du terme — se tordraient de rire s'ils voyaient ne serait-ce qu'un soupçon de la tourmente que lui causait cette petite femme fragile et exaspérante.

— Vous ne pouvez pas leur envoyer un message ? demanda-t-il avec douceur, se rendant compte au même moment qu'elle était en train de fouiller frénétiquement dans son sac.

Elle leva les yeux et se mordit la lèvre.

— Oui, je vais leur envoyer un message tout de suite. J'aurais dû leur écrire à la seconde où votre sbire m'a fait monter en voiture avec lui, mais je n'avais pas vraiment les idées claires sur le moment. Et pour être honnête, si je leur dis où je suis et pourquoi, mon SMS ne sera pas très efficace. Elles vont sûrement appeler la police et débarquer ici en personne.

Tandis qu'elle parlait, elle tapait sur un tout petit portable complètement dépassé, murmurant le nom de chaque destinataire alors qu'elle l'ajoutait au message groupé.

Drake haussa les épaules.

—Dans ce cas, dites-leur que vous êtes ailleurs. Vous ne leur devez aucune explication, et vous n'avez pas à répondre de vos actes auprès d'elles.

Elle poussa un soupir impatient.

—Écoutez, Drake. Elles savent ce qu'il s'est passé ici hier soir. Elles savent aussi que je ne suis pas le genre de personne à être « ailleurs » à presque 5 heures du matin après avoir autant travaillé alors que je dors debout. Je ne suis pas une fêtarde, et les hommes ne font pas la queue pour m'emmener en rendez-vous, alors quoi que je leur écrive, elles vont se dire qu'il y a anguille sous roche ; elles sont malignes. Elles vont faire le rapprochement, et c'est ici qu'elles me chercheront en premier. Que je leur écrive ou non. Même si je leur dis que je vais très bien et qu'elles ne doivent pas s'inquiéter. Parce que c'est ce que font les amies. Elles se soutiennent les unes les autres, et se montrent très protectrices envers moi parce qu'elles savent que je suis une fille naïve incapable de reconnaître un prédateur quand elle en croise un.

Elle baissa les yeux sur son téléphone, le front ridé par l'inquiétude.

— Elles ne répondent pas. Je devrais appeler Steph. Elles doivent probablement être en train de flipper.

Drake soupira, n'essayant même pas de dissimuler son mécontentement tandis qu'Evangeline appelait et n'arrivait manifestement pas à avoir cette amie soi-disant folle d'inquiétude, puisqu'elle laissa un message disant qu'elle ne rentrait pas et qu'elle était désolée de ne pas les avoir appelées avant.

Ses amies avaient l'air d'être de vraies emmerdeuses, et elle serait certainement mieux sans elles, car il avait la nette impression qu'elles l'étouffaient, la jugeaient, la domptaient, et attendaient d'elle qu'elle leur demande la permission ne serait-ce que pour aller pisser.

Il grimaça intérieurement, parce qu'il était tout aussi tyrannique ; mais sa méthode de contrôle et de domination était bien différente de ce que ses amies considéraient visiblement comme leur façon de gérer sa vie, à leur façon. Il aurait toujours les intérêts d'Evangeline à cœur. Il était presque sûr de ne pas pouvoir dire de même à propos de ses amies.

Fait chier. Si tout ce qu'Evangeline avait dit était vrai, et il n'avait aucune raison de ne pas la croire, alors elle avait raison. Un SMS n'allait pas empêcher une confrontation potentiellement déplaisante, l'irruption des policiers dans son club, et qu'il doive répondre à des accusations d'enlèvement et de coercition. Puisque Evangeline n'avait pas eu de retour, et que son appel téléphonique était resté sans réponse, il allait devoir sacrifier un de ses hommes pour lui demander de s'occuper personnellement de cette affaire.

—Maddox, appela-t-il sèchement, sachant que son homme l'entendrait, posté devant la porte à l'opposé de l'ascenseur, que peu de personnes connaissaient.

À en juger par l'air soudain circonspect d'Evangeline et son rapide coup d'œil en direction de l'ascenseur comme si elle s'attendait à voir Maddox en sortir, elle n'avait pas remarqué cette fameuse porte à l'autre bout de la pièce. Elle devait penser qu'il était parano et psychotique, et, à dire vrai, elle n'avait pas tout à fait tort. Il n'aurait pas survécu aussi longtemps dans ce milieu sans sa propension naturelle à la paranoïa.

Maddox entra aussitôt, l'air méfiant, surveillant Evangeline du coin de l'œil.

—Tu es chargé d'informer les colocataires d'Evangeline qu'elle va très bien, mais qu'elle ne rentrera pas ce soir, ni aucun autre soir d'ailleurs. Informe-les qu'elle s'installe avec moi et qu'elle les appellera demain ou après-demain. Elle leur expliquera tout à ce moment-là.

—Quoi?

Le cri d'Evangeline fit grimacer Maddox. Elle n'avait pas l'air effrayé, comme on aurait pu s'y attendre. Non, elle était révoltée et indignée.

Satisfait que la peur ne la fasse pas devenir hystérique, Drake ignora sa réaction et se contenta de reprendre son pied pour poursuivre son massage, ce qui la força à se rallonger sur le canapé. Car si elle n'était pas au bord de la crise d'hystérie, elle pouvait tout aussi bien lui donner un coup de poing en pleine figure ; il était donc nécessaire de la distraire, et elle avait apprécié le massage de pied qu'il lui avait déjà administré.

La tâche que Drake lui avait confiée n'enchantait visiblement pas Maddox. Sa contrariété se lisait sur son visage.

— Qu'est-ce que j'ai fait au ciel pour me taper ces nanas récalcitrantes ? marmonna Maddox. Je suis sûr que tu pourrais trouver une manière plus créative de me punir, Drake. Désamorcer une bombe ? Déjouer une tentative d'assassinat ? Travailler dans une crèche pendant une semaine ?

Evangeline répondit au sarcasme acide de Maddox par un sourire mielleux.

— Je n'ai pas demandé à être enlevée de mon lieu de travail à 4 heures du matin pour me retrouver face à un homme qui a visiblement perdu la tête ou m'a prise pour quelqu'un d'autre. Et si je n'avais pas été emmenée ici, je serais chez moi, par conséquent mes colocataires ne seraient pas mortes d'inquiétude et vous n'auriez pas à avoir affaire à ces « nanas récalcitrantes ». Même si je serais prête à payer pour vous voir dans une crèche, traqué par une horde de mini suppôts de Satan.

Son sourire était moqueur, presque suffisant, mais ses mots étaient acerbes, avec un tranchant qui amusa Drake. Et manifestement Maddox.

Ce dernier lui adressa un sourire ironique, l'air amusé, puis, juste avant de tourner les talons, il lui adressa un signe en V avec deux doigts comme pour lui dire : « Touché. »

Sitôt Maddox parti, Evangeline lança un regard noir à Drake et ouvrit la bouche, certainement pour l'incendier. Drake fit donc la seule chose qui la ferait taire à coup sûr.

Il plaqua sa bouche contre la sienne dans un baiser torride, à couper le souffle, même s'il ne savait pas lequel d'entre eux était le plus essoufflé. Un grognement sauvage remonta dans sa poitrine jusqu'à sa gorge, s'échappant dans la bouche d'Evangeline. Il avala son gémissement de surprise et lui lâcha les pieds pour se pencher puissamment sur elle, attrapant ses mains qui se posaient sur son torse pour le repousser.

Il les plaqua sur sa poitrine pour lui faire sentir les battements effrénés de son cœur, lui faisant prendre conscience de l'effet qu'elle lui faisait. Chose qu'il ne permettrait pas en temps normal, mais bordel, il naviguait en eaux inconnues. Il n'avait jamais eu affaire à une femme repoussant ses avances. Il avait l'habitude que les femmes se mettent en quatre pour attirer son attention, pas qu'elles essaient de se dérober.

À contrecœur, il brisa leur étreinte, et remarqua la courbe enflée et exquise de sa bouche et ce délicieux petit tic au coin de ses lèvres. C'était plus fort que lui. Il darda sa langue et les lécha, tirant un autre tremblement au corps déjà frémissant d'Evangeline.

—À présent, j'aimerais que tu répondes à ma question, dit-il avec une décontraction trompeuse, qui aurait pu faire croire à une autre qu'elle était libre de répondre.

Mais Evangeline ne se faisait aucune illusion à ce sujet. Elle plissa les yeux, lui indiquant sans un mot qu'elle avait bien saisi l'autorité dans son ton.

— Pourquoi travailles-tu là-bas nuit après nuit, t'éreintant jusqu'à l'épuisement total ? Dans ce pub où les hommes posent leurs mains sur toi et Dieu sait quoi d'autre, grommela-t-il.

Sa colère enflait rapidement, et, les yeux rivés sur elle, il bouillonnait. L'idée que ces salauds posent leurs mains sur ce qu'il avait déjà revendiqué, la caressent, lui manquent de respect, le faisait grincer des dents, et son humeur, déjà bien sombre, se fit massacrante.

— Ce n'est pas si mal, répondit-elle, sur la défensive.

— Foutaises ! aboya-t-il avec véhémence, la faisant sursauter. J'avais des hommes dans le bar toute la nuit. Ils ont vu ce que tu endures tous les soirs. Tu te souviens du connard qui n'a pas voulu se résigner quand tu lui as poliment dit d'aller se faire foutre ?

Elle rougit.

— Je n'ai jamais dit une chose pareille.

— Non, mais tu aurais dû. Tu te souviens de l'homme qui est intervenu quand les choses étaient sur le point de mal tourner ? Cela aurait mal tourné sans lui. Celui qui t'a donné un pourboire de cent dollars ? C'était l'un des miens. Penses-y un instant. Quelqu'un d'autre a essayé de t'aider ? Et si mes hommes n'avaient pas été là ?

L'humiliation brilla dans ses yeux et elle détourna la tête pour tenter de lui dissimuler sa réaction. Il aperçut toutefois l'éclat des larmes et cela le bouleversa.

— Je les rendrai, murmura-t-elle. Je ne savais pas que c'était un coup monté. Je ne l'ai pas mérité. Je refuse d'accepter de l'argent donné par pitié.

Il tressaillit en voyant son expression, le coup que sa fierté venait de prendre, la seule chose à laquelle elle s'accrochait quand elle semblait n'avoir que ça. Bordel. Ce n'était pas ce qu'il voulait.

Elle plongea les mains dans sa poche, et en fit tomber plusieurs billets de vingt dollars et moins quand elle tira d'un coup sec. Elle récupéra le billet de cent dollars soigneusement plié et le lui fourra dans la main comme si elle ne pouvait supporter de le toucher une seconde de plus.

—Je n'en veux pas. Je ne l'accepterai pas, dit-elle, une expression de dégoût déformant ses lèvres.

Il ne demandait qu'à les embrasser pour leur rendre leur délicieuse tendresse.

Drake jura, la faisant grimacer. Puis il ramassa tous les billets éparpillés, les plia soigneusement, et les fourra dans la poche d'Evangeline.

—Mes hommes étaient là sur mon ordre pour examiner les lieux pour un potentiel investissement. Le bar est en vente, tu ne le savais pas?

Elle écarquilla les yeux, stupéfaite.

—Non. Je n'en avais aucune idée. Qu'est-ce que ça veut dire? Je vais perdre mon travail? Oh mon Dieu, Drake, que vais-je faire? Je sais que ça ne paie pas de mine, mais les pourboires sont généreux, et je me fais plus d'argent en travaillant là-bas que quand j'avais deux boulots chez moi.

La peur dans ses yeux faillit le faire craquer. L'idée qu'elle avait pu être obligée d'avoir deux emplois lui donna envie de casser quelque chose. Cela ne l'étonnait pas que les pourboires soient généreux. Bien plus que pour les autres serveuses. Bon sang, les meilleurs soirs, elle devait se faire autant que toutes les serveuses de sa boîte réunies. Avec son air innocent et sa douceur? Un sourire qui avait le pouvoir de rendre le monde plus lumineux? Sa maudite bienveillance? Sans parler de son physique. Ces grands yeux bleus, sa longue chevelure soyeuse dans laquelle on avait envie de passer ses mains, et ce cul. Bon sang, ce cul. Délectable. Charnu. Avec juste assez de rebondi quand elle marchait pour faire perdre la tête aux hommes. Et ses seins. Putain, il pourrait énumérer ses qualités toute la nuit sans jamais arriver au bout. Elle avait tout, et quand les hommes la regardaient, ils se retournaient sur elle, surtout après lui avoir parlé pendant quelques minutes, car ils se demandaient tous comment il était possible qu'une femme si parfaite existe. Puis ils se demandaient comment l'approcher. Comment aller dans son lit, entre ses jambes, et comment y rester, parce que qui – à part son crétin d'ex – serait assez stupide pour la laisser partir une fois qu'il aurait goûté à ce qu'elle avait à offrir?

Bon sang, il fallait qu'il arrête, car elle le regardait étrangement, attendant qu'il dise ce qu'il avait été sur le point de dire; et il était trop occupé à vanter ses vertus et à la couvrir mentalement de panneaux «PROPRIÉTÉ PRIVÉE» parce qu'il marquait son territoire et tuerait tout homme qui essaierait de prendre ce qui lui appartenait.

—Ce n'est pas ce que tu crois, dit-il avec autant de patience que possible alors qu'il voulait tout casser, se passer des mondanités et l'emmener chez lui où il la garderait sous clé. Seul Maddox était au courant pour toi, et il est resté dehors pour que tu ne le voies pas et que tu ne déguerpisses pas. Mon gars t'a donné un pourboire parce qu'il le voulait et avait le sentiment que tu le méritais. Il ne savait pas que tu m'appartenais.

— *Quoi ?*

— Je vais te le demander une troisième fois, et, Evangeline, je n'ai pas l'habitude de poser des questions plus d'une fois. Jamais. Pourquoi tu te tues à la tâche dans un endroit pareil ? Pourquoi tu te soumets à ce genre de traitement par des hommes qui te considèrent comme un objet ? Qui te harcèlent, posent leurs mains sur toi, et te manquent de respect tous les soirs ?

Elle soupira, les yeux fermés, une larme solitaire roulant sur sa joue pâle.

— J'ai besoin de ce travail, s'étrangla-t-elle. Je ne suis pas d'ici. Pas de la ville, comme vous l'aurez sûrement deviné. Je viens d'une petite bourgade du Sud. J'ai dû travailler toute ma vie. J'ai été contrainte d'arrêter l'école et de passer mon diplôme en candidat libre pour pouvoir travailler. Je ne pouvais pas me permettre d'aller à la fac.

— Pourquoi ? demanda-t-il avec douceur.

Elle poursuivit comme si elle n'avait pas entendu.

— Mon père travaillait dans une usine du coin, et il s'est blessé, il est devenu invalide. L'assurance ouvrière a refusé de payer, invoquant une faille ridicule inventée de toutes pièces que je ne comprends toujours pas. Mais à cause de ça, il n'a plus pu travailler. Ma mère a aussi des problèmes de santé. Mon père était notre seule source de revenus. J'aurais pu aller à l'université, dit-elle avec mélancolie. J'étais une bonne élève. J'ai obtenu une bourse académique dans une université d'État, avant de devoir abandonner. Mais mes parents avaient besoin de moi.

Drake pinça les lèvres ; les pièces du puzzle se mettaient en place. Tout s'éclairait.

—J'avais deux boulots à la maison, et ils s'en sortaient à peine, dit-elle, en proie à la honte.

Elle omettait de dire comment *elle* s'en sortait, car il en savait suffisamment sur sa situation actuelle pour savoir qu'elle aurait donné le moindre centime à ses parents, ne gardant pour elle que le strict nécessaire. Qui était égal au strict minimum.

—Mes colocataires et moi, on était au lycée ensemble et on a gardé le contact. Elles ont décidé de déménager. Elles voulaient quitter notre petite ville, voulaient plus grand, mieux. Je ne le leur reproche pas. Mais j'avais une responsabilité, dit-elle, le menton levé, un feu brûlant dans ses yeux. Ma famille est ma seule responsabilité, ma priorité avant toute autre chose. Je ne les décevrai pas.

» Bref, Steph, l'une de mes colocs, m'a appelée pour me dire qu'il leur manquait une colocataire et qu'elles pouvaient me trouver un travail où je me ferais plus d'argent, de bons pourboires, et qu'elles avaient un petit appartement qui ne nous ruinerait pas avec ma part du loyer. J'ai donc déménagé ici et j'envoie de l'argent à mes parents toutes les semaines. Je paie ma part du loyer, des charges et des courses, mais chaque sou économisé va à ma mère pour qu'elle s'occupe de mon père.

La colère de Drake ne faisait que croître. Il avait la mâchoire douloureuse, à force de garder les dents serrées pendant la tirade qui ne demandait qu'à sortir. Il voulait mettre fin à cette mascarade sur-le-champ et prendre le contrôle, mais il avait besoin de savoir à quoi il se mesurait. Jusqu'au moindre détail.

—Je fais des heures supplémentaires quand je peux, expliqua-t-elle. Si j'ai de la chance, pendant les vacances, je peux prendre un job saisonnier à mi-temps, qui me permet d'envoyer un peu plus d'argent à ma mère.

—Et en attendant, tu trimes comme une forcenée. Tu te prives. Tu te mets en danger, en plus d'exercer un travail dégradant où les hommes partent du principe qu'ils ont le droit de faire ce qu'ils veulent de ton corps.

Elle leva les yeux en entendant la colère dans son ton glacial, et une perplexité sincère apparut dans ses yeux magnifiques.

—C'est fini tout ça, cracha-t-il. Tu as besoin d'un gardien. Quelqu'un qui s'occupe de *toi* pour une fois dans ta vie. Tu t'installes avec moi. Tu arrêtes de te tuer à la tâche dans un endroit où les hommes te touchent, te malmènent, te disent des foutaises qu'aucun homme ne devrait dire à une femme. En outre, tes parents n'auront plus de soucis financiers. Et toi non plus.

Elle resta bouche bée et son regard se fit incrédule lorsqu'elle le posa sur lui comme pour déterminer s'il était sérieux.

Il soutint son regard sans ciller, lui disant sans un mot qu'il était aussi sérieux qu'une crise cardiaque.

—Vous êtes fou? hurla-t-elle. Vous ne pouvez pas me dire que j'emménage avec vous comme si c'était couru d'avance.

—Ça l'est, dit-il calmement.

—Mais bien sûr! Vous… vous avez perdu la tête! bafouilla-t-elle, levant subitement les mains en l'air comme si elle voulait s'arracher les cheveux, avant de secouer la tête, catégorique. Vous ne pouvez pas me retenir prisonnière!

Il sourit et répondit d'une voix traînante:

—Je ne peux pas? Mais, Ange, je peux t'assurer que jamais il n'y aura de captive plus choyée. Et je peux te garantir que tu n'essaieras pas de t'enfuir après avoir goûté à tout ce que je peux t'offrir. Et un simple avertissement, Ange. Je donne beaucoup. Je donne tout. Mais je prends autant que je donne.

—C'est insensé, dit-elle dans un souffle. Que dois-je dire à mes amis? À ma famille? Je ne peux pas disparaître de la surface de la Terre. Ils vont devenir fous. Et je ne peux pas abandonner mes colocataires. Elles ne peuvent pas se permettre de garder l'appartement si je ne paie pas ma part du loyer. Je ne gagne pas grand-chose, mais elles non plus, et ce n'est pas évident de s'offrir un trois-pièces, même à quatre.

—On va s'occuper de tes amies. Leur loyer sera réglé pour que ton absence ne leur cause aucune difficulté.

Visiblement sceptique, Evangeline fit la moue.

—Non. Je ne vous laisserai pas faire ça. Vous ne pouvez pas m'acheter. Ni mes amies. Vous ne me paierez pas en échange de faveurs sexuelles. Bon sang, ça ferait de moi une pute ! Comment pourrais-je me regarder dans le miroir tous les matins en sachant que je suis la chose d'un homme. Sa chose *rémunérée*.

Il s'énervait, et ne s'efforça pas de le lui cacher.

—Je ne paie pas pour coucher. Je n'ai *jamais* à payer pour ça. Ce que je te donne, ce que je choisis de te donner, ce sont des cadeaux. Des présents que je souhaite te voir accepter, et dont j'espère que tu me remercieras en trouvant des manières créatives d'exprimer ta gratitude. Tu m'appartiendras aussi longtemps que durera notre arrangement, et cela va mettre tes amies en difficulté. Un contrecoup dont je suis responsable, parce que je suis un connard égoïste qui prend ce qu'il veut et ne tolère aucun refus. Je vais donc payer leur loyer pour les dédommager, et parce que je refuse que trois femmes perdent leur logement par ma faute.

—Oh, souffla-t-elle, avant de secouer la tête. C'est insensé. Ce genre de choses n'arrive pas.

—Dans mon monde, si, répondit-il, amusé.

—Il n'en existe qu'un seul, rétorqua-t-elle. Et nous vivons dans le même.

—C'est là que je compte te donner tort, Ange. Mon monde, mes règles. Je ne rends de comptes à personne, et personne ne me cherche des ennuis, ni à moi, ni à ce qui m'appartient.

—Parce que je vous appartiens ?

—Pour le moment, oui.

Elle eut aussitôt l'air mal à l'aise, le regard craintif.

— Et que m'arrivera-t-il quand vous vous rendrez compte que je ne suis rien de ce que vous imaginez et que vous ne voudrez plus de moi ? demanda-t-elle doucement.

— Tu seras toujours prise en charge, Ange. Je ne suis pas un vrai salaud. Si jamais nous ne sommes plus compatibles, tu seras mise à l'abri du besoin pour le restant de tes jours. Tu n'as aucun souci à te faire, je ne me débarrasserai pas de toi pour te laisser te débrouiller seule. Cela n'arrivera jamais. Tu as ma parole.

Drake prit la main d'Evangeline dans la sienne et la tira doucement jusqu'à ce qu'elle soit entièrement enveloppée par la sienne.

— Tu es une femme sublime qui mérite de profiter de la vie, et je vais te le prouver, peu importe le temps que ça prendra. N'importe quel homme se mettrait à genoux pour avoir une femme comme toi. Et tu es aussi attirée par moi que je le suis par toi. Ce n'était pas mon imagination, quand tu as joui dans ma bouche hier soir.

Evangeline rougit jusqu'à la racine de ses cheveux et évita son regard, mais il tendit sa main libre pour la saisir par le menton, la forçant à le regarder en face avec douceur.

— Tu étais si belle, putain, si débridée… Je veux être l'homme qui te maîtrisera, qui prendra soin de toi, l'homme qui te contrôlera.

— Qui me *contrôlera* ? demanda-t-elle, incrédule. Vous savez que ça paraît obscène ? Personne ne me contrôle !

— Moi si, je le ferai. Mais tu t'épanouiras sous mes bons soins. N'en doute pas. Il n'y aura pas de femme sur

Terre plus choyée, plus adorée que toi, parce que je prends soin de ce qui m'appartient. Ton bonheur, ta protection, ta vie passent avant tout le reste.

Elle le dévisagea, complètement perdue.

—Pourquoi feriez-vous une chose pareille pour une femme comme moi ? Vous pourriez avoir toutes les femmes que vous voulez.

Elle se tut, les joues empourprées, les yeux baissés de honte et de Dieu seul sait quoi d'autre. La colère monta en lui, et il fut forcé de desserrer sa poigne sur elle pour ne pas risquer de lui faire mal.

—Explique-moi ce que tu entends par « une femme comme moi ». Et attention à ce que tu dis, Ange, et à ta façon de le dire, ou je risque de me mettre en colère.

Elle désigna son corps d'un geste de la main comme si cela expliquait tout. Puis elle lui adressa un regard impuissant suggérant qu'elle ne savait pas comment exprimer ce qui était clair dans son esprit.

—Tu n'as aucune raison d'avoir honte ou d'être gênée, dit-il, les dents serrées. Et tu ne le seras pas avec moi, car cela ne me ferait pas plaisir. Qui tu es, ce que tu es, est ce que je *veux*. Tu as une vision déformée de qui et ce que je veux. Je sais dès que je vois quelque chose si je le veux ou non, et je t'ai désirée à l'instant où tu es entrée dans mon club, crois-moi. Mais tu finiras par le découvrir à ton rythme.

—Jamais je ne pourrai vous rendre la pareille, dit-elle, désespérée. Ni être votre égale. Ni vous rembourser les sommes que vous évoquez.

—C'est là que tu as tort, dit-il d'une voix douce qui la fit frissonner.

À cet instant, elle avait tout l'air de la proie traquée, et il était le prédateur sur le point de l'immobiliser. En chasse. Il ne pouvait pas le nier, car c'était exactement ce qu'il faisait.

—Rien n'est jamais gratuit, poursuivit-il, profitant de son silence momentané, comme elle était aux prises avec ce qu'il disait. Le prix, c'est toi. Tout entière. Je te posséderai. Posséderai chaque centimètre de ton corps. Dans mon monde, je contrôle absolument tout. Mon monde, mes règles. Et tu dois respecter les règles. J'exige notamment le contrôle quand il est question des femmes que je mets dans mon lit. Tu comprends ce que je veux dire ?

—N-non, balbutia-t-elle.

Il jura doucement.

—Si innocente, putain…

Pendant un instant, il se contenta de faire glisser son doigt le long de sa joue, puis il passa la chair de son pouce sur ses lèvres charnues. Il sentit l'expiration soudaine de son souffle lorsque sa respiration accéléra et que ses tremblements s'amplifièrent. Mais ce n'était pas de la peur. Elle était excitée.

—La domination, Ange. Et ta soumission. Ta soumission absolue. En toutes choses, mais surtout dans mon lit. Tu ne me refuses rien. Ce que je veux, je le prends. Ce que je choisis de donner, je le donne. Tu n'as pas le choix, et tu n'as pas le droit de me dire non. Jamais.

—Vous parlez de viol! s'écria-t-elle d'une voix horrifiée. De me priver totalement de mes choix!

Drake lui jeta un regard mauvais, lui montrant à quel point sa réaction l'irritait.

—Là, tu me les brises. Tu seras d'accord. Je te garantis que tu aimeras tout ce que je choisirai de te faire. Tu me supplieras de t'en donner davantage. Tu ne songeras même pas à dire non. À partir du moment où tu entres dans mon monde, tu m'appartiens. Je te possède. Il n'y aura pas un seul centimètre carré de ta merveilleuse peau que je ne vénérerai pas. Je couvrirai ton corps de baisers. Tu t'es enflammée sur mon bureau, disposée telle une offrande, et tu n'as pas dit non. Tu t'es illuminée à l'instant où je t'ai touchée. Tu étais sauvage, et tu ne retenais rien.

Les yeux d'Evangeline s'assombrirent sous l'effet de la honte.

—Bordel, Ange. N'aie pas honte de ce qu'il s'est passé entre toi et moi. Jamais. Je refuse de te laisser transformer un acte aussi beau en une chose honteuse et laide. L'homme qui t'a bernée et t'a donné l'impression que tu n'étais rien était le roi des cons. Il possédait une chose pour laquelle les autres seraient prêts à tuer et il a tout foutu en l'air. C'est un abruti qui ne saurait pas quoi faire avec une femme. C'est un enfoiré minable et il le sait, alors il écrase les autres pour se donner de l'importance. Il prend son pied à rabaisser ceux qui l'entourent pour se sentir mieux dans sa peau. Sa seule façon de faire oublier qu'il est le roi des cons, c'est de démolir tout le monde autour de lui, notamment les femmes. Ça le fait planer parce que c'est le seul moment où il a l'impression d'être autre chose que le trouduc qu'il est.

L'émerveillement total se peignit sur les traits d'Evangeline, et dans ses yeux scintilla une lueur qui mit Drake mal à l'aise. Elle le regardait comme s'il était un héros, et cela le fit grimacer. Il n'était pas un héros. Il n'était même pas un homme bien, mais un salaud égoïste prêt à tout pour que cette femme lui appartienne.

—Je ne sais pas quoi dire, murmura-t-elle.

Drake inspira, se rendant compte qu'il était sur le point de faire une chose qu'il ne faisait jamais.

Demander.

—Donne-moi une chance, Ange, souffla-t-il. Donne-moi l'occasion de te prouver tout ce que j'ai dit. De faire tout ce que j'ai dit. Accepteras-tu au moins de m'accorder une chance?

Elle l'étudia longuement, son indécision luttant avec l'espoir, la peur, et… la curiosité. Elle finit par fermer les yeux, et lorsqu'elle les rouvrit, sa détermination flamboyait tel un phare.

—Oui, répondit-elle à voix basse. Je dois être folle, mais oui. Je vais te donner une chance.

—Nous, corrigea-t-il. Tu *nous* donnes une chance.

Mais une certaine hésitation planait encore dans l'air, comme si elle regrettait sa réponse impulsive, et Drake savait qu'il devait l'emmener chez lui sans attendre.

Avant qu'elle ne reprenne ses esprits et ne s'enfuie en courant.

Chapitre 9

Drake n'était pas dupe, et il ne ressentait pas non plus une once de remords d'avoir fait quitter l'*Impulse* à Evangeline en vitesse pour la pousser dans sa voiture, qui les attendait, avant qu'elle n'ait le temps de reconsidérer son timide consentement. Il avait également délivré à son chauffeur l'ordre de les amener chez lui sans tarder, ordre auquel Brady avait obéi sur-le-champ, et, pour l'immense satisfaction de Drake, la voiture s'arrêta devant le gratte-ciel abritant son appartement-terrasse en un temps record.

Il fallait rappeler qu'il n'avait pas connu le succès en affaires – comme dans sa vie personnelle – en hésitant quand une opportunité se présentait. Quand Evangeline retrouverait ses esprits, il voulait que ce soit sur son terrain. Là où elle ne pourrait pas lui échapper. Aucune issue. Il ne pouvait dégainer toutes ses armes de persuasion s'il n'avait personne à convaincre. Car Evangeline se serait évaporée s'il n'avait pas promptement profité de son état de choc et de sa confusion.

Si cela faisait de lui un salaud... Eh bien, on l'avait traité de bien pire – et à raison. Finalement, ce qui importait était qu'il obtiendrait ce qu'il souhaitait.

Evangeline. Ange. Son ange.

Dans son appartement. Dans son lit. Sous son emprise, sa protection. Aussi longtemps qu'il le voudrait.

Pour la première fois, il n'avait pas fixé de date limite. Bon sang, il ne considérait même pas cette liaison comme temporaire. L'époque des coups d'un soir, ou des week-ends pendant lesquels il gardait la même maîtresse et satisfaisait ses désirs jusqu'au lundi matin, où sa semaine de travail débutait, était révolue.

Tout ce qu'il savait, c'est qu'elle était là. Avec lui. Sur le point de pénétrer dans son appartement. Où il n'amenait jamais de femme – quelle qu'elle soit. Et il n'avait pas l'intention de la laisser partir de sitôt.

Il fronça les sourcils, ne sachant que penser de cette révélation singulière. Pour l'instant, il la remisa au fond de son esprit et la rangea dans une case pour y réfléchir plus tard. Bien plus tard. Une fois qu'il se serait occupé d'Evangeline et que la question de leur relation serait réglée.

Il ouvrit sa portière et prit Evangeline par la main, même s'il savait qu'elle ne pouvait pas ouvrir la portière côté rue. Elle n'opposa aucune résistance quand il descendit sur le trottoir, la tirant derrière lui avec prudence. Lorsqu'elle sortit à son tour de la voiture, il passa son bras autour de sa taille et la conduisit d'un pas rapide vers l'entrée puis dans le hall, où les portes de l'ascenseur avaient déjà été ouvertes par le portier d'astreinte.

Celui-ci tendit courtoisement le bras à l'intérieur de l'ascenseur pour le retenir et souffla un respectueux : « Bonsoir, monsieur Donovan. » Mais Drake remarqua le bref haussement de sourcils du portier lorsqu'il remarqua Evangeline, blottie contre lui.

Drake lui jeta un regard glacial qui fit battre l'homme en retraite, tandis que Drake insérait sa clé magnétique afin de rejoindre son étage. Il comprenait certes l'étonnement du portier, puisque Drake ne ramenait jamais de femme chez lui, mais l'employé aurait dû faire preuve de davantage de discipline pour ne pas laisser paraître sa surprise.

Alors que l'ascenseur entamait son ascension, Evangeline chancela légèrement à ses côtés, et il maudit ces fichues chaussures qu'il avait été forcé de remettre à ses pieds enflés. Puis il se pencha tout bonnement et enroula ses doigts autour de sa délicate cheville, ignorant son cri de surprise lorsqu'il saisit son pied pour enlever l'escarpin incriminé, puis l'autre. Elle fut contrainte de se tenir à son bras pour garder l'équilibre.

Lorsqu'elle tendit la main pour les prendre, il se contenta de les fourrer sous son coude avant de repasser son bras libre autour de sa taille, la tenant fermement contre lui.

— Tu ne travailleras plus avec ce genre de chaussures, lâcha-t-il brusquement. Tu ne travailleras plus du tout. Les seules fois où tu porteras des talons, c'est quand tu sortiras avec moi ou quand j'aurai envie de te prendre avec ça aux pieds.

Elle se crispa et ses yeux étincelèrent lorsqu'elle leva la tête pour croiser son regard. Elle ouvrit la bouche mais l'ascenseur s'arrêta, les portes s'ouvrant immédiatement, et Drake en profita pour la tirer dans l'entrée de son appartement.

Ils avaient à peine fait quelques pas qu'Evangeline s'arrêta abruptement. Il baissa les yeux, se préparant à sa protestation inévitable, à ce qu'elle reprenne ses esprits, à moins qu'elle n'ait enfin trouvé ce qu'elle voulait dire sans avoir pu le faire auparavant tant elle avait été submergée. Mais elle avait le regard fixe, les yeux grands ouverts, et ne lui prêtait pas la moindre attention.

Elle contemplait le vaste et spacieux appartement, l'air abasourdi. Puis elle finit par tourner la tête pour croiser son regard, la confusion et l'admiration se lisant dans ses yeux.

—C'est ton appartement? parvint-elle à peine à articuler. Je ne pensais pas qu'il en existait d'aussi grands à New York.

Il aurait pu se foutre des baffes. Il avait voulu l'emmener chez lui aussi vite que possible parce qu'il ne voulait pas qu'elle soit trop bouleversée. Au contraire, découvrir son appartement n'était que plus bouleversant pour elle.

Ne sachant que dire ni que faire à cet instant précis, il voulut la prendre dans ses bras protecteurs pour lui offrir du réconfort, mais à peine eut-il effleuré les bras d'Evangeline du bout des doigts que l'interphone sonna.

Evangeline sursauta et se retourna comme si elle s'attendait à trouver quelqu'un derrière elle. Drake, en revanche, était furieux.

Il rejoignit le mur où se trouvait le haut-parleur à grandes enjambées et écrasa le bouton du pouce.

—Quoi ? aboya-t-il.

Il y eut une légère hésitation, puis la voix de Thane résonna dans la pièce.

—Euh… Drake ? Tu devrais peut-être descendre. On a un problème.

—Quel problème ? demanda Drake d'un ton glacial. J'ai donné l'ordre à mes hommes de ne me déranger sous aucun prétexte.

Thane soupira bruyamment.

—Cette femme s'est pointée au club juste après ton départ et a exigé de te voir. Elle dit que si je ne la conduis pas immédiatement à toi, elle appelle les flics. Je l'ai amenée ici pour qu'on puisse résoudre le problème sans s'exposer à d'éventuels soucis.

Il y eut une autre pause, durant laquelle Drake passa en revue tous les jurons qu'il connaissait. Et plus encore.

—Et Drake, ce serait une bonne idée d'amener Evangeline avec toi.

Avant que Drake ne puisse répondre à cette absurdité, un cri strident retentit à plein volume dans l'interphone, le faisant grimacer.

—Ça ouais, Evangeline a plutôt intérêt à être avec lui pour que je voie de mes yeux qu'elle va bien, ou je vous jure que j'appelle les flics pour accuser Drake Donovan d'enlèvement, et s'il le faut, je mettrai ce putain d'immeuble à sac pour la trouver.

Evangeline laissa échapper un son qui exprimait son désarroi, et Drake se retourna et remarqua son expression dévastée, mortifiée. Elle ferma les yeux mais sa peau se marbra de honte, ce qui donna envie à Drake de donner un coup de poing dans le mur. Les choses n'étaient pas censées se passer ainsi, et cela n'allait pas aider à apaiser les craintes d'Evangeline.

Lorsqu'elle rouvrit les yeux, Drake haussa un sourcil interrogateur. Elle s'avachit comme un ballon en train de se dégonfler, et couvrit son visage de ses deux mains comme si elle aurait aimé être n'importe où, mais pas là où elle se trouvait. Drake sentait déjà Evangeline lui échapper, et une sensation ressemblant à de la panique s'empara de lui. Il ne paniquait jamais. N'avait jamais peur. Ce qui devait arriver arriverait. Et pourtant, il se surprenait à retenir son souffle.

—C'est Steph, souffla-t-elle en laissant glisser ses mains sur ses joues. C'est l'une de mes colocs. Et elle ne plaisante pas. Tu ne la connais pas. Elle va vraiment appeler la police et Dieu sait qui d'autre. Il faut que je descende.

—Pas sans moi, dit Drake, sur un ton plus mordant qu'il ne l'aurait voulu.

Il pressa le bouton de l'interphone.

—Surveille-la, Thane. Je descends avec Evangeline, et je te jure, *Steph* ferait mieux d'être là quand on arrive.

Il se tourna vers Evangeline et tendit la main, attendant qu'elle y glisse la sienne, bien plus petite. Il ressentit une violente satisfaction lorsque sa peau entra en contact avec la sienne, mais lorsqu'il resserra son étreinte pour la conduire à l'ascenseur, il la sentit trembler.

Faisant de son mieux pour ne pas se renfrogner ni l'effrayer, il la tira vers lui et passa son doigt sous son menton pour le pousser vers le haut.

— Tu n'es pas seule, Ange, chuchota-t-il. Je serai avec toi tout du long. Tu dois seulement informer ton amie de ton choix.

Il n'ajouta pas que lui aussi devait être informé de son choix, car il n'était plus si sûr qu'elle le choisirait. Son amie pouvait très bien convaincre Evangeline de partir. Cette simple possibilité lui mettait les nerfs en pelote. Il ne la laisserait partir en aucun cas. Elle valait la peine qu'il se batte.

Avec cela en tête, il lui adressa un regard inquisiteur. Elle interpréta correctement la question muette lui demandant si elle était prête, et elle hocha la tête. Drake l'attira contre lui, la glissant sous son épaule alors qu'ils pénétraient dans l'ascenseur.

Le trajet fut silencieux, et le regard d'Evangeline resta rivé sur le sol tout du long.

Putain! Il avait seulement besoin de temps. De quelques jours. Pour pouvoir montrer à Evangeline le monde dans lequel elle débarquait. Au lieu de ça, à peine étaient-ils entrés dans son appartement que son amie était arrivée, ramenant Evangeline sur terre à la vitesse de l'éclair.

Dès qu'ils furent sortis de l'ascenseur, Drake repéra une rousse à l'air très déterminé qui avançait d'un pas raide,

Thane sur les talons, l'air furieux. Eh bien, ils étaient deux.

— Evangeline, Dieu merci ! dit Steph en fondant sur eux.

À la surprise de Drake, Evangeline se blottit contre lui comme si elle cherchait du réconfort ou du soutien.

— À quoi devons-nous cette visite, à cette heure avancée ? s'enquit Drake.

Steph le fusilla du regard.

— Je voulais m'assurer qu'Evangeline allait bien. Comme elle n'est pas rentrée à la maison, nous avons pensé qu'il lui était arrivé malheur.

— Eh bien, comme vous pouvez le constater, elle va très bien, répliqua-t-il d'une voix traînante. Maintenant, si vous voulez bien m'excuser, la journée a été longue.

L'air méfiant de Steph s'intensifia et son regard lui lança des éclairs.

— Evangeline est parfaitement capable de s'exprimer elle-même, fit-elle amèrement remarquer. J'aimerais savoir ce qu'elle veut. De sa bouche, de préférence.

Drake sentit Evangeline se raidir, ses traits trahissant son humiliation. La honte ternissait son regard, la vitalité qui la rendait si ravissante avait totalement disparu. Il jura et voulut mettre fin à cette scène sur-le-champ, mais Evangeline inspira profondément et avança d'un pas, quittant le refuge protecteur que lui procurait le corps de Drake.

Son pouls s'emballa et il dut lutter pour conserver un air indifférent. Il ne laisserait jamais personne deviner sa peine si elle partait avec son amie.

—Comme tu peux le voir, je vais bien, Steph, déclara Evangeline d'une voix douce. Je suis désolée de vous avoir inquiétées, mais je vous ai appelées et j'ai laissé un message disant que je ne rentrais pas ce soir. Je t'ai envoyé un SMS, ainsi qu'à Nikki et Lana. Puis Drake a envoyé Maddox en personne pour vous rassurer.

—Ouais, un homme de main qui a l'air de sortir tout juste de Rikers Island, rétorqua Steph, la colère perçant encore dans sa voix.

L'expression honteuse et abattue d'Evangeline s'évapora et sa colonne vertébrale se redressa. Elle soutint le regard de Steph sans ciller et son visage s'empourpra. Mais pas parce qu'elle était gênée. Non, son ange était en colère.

Il prit sur lui pour camoufler sa surprise, et s'efforça de rester en retrait pour permettre à Evangeline de mener son propre combat, à moins qu'il ne devienne évident qu'elle cédait du terrain. Elle le surprit davantage en allant se poster sous le nez de Steph afin qu'il n'y ait pas de malentendu. Elle pointa son doigt sur la poitrine de son amie, qui parut sidérée comme si Evangeline ne lui avait jamais tenu tête – ni à aucune de ses prétendues amies.

—Je t'interdis de parler ainsi de Maddox, rétorqua Evangeline d'un ton sec. Il s'est montré infiniment gentil avec moi. Il est intervenu à l'*Impulse* alors qu'Eddie était sur le point de m'envoyer à l'hôpital. Il a été aimable, respectueux et attentionné. Il m'a ramenée à la maison, s'est assuré que j'étais en sécurité, et m'a dit qu'il serait là le lendemain à 19 heures parce que Drake voulait me voir. Mais je devais travailler, donc Maddox m'a attendue au pub jusqu'à ce que je sorte et m'a conduite à l'*Impulse* pour que je retrouve Drake, où nous nous sommes mis d'accord sur une affaire personnelle qui va rester personnelle. Tu n'as pas le droit de juger Maddox, Drake ou Thane, d'ailleurs, qui s'est mis en quatre pour te faire savoir que j'allais bien, alors que tu ne sais rien d'eux. Et de plus, il est clair que tu remets mon jugement en doute. Mes envies et mes besoins, je te le rappelle, ne regardent que moi. Pas toi. Je ne te dis pas comment mener ta vie, Steph, et j'attends la même chose en retour.

Elle fit un geste en direction de Thane, qui semblait à la fois choqué et admiratif. Fier, même. Thane leva les yeux vers Drake comme pour dire «Bon choix». Drake se contenta de hocher la tête pour marquer son accord.

— Et Steph… tu t'es pointée au club après qu'on t'a dit que j'allais bien et quels étaient mes projets pour la soirée, et tu as menacé Thane pour qu'il t'amène où Drake et moi nous trouvions. Il t'a fait du mal ? Il t'a menacée ? De mon point de vue, il t'a traitée avec plus de respect que tu n'en as eu pour lui. J'en attendais plus de toi, Steph. J'espérais que tu aurais suffisamment confiance en moi pour penser que je prenais les bonnes décisions. Je n'ai pas besoin de ton accord ou de ta permission, ni de ceux de Lana ou Nikki, pour faire quoi que ce soit. Je ne me mêle pas de votre vie privée, et pourtant vous vous mêlez de la mienne. Et pour rappel, je n'avais aucune envie d'aller à l'*Impulse*. C'était le dernier endroit au monde où je voulais mettre les pieds, mais vous m'avez poussée à y aller toutes les trois, et ça s'est terminé par une humiliation sans précédent.

Evangeline frémit et posa ses mains sur le haut de ses bras comme si elle avait froid soudain. Drake ne put plus se retenir. Il fit un pas en avant et l'enveloppa fermement de son étreinte, puis frotta sa peau de haut en bas à la fois pour la réchauffer et la réconforter. Et lui faire savoir qu'il la soutenait.

Thane avait l'air complètement dérouté et décontenancé par les propos d'Evangeline les défendant, lui et Maddox. Il considérait Evangeline sous un autre jour à présent. Avec respect, et Thane respectait peu de gens.

L'admiration de Drake s'accrut encore, parce qu'il avait eu raison, ou plutôt, parce que le comportement d'Ange confirmait son intuition. Sous ses airs doux, délicats et féminins se cachait une femme déterminée avec une volonté de fer, qui ne laisserait personne, pas même lui, lui marcher sur les pieds. Peu importait qu'elle pense le contraire. Elle croyait visiblement qu'elle était timide et faible et qu'elle détestait le conflit, ce qui devait être le cas. Pour autant, cela ne voulait pas dire qu'elle était incapable de se défendre et de se battre pour ce qu'elle pensait être juste. Il resserra son bras autour d'elle pour lui dire son admiration. Car il ressentait de la fierté. Et une certaine paix. Il avait bien choisi. Il ne s'était pas trompé sur son compte.

Restée bouche bée après l'emportement d'Evangeline, Steph semblait interloquée. Elle regarda Thane et Drake tour à tour, l'air incrédule. Avant qu'elle n'ait le temps de répondre à la déclaration brusque et passionnée d'Evangeline, celle-ci insista tant qu'elle avait l'avantage.

—Je vais bien, Steph. On t'a informée que je ne rentrerais pas ce soir ou aujourd'hui ou ce qu'on veut. Tu n'avais aucune raison de venir faire une scène. Je vous appellerai demain ou après-demain, Lana, Nikki et toi, pour tout vous expliquer. D'ici là, j'aimerais avoir une vie privée et éviter ce genre de scènes à une heure pareille.

Steph fusilla Evangeline du regard, mais elle ne se laissa pas décontenancer le moins du monde.

—Tu ferais mieux, lâcha Steph. Parce que si je n'ai pas de tes nouvelles en personne dans les vingt-quatre prochaines heures, je reviens avec la police.

Puis elle riva son regard furieux sur Drake, qui se contenta de la considérer comme un simple désagrément.

—Je connais cette ville dans ses moindres recoins, et je vous jure, si vous faites du mal à Evangeline d'une manière ou d'une autre, je vous coupe les couilles et vous les fais bouffer.

—Votre menace est tout à fait futile, cela n'arrivera pas, dit Drake avec dédain, lui faisant bien comprendre qu'il était temps pour elle de partir.

Il leva les yeux vers Thane d'un air désolé. Thane articula quelques mots, que Drake comprit parfaitement, et il parvint à peine à se retenir de rire.

Thane avait dit : « Va te faire foutre ! »

—Thane va vous raccompagner chez vous à présent, annonça Drake d'un ton formel, demeurant froid et distant avec cette femme qui avait failli gâcher sa soirée.

Au demeurant, elle avait peut-être réussi, car il n'avait aucune idée de ce qui se passait dans la tête d'Evangeline.

Ne voulant pas s'exposer à un autre drame, Drake attira Evangeline contre lui et regagna l'ascenseur avec elle. Elle garda les yeux fermés, les traits figés par son sentiment d'humiliation.

Il l'escorta avec douceur dans son appartement, ne lui laissant pas le temps de considérer sa superficie et son élégance. Il la conduisit dans la chambre et elle se mit instantanément à trembler contre lui.

Le cœur de Drake s'attendrit. C'était une sensation étrange à laquelle il n'était pas habitué.

Mais elle paraissait épuisée, perdue et si désorientée qu'il ne put que l'enlacer comme il avait voulu le faire avant qu'ils ne soient interrompus par sa colocataire. Au début, elle demeura crispée contre lui, mais comme il se contentait de la serrer contre lui et de passer sa main dans ses cheveux au ralenti, elle finit par passer ses bras autour de sa taille et se détendit.

Elle posa sa joue contre le torse de Drake et son soupir le bouleversa au plus profond de lui. Ce son pousserait n'importe quel homme à tout faire pour rendre cette femme heureuse.

—Prépare-toi pour aller au lit, Ange, dit-il d'un ton bourru. Tu es fatiguée, tu as mal aux pieds, et tu as passé de longues journées. Ce qu'il te faut, c'est du repos. Néanmoins, tu dors avec moi, dans mon lit. Tous les soirs. Sans exception.

Elle hocha lentement la tête, sa joue frottant son torse de haut en bas.

—Comprends-moi bien, Ange, murmura-t-il. Rien ne me ferait plus plaisir que de te faire l'amour toute la nuit pour que tu saches exactement à qui tu appartiens en te réveillant. Mais tu dors debout, et pour l'instant, t'avoir dans mon lit, dans mes bras, dépasse tout ce dont j'aurais pu rêver.

Chapitre 10

Lorsque Evangeline se réveilla, deux choses lui apparurent clairement. Primo, Drake n'était plus au lit avec elle, et deuzio, la matinée était bien avancée. Il était presque midi, et pourtant l'épuisement l'accablait encore et elle n'avait qu'une envie : se pelotonner sous les couvertures pour se rendormir.

Alors qu'elle se mettait dans une position plus confortable, se tournant vers le côté où Drake avait dormi, sa main se mettant instinctivement en quête d'une persistance de sa chaleur ou d'un signe que ce n'avait pas été un rêve, son regard trouva un morceau de papier avec son nom écrit dessus.

Se redressant dans le lit, elle croisa les jambes et attrapa le mot, le déplia avec hésitation. Puis elle fronça les sourcils en prenant connaissance du contenu.

Tes affaires sont dans le séjour, mets-les où tu veux. Mais pour information, seuls tes souvenirs personnels ont été

*apportés. Tes vêtements, chaussures et accessoires ont été
jetés. Un de mes hommes t'attendra pour t'emmener
faire les boutiques, et je veux que tu achètes tout ce dont
tu as besoin. Mon homme aura une liste des articles
nécessaires, et les vendeurs dans les magasins dans lesquels
il t'accompagnera ont déjà reçu mes instructions ainsi que
tes mensurations, et auront des sélections appropriées à ta
disposition quand tu arriveras.*

Ses mensurations? Et puis, qu'est-ce qui clochait dans
ses fringues? Pourquoi avoir jeté ses affaires sans même la
consulter? Quel gaspillage! Bien entendu, ses affaires ne
coûtaient rien pour lui, mais elle avait dû économiser pour
acheter chacune de ces choses, et elle n'avait jamais pu acheter
une garde-robe entière. Elle achetait un jean, ou un tee-shirt,
ou une paire de chaussures. Quand elle avait les moyens de
le faire. Envoyer de l'argent à ses parents était sa priorité. Son
confort personnel était bien loin derrière. Elle était vexée
qu'il se soit débarrassé si inconsidérément des affaires pour
lesquelles elle avait travaillé dur. Qu'est-ce que ça pouvait faire
qu'elle les ait achetées dans un dépôt-vente ou en soldes dans
une friperie? Elle avait payé chaque vêtement avec l'argent
qu'elle avait gagné. Personne ne lui avait rien donné, et elle en
était fière. Jamais l'une de ses colocataires n'avait eu à payer
son loyer, parce qu'elle faisait en sorte que, après avoir envoyé
l'argent à sa famille, il lui reste suffisamment pour couvrir
sa part de leur location et participer aux courses. Elle faisait

également beaucoup la cuisine pour qu'elles ne dépensent pas d'argent en allant manger au restaurant, ce qui voulait dire qu'elle économisait davantage d'argent pour le nécessaire. Drake avait visiblement honte d'elle, et cela la minait. Elle avait sa fierté. Elle savait qu'elle n'était pas une beauté, et avait du mal à comprendre ce qu'elle faisait chez lui, avec l'ordre d'aller s'acheter une toute nouvelle garde-robe dans des boutiques où une tenue devait coûter davantage que toutes les affaires que Drake avait jetées avec désinvolture.

Elle se sentait humiliée.

Elle sursauta et son pouls s'affola quand un téléphone sonna à côté d'elle sur le lit. Elle chercha la source avec prudence pour découvrir un téléphone portable dernier cri pour lequel elle aurait été obligée d'économiser pendant un an et qui était assurément une dépense frivole. Elle consulta de nouveau le mot pour lire la suite ; Drake l'informait que le téléphone était à elle et qu'il l'appellerait plus tard dans la matinée.

Elle décrocha le téléphone avec circonspection, espérant qu'elle appuyait sur le bon bouton, et murmura un «allô» hésitant. Il répondit sèchement, avec sérieux.

— Justice est en route. Il est peut-être déjà là. Il t'emmène faire les boutiques.

Étrangement, elle fut déçue que ce ne soit pas Maddox. C'est celui qui avait été le plus gentil avec elle et il n'était pas aussi intimidant que certains des hommes avec qui Drake travaillait. Puis elle secoua la tête, car c'était insensé. Pour elle, ils étaient tous de parfaits étrangers, dangereux de surcroît, à qui elle devait pourtant faire confiance pour la seule raison que Drake le lui avait ordonné.

Hésitante, elle se mordit la lèvre, gênée qu'il l'oblige à aller faire les boutiques. Si elle n'était pas assez bien pour lui telle qu'elle était, elle n'allait pas changer du tout au tout seulement pour être à la hauteur de ses exigences. Quelles qu'elles soient, puisqu'il n'en avait pas encore ouvertement parlé.

Il sembla relever son silence soudain, et elle se demanda si elle ne devrait pas ajouter la télépathie à la liste grandissante des talents de Drake, même si, visiblement, il n'y avait rien qu'il ne soit capable de faire ou d'accomplir. Pour autant, il fallait avouer que l'argent, ou plutôt le fait d'avoir beaucoup d'argent, s'accompagnait d'un ensemble de règles et de paramètres complètement différents qui favorisaient les riches au détriment des pauvres.

— Qu'est-ce qui ne va pas, Ange ? demanda-t-il.

Sa voix suggérait que cela ne lui plairait pas ou qu'il ne la croirait pas si elle se contentait de répondre « rien » ou prétendait qu'il s'imaginait des choses.

Ce serait insulter son intelligence supérieure.

Elle tressaillit, ne voulant pas exprimer ce qui la dérangeait.

Elle répondit d'une petite voix :

— Pourquoi as-tu jeté tous mes vêtements, y compris mes sous-vêtements et mes chaussures ? Si je ne suis pas assez bien pour toi, alors pourquoi voudrais-tu me changer en quelque chose que je ne suis pas ? Ce ne serait pas réel. Sauf si c'est ce que tu veux, et n'importe quelle femme ferait l'affaire. Une femme avec qui jouer à la poupée pour la rendre « assez bien » pour être vue avec toi. Je suis fière de qui je suis et de ce que je suis, dit-elle avec ferveur. J'ai payé chacune des choses que tu as négligemment jetées. J'y tenais. Mais surtout, personne ne les a achetées pour moi ni ne me les a données. J'ai travaillé pour obtenir tout ce que j'ai et en jetant presque tout ce que je possède, tu clames haut et fort que je ne suis pas assez bien, et tu envoies un de tes sous-fifres faire les boutiques avec moi pour que je ne te fasse pas honte devant les autres.

Le silence se fit sur la ligne, et elle se crispa car elle sentait presque la fureur de Drake à travers le combiné. Elle déglutit nerveusement et ferma les yeux, se disant qu'il serait peut-être suffisamment en colère pour s'en laver les mains et lui demander de rentrer chez elle.

Au lieu de cela, il soupira, et elle l'imagina en train de se passer une main dans les cheveux avec agitation, les lèvres pincées, expression qui le rendait si intimidant.

—Ange, les vêtements que tu as, c'est de la merde. Comprends-moi bien. Même vêtue d'un sac à patates, tu serais belle. Mais d'autres femmes ne pourraient jamais être aussi resplendissantes dans ces vêtements merdiques. Ça ne veut pas dire que j'ai honte de toi, et encore moins que tu n'es pas assez bien pour moi. Ça veut seulement dire que tu es à moi et que je prends soin de ce qui m'appartient. Ce qui signifie que je t'offre désormais tout ce que tu portes – chaussures, jeans, pantalons, et surtout sous-vêtements. Je voulais faire quelque chose pour toi et tu as besoin de vêtements mieux, pas de ces saletés achetées dans une friperie. Jamais ma nana ne portera un vêtement déjà porté par une autre. Point. Alors sors-toi de la tête cette connerie comme quoi tu n'es pas assez bien pour moi ou que tu me fais honte, ou ça va me gonfler sérieusement. Parce que ce sont des conneries et que je refuse que tu le penses chaque fois que tu enfiles une fringue que je t'aurais achetée.

Evangeline, sans voix, s'assit sur le bord du lit. Cette fois-ci, cependant, il ne prit pas son silence pour de la contrariété ou de la colère, comme il avait justement interprété son silence précédent. Comment était-il capable de comprendre ce qu'elle ressentait alors qu'il était à des kilomètres, incapable de la voir et de jauger son langage corporel ou les expressions de son visage ?

— Il faut que j'y aille. J'ai une réunion importante. Justice devrait être bientôt là s'il n'est pas déjà arrivé, alors tu ferais mieux d'être présentable, parce que ça me ferait mal qu'un autre homme voie ce qui m'est exclusivement réservé. Il va t'emmener manger puis faire les boutiques. Je ne tiens pas à ce que tu sois affamée.

Elle qui pensait ne pas pouvoir être plus confuse.

— Je dois m'assurer que tu as compris, ajouta Drake impatiemment. Des mots, Ange. Donne-moi ton accord.

— D'accord, finit-elle par dire dans un souffle.

— Bien, dit-il, et elle perçut la satisfaction dans sa voix. Maintenant dépêche-toi de t'habiller pour que Justice ne voie pas ce qu'il ne devrait pas voir et que je n'aie pas à lui botter le cul.

Elle crut qu'il avait raccroché quand il ajouta une dernière chose.

— Et, Ange, sache que je serai fâché si tu refuses d'accepter les articles que j'ai réservés pour toi.

Elle mit un terme à la conversation et laissa tomber le téléphone sur le lit, avant de jeter un coup d'œil au mot qu'elle n'avait pas fini de lire. Elle recommença depuis le début, parcourant en diagonale les parties qu'elle avait déjà lues. Tout en bas, avec l'écriture caractéristique de Drake, était inscrit :

Appelle tes amies pour leur donner ton nouveau numéro afin que je ne sois pas encore obligé de demander à mes hommes de les virer de mon appartement à 5 heures du matin.

Elle éclata de rire puis ramena ses genoux contre sa poitrine tout en regardant autour d'elle avec émerveillement. Elle n'en revenait pas. Comment s'était-elle débrouillée pour passer ainsi de l'autre côté du miroir et atterrir dans une réalité parallèle ?

Elle chassa l'accablante impression de partir en vrille à toute allure et commença par appeler Steph, car elle n'avait aucune envie que la police fasse irruption dans l'appartement de Drake, déterminée à secourir une femme kidnappée. À son grand soulagement, les trois filles étaient ensemble à l'appartement, et elles la mirent donc sur haut-parleur ; elle ne serait pas obligée de raconter la même histoire insensée trois fois.

D'un ton aussi neutre que possible, elle fit un bref compte rendu des événements en concluant par son retour dans l'appartement de Drake avec lui. Leurs réactions furent explosives.

—Tu as perdu la tête? dit Nikki d'une petite voix. Vangie, qu'est-ce que tu sais de ce mec? Et si tu disparais et qu'on n'entend plus jamais parler de toi?

Evangeline soupira.

—C'est trop demander, que mes meilleures amies m'accordent un peu de crédit?

—C'est juste qu'on se dit que tu devrais prendre un peu plus de temps, de préférence loin de lui pour ne pas être submergée, répondit Lana avec diplomatie. Il faut que tu admettes que c'est affreusement soudain et que ça ne te ressemble pas du tout.

—Oui, eh bien, aller à l'*Impulse* non plus, mais cela ne vous a pas dérangées de me pousser à y aller, rétorqua Evangeline.

Steph avait gardé le silence jusque-là ; Evangeline aurait dû se douter que le pire était à venir.

—Et tu crois que ça va prendre combien de temps avant que Drake se lasse de toi? Tu vas faire quoi quand ça arrivera, Vangie? Tu ne peux pas être entièrement dépendante d'un homme, surtout d'un homme avec ce genre de pouvoir.

La douleur transperça le cœur d'Evangeline, et son soupir fébrile dut être entendu à l'autre bout du fil, à en croire le silence qui s'ensuivit. Mais ce qui la dérangeait encore plus était que Steph avait mis le doigt sur son incertitude déjà grande quant à la durée de sa liaison avec Drake.

—C'était injustifié, Steph, protesta Lana avec colère. Tu te laisses aveugler par ta jalousie, et ça ne te va pas. Fous-lui la paix. Depuis que nous la connaissons, elle n'a jamais rien fait pour elle-même. Il est peut-être temps que ça change, qu'elle vive un peu.

—Il faut que j'y aille, souffla Evangeline. Il faut que je m'habille et que je sois prête à partir dans dix minutes.

—Attends, Vangie, avant de partir, s'empressa de dire Nikki. Le proprio est passé ce matin pour nous donner une quittance et un contrat de location. Le loyer a été payé d'avance pour deux ans, et le contrat garantit qu'il n'y aura aucune augmentation pour les dix prochaines années. Ce n'est pas incroyable ?

—Drake ne voulait pas que mon départ vous cause de problèmes, expliqua Evangeline. Vous avez de la chance, une fois qu'il se sera débarrassé de moi, vous aurez toujours un endroit où vivre gratos et pas d'augmentation pendant longtemps.

Puis elle mit rapidement fin à l'appel, encore hantée par le commentaire de Steph.

Chapitre 11

Evangeline n'était pas dans son élément ; elle voulait se terrer quelque part pour se laisser mourir. Elle était désespérément gauche et bien que Justice, son baby-sitter du jour, semble brut de décoffrage, il était quant à lui à l'aise dans les boutiques chic, et choisissait ou écartait les articles avec aisance.

Sitôt qu'Evangeline eut tendu la main pour toucher une robe chatoyante tout droit sortie du bal de Cendrillon, et senti le tissu somptueux entre ses doigts, elle en tomba amoureuse. Jusqu'à ce qu'elle regarde le prix et retire vivement sa main comme si l'étiquette l'avait brûlée. Bon sang. Les prix étaient-ils tous aussi exorbitants dans cette boutique ? Une robe coûtait plus cher que ce qu'elle gagnait en un an !

Elle se retourna, se mordant la lèvre, consternée. Elle n'était pas à sa place ici. Ce n'était pas son monde. Elle ne cadrait pas et elle se fourrait le doigt dans l'œil si elle pensait pouvoir faire partie de ce monde, ne serait-ce qu'un instant.

Toutefois, Justice avait remarqué sa réaction face à la robe, et il adressa un regard entendu à la vendeuse, qui fut trop heureuse de l'emballer et de l'ajouter à l'impressionnante pile d'articles que Justice prévoyait de porter pour Evangeline.

Au début, il s'était demandé ce qu'il avait bien pu faire pour énerver Drake et être de corvée shopping auprès d'une femme qui semblait ne rien vouloir ou n'avoir besoin de rien. Ce n'était pas comme s'il n'avait jamais été contraint de faire les boutiques avec les conquêtes de Drake par le passé, mais il n'avait alors eu qu'à attendre et regarder la femme traverser le magasin d'un pas autoritaire en montrant les articles à l'aveuglette, le laissant régler la note. Tout était fini en quelques minutes.

Mais Evangeline ? Elle avait l'air absolument horrifiée, surtout après avoir regardé le prix de la robe qu'elle avait admirée si longuement et dont elle avait caressé le tissu soyeux. Bon sang, ce n'était même pas la robe la plus chère du magasin. Il était bien content que Drake ait appelé en amont en détaillant ce qu'il désirait à la vendeuse pour qu'elle prépare une sélection. Evangeline ferait certainement une crise cardiaque si elle voyait le prix de ces robes-là.

Il soupira car cette journée s'annonçait interminable, et acheter des vêtements pour femmes était pour lui comme un voyage en enfer. Qu'est-ce qu'il ne ferait pas pour l'homme qu'il appelait son associé et son frère ! Toutefois, il ne pouvait être en colère contre Evangeline, car il y avait quelque chose de différent chez elle. Jamais Drake n'avait choisi une femme comme elle, ni agi de manière si possessive au point d'en être menaçant, depuis l'instant même où il avait posé les yeux sur elle.

Et d'une certaine façon, Justice comprenait. Elle avait un truc, et il mit du temps à mettre le doigt dessus, mais lorsqu'il trouva, ce fut limpide. Elle n'était pas une de ces femmes calculatrices et intéressées, déterminées à plumer Drake comme elles le pouvaient durant la courte durée où il les gardait près de lui.

Evangeline était innocente, naïve, intrinsèquement douce et infiniment authentique. Elle était d'un naturel aimable et, d'après ce que Thane avait dit, elle était loyale et féroce quand elle défendait les autres, même ceux qu'elle ne connaissait pas. Elle avait passé un savon à son amie pour avoir méprisé Maddox et Thane, ce qui avait décuplé le respect que ce dernier lui portait. Les femmes comme elle ne défendaient pas les hommes comme lui. Surtout face à leurs meilleures amies.

Pourtant, selon Thane, elle s'était comportée comme une lionne défendant ses petits et le jugement porté par son amie sur Maddox et Thane avait rendu Evangeline furieuse. Elle l'avait donc fait baisser d'un ton et lui avait dit sans détour ce qu'elle pensait de son opinion.

Difficile de ne pas respecter une femme douce et gentille, qui semblait facilement intimidable et crachait pourtant du feu quand elle prenait la défense de ceux qu'elle appréciait.

Justice n'avait pas été impressionné par les conquêtes de Drake par le passé et ne s'était jamais préoccupé du sujet car

Drake ne gardait jamais une femme plus de quelques jours. Mais Evangeline était, de toute évidence, une femme que Drake comptait garder bien plus longtemps à ses côtés. Jamais il n'avait habillé une de ses conquêtes de la tête aux pieds. Il leur offrait généralement un cadeau onéreux – des bijoux, le plus souvent – avant de leur donner congé. Justice ressentit envers elle un élan protecteur, à tel point qu'il fut mal à l'aise à l'idée que Drake se débarrasse brutalement d'elle quand il s'en serait lassé. S'il était incapable de voir la différence entre Evangeline et les salopes avec qui il était sorti par le passé, c'était un vrai crétin, et si Drake la quittait, Justice se dit qu'il serait prêt à intervenir et à offrir à Evangeline le respect et l'attention qu'elle méritait.

Il l'avait emmenée dans l'un de ses restaurants préférés avant de s'embarquer dans la virée shopping, et elle avait eu l'air aussi mal à l'aise dans le restaurant de luxe que dans les boutiques haut de gamme. Elle avait étudié le menu de longues minutes, se concentrant tant et si bien qu'il avait cru que sa tête allait exploser. Quand il s'était rendu compte qu'elle avait choisi le plat le moins cher de la carte, il avait passé outre à sa requête et lui avait commandé un steak de Wagyu. Elle avait aussitôt protesté avec horreur et lui avait soufflé que ça valait deux cents dollars! Pour un steak! Il s'était contenté de lui sourire et avait dit au serveur de lui apporter la même chose avant de demander à Evangeline quelle cuisson elle préférait. Elle avait l'air si déboussolée et ulcérée par le prix qu'il avait commandé le steak à point pour elle et saignant pour lui.

Quand les plats étaient arrivés, elle avait considéré le petit steak et secoué la tête, incrédule.

—Essayez, avait insisté Justice. Il fond dans la bouche. Le meilleur steak de votre vie, vous verrez.

—Assez bon pour valoir deux cents dollars? avait-elle demandé, sceptique. Deux cents dollars qui suffiraient amplement à nous nourrir, mes colocs et moi, pendant un mois entier.

Il lui avait simplement souri avant d'entamer son steak, l'observant en silence alors qu'elle coupait un petit morceau avec précaution, presque avec respect, comme si elle détestait l'idée de consommer un plat d'un prix si exorbitant. Mais lorsqu'elle avait mâché délicatement cette première bouchée, ses yeux s'étaient fermés et un léger gémissement s'était échappé de ses lèvres, lui faisant serrer les dents et oublier un instant le contenu de son assiette alors que le plaisir illuminait le visage d'Evangeline.

—Oh là là! avait-elle soufflé avec un autre gémissement. C'est succulent.

—Je vous l'avais dit, avait-il répondu d'un air suffisant.

—Pas assez pour coûter deux cents dollars, avait-elle marmonné.

Il avait simplement souri et continué à manger son steak, y goûtant à peine, un crime, en soi, parce qu'il était trop occupé à observer la première expérience d'Evangeline avec ce bœuf décadent.

Quand ils eurent fini, il lui avait annoncé qu'ils allaient faire les boutiques, ce qui aurait enchanté la plupart des femmes.

Assurément toutes les conquêtes de Drake. Cependant, on aurait dit qu'il avait annoncé à Evangeline qu'elle était de corvée de chiottes.

À présent, ils avaient presque terminé. Il ne restait qu'une seule destination.

Il sourit presque quand elle se rendit compte que leur prochain arrêt était une boutique de lingerie. Et pas n'importe laquelle. Une boutique qui vendait des sous-vêtements décadents, sexy, séduisants, destinés à rendre les hommes fous de désir.

Les joues d'Evangeline s'empourprèrent vivement et elle lança un regard suppliant à Justice, qui dut se frotter la poitrine pour soulager le malaise que lui causait son embarras.

—Vous pouvez attendre dehors, murmura-t-elle. Votre présence n'est pas nécessaire. Drake a fait préparer un assortiment d'articles dans tous les autres magasins où nous sommes allés, j'imagine que ce sera pareil ici.

Puis elle rougit soudain, prenant conscience que Drake avait appelé et décrit à la vendeuse ce qu'il voulait avec force détails, et qu'elle devrait faire face à cette dernière en sachant que Drake avait été explicite sur ses souhaits.

Il lui sourit gentiment et posa ses mains sur ses épaules.

—Vous n'avez aucune raison de vous sentir gênée. Vous avez raison, il y a une pile d'articles qui vous attendent à la caisse, et je vais vous dire : je vais aller à la caisse et attendre pendant que vous faites un tour pour voir si quelque chose vous plaît. Prenez ce que vous voulez et je promets de ne pas regarder. Je paierai et je tournerai le dos. Mais je ne peux pas vous laisser seule dans la boutique. Drake me tuerait si je vous laissais sans protection ne serait-ce qu'un instant. Il veut que je reste à vos côtés en permanence.

Elle rougit jusqu'aux racines de ses cheveux, et le cœur de Justice s'attendrit alors qu'il pensait cela impossible. Il effleura sa joue.

—Vous n'avez pas à avoir honte de quoi que ce soit avec moi, Evangeline. J'aimerais nous considérer comme des amis.

Il faillit s'étrangler. *Amis ?* Oui, il était convaincu qu'il perdait la tête. Il n'avait pas d'amis, à part les hommes qu'il appelait ses frères, et jamais il n'avait considéré une femme comme une amie. Soit il voyait en elles des garces vénales, soit il les mettait dans son lit, pour prendre du bon temps. Et voilà qu'il déblatérait des conneries sur une amitié platonique avec une femme que la plupart des hommes se seraient empressés de mettre dans leur lit. Drake lui devait une fière chandelle.

—Maintenant, allez faire votre shopping pendant que je demande à la vendeuse d'emballer ce que Drake a déjà commandé, et, comme promis, quand vous aurez fini, je donnerai la carte de crédit à la vendeuse et tournerai le dos. Tout ce que je ferai, c'est porter les sacs à la voiture. Sans regarder. Promis !

Elle lui fit un sourire qui lui coupa le souffle, et soudain il comprit clairement pourquoi cette femme fascinait tant Drake. Elle était authentique. Ce qui était rare dans les cercles dans lesquels ils évoluaient. Tout était authentique chez elle. Il fut stupéfié par cette découverte et pas certain de savoir qu'en faire. Une émotion inhabituelle – la jalousie – lui enserra la poitrine, et il jura intérieurement. Maudits soient Drake et sa chance d'avoir trouvé celle-ci avant tous les autres hommes qui géraient l'*Impulse* avec lui.

Il la regarda parcourir timidement les portants, observant quels articles retenaient son attention. Elle les lâchait dès qu'elle voyait le prix. Il adressa un regard sans équivoque à la vendeuse, qui alla promptement récupérer les articles qu'Evangeline avait laissés en rayon lorsque celle-ci passa à l'espace suivant.

Elle eut la présence d'esprit de les emballer pour qu'Evangeline ne comprenne pas tout de suite qu'ils avaient été achetés, puis elle fit le total et tendit la facture à Justice. Une fois qu'ils eurent fini, Justice rassembla tous les sacs et escorta Evangeline à l'extérieur, où la voiture les attendait.

— On a fini ? demanda-t-elle, sur ses gardes.

Il sourit.

— Oui, ma jolie. Je vous ramène à la maison maintenant.

Il lui ouvrit la portière puis fit le tour du véhicule pour se glisser sur la banquette arrière à côté d'elle. Tandis qu'ils s'engageaient sur la route, elle regarda par la fenêtre, visiblement fascinée par la ville, presque comme si elle n'était jamais venue à New York. Sa réaction semblait étrange pour une personne qui habitait et travaillait ici.

Comme si elle avait senti qu'il l'observait, elle se tourna timidement vers lui et lui adressa un petit sourire.

— Je ne m'y habitue jamais, avoua-t-elle, en désignant l'extérieur d'un signe vague de la main. Je ne suis pas sûre de m'y habituer un jour.

— À quoi ? demanda Justice, curieux.

— Toute cette agitation. Les gens. Les gratte-ciel. Tous les commerces et les voitures, les bâtiments empilés les uns sur les autres. Cela me rappelle les fourmilières de ma région natale.

Il éclata de rire, remarquant son accent traînant du Sud qu'il trouvait charmant.

— D'où venez-vous, Evangeline ?

— Du Mississippi, dit-elle avec mélancolie.

— Qu'est-ce qui vous a amenée en ville ?

Un éclair de chagrin passa dans ses yeux, et il regretta aussitôt d'avoir posé cette question. Elle regardait la ville défiler derrière la vitre de la voiture, avec les klaxons et les bruits de circulation en fond sonore.

— Il fallait que je gagne plus d'argent pour aider mes parents, dit-elle simplement.

Son ton lui fit comprendre que le sujet n'était pas ouvert à la discussion, et il n'insista pas, même s'il était curieux d'en savoir plus.

De ce qu'il savait d'elle, elle travaillait de nuit dans un bar du Queens. Il devait bien y avoir de meilleurs postes dans le Mississippi. Et vu la façon dont elle parlait de la ville par rapport à son foyer familial, il devinait qu'elle avait le mal du pays.

Il fronça les sourcils ; il aurait aimé interroger Drake sur la situation d'Evangeline, mais son patron le prendrait mal.

Non pas qu'il puisse penser que l'un de ses frères chasserait sur ses terres, mais ce qui était à Drake était à Drake. Bon sang, ils étaient tous comme ça. C'était peut-être pour cela que les hommes qui travaillaient pour Drake entretenaient un lien si fort. Ils avaient beaucoup en commun et comprenaient les besoins les uns des autres, notamment celui de ne pas être interrogé et surtout de ne devoir de comptes à personne. La vie privée primait sur tout le reste. C'était un arrangement très avantageux qui fonctionnait bien.

Une pensée le frappa soudain. Si Evangeline savait tout des « affaires » de Drake, elle partirait en courant. Ses précédentes conquêtes cherchaient seulement à tirer le meilleur parti d'une aventure. Mais Evangeline n'était pas une femme qu'on pouvait acheter. Elle était trop honnête et il ne l'imaginait pas fermer les yeux sur une activité illégale.

Ses qualités évidentes, qui la mettaient bien au-dessus de toutes les autres femmes que Drake avait fréquentées, ne risquaient-elles pas de l'éloigner de Drake tôt ou tard ? Cela dit, les antécédents de Drake suggéraient qu'Evangeline ne serait pas là bien longtemps. Plus longtemps que les autres, Justice en était persuadé. Mais certainement pas assez pour savoir dans quoi Drake et ses hommes trempaient. Elle ne cautionnerait certainement pas leur vision de la justice. Bon sang, si elle savait dans quel état son ex s'était retrouvé après avoir pris cette raclée bien méritée, elle serait horrifiée, même si elle détestait ce salaud.

Justice soupira. Drake s'était mis dans le pétrin cette fois. Evangeline n'était pas comme les autres, et cela allait lui causer de graves ennuis. À condition qu'il la garde suffisamment longtemps pour que cela devienne un problème.

Evangeline ne cessait de lancer des regards furtifs en direction de Justice. Il ne se tourna pas vers elle, ne voulant pas créer de malaise. Au lieu de cela, il continua à l'étudier du coin de l'œil. Plusieurs fois, elle inspira et ouvrit la bouche, pour la refermer aussi sec et se retourner vers la vitre.

Elle voulait manifestement lui poser une question ou dire quelque chose mais était trop timide pour se lancer. Il ignorait pourquoi il trouvait cela si charmant, mais en même temps, il ne tenait pas à ce qu'elle le craigne. Ce qui était encore plus absurde puisque Justice, comme ses frères, inspirait la peur et le respect. Mais l'idée que la nana de Drake redoute de lui dire quelque chose lui retournait l'estomac.

— Evangeline ?

Elle tourna la tête d'un air coupable et croisa son regard l'espace d'une seconde avant de baisser les cils, les yeux rivés sur un point entre eux sur la banquette.

Impulsivement, il tendit la main pour la poser sur la sienne, et son contact la fit sursauter. Se retenant de froncer les sourcils, il serra sa main pour la rassurer.

— Regardez-moi, Evangeline.

Cela avait beau être un ordre, sa voix était douce et encourageante.

Elle leva prudemment le menton pour que ses yeux bleus ourlés de cils noirs rencontrent les siens.

—Vous voulez me demander quelque chose ? Je ne mords pas. Enfin, si vous me le demandez poliment, ajouta-t-il en souriant.

Elle cligna des yeux, étonnée par sa remarque moqueuse, puis, à sa grande surprise, elle explosa de rire.

Bon sang, à cet instant, il fut si jaloux de son ami qu'il fut tenté d'ordonner au chauffeur de les ramener chez lui, où il ferait tout son possible pour lui faire oublier Drake Donovan. Il dirait simplement à celui-ci que la dame avait changé d'avis. Il s'efforça de chasser ces pensées. Drake était comme son frère. Mais… s'il restait fidèle à son habitude et que cette liaison ne durait pas, alors Justice attendrait. Même si quelque chose lui disait qu'Evangeline allait changer la donne pour Drake.

—Evangeline ? dit-il dans un souffle comme elle gardait le silence, malgré ses yeux rieurs.

—Euh, monsieur…

Elle le regarda, soudain confuse.

—Justice, dit-il doucement. Je m'appelle Justice. Pas de « monsieur » entre nous. J'imagine que nous allons nous voir souvent, évitons-nous ces formalités.

Elle sembla réfléchir à sa déclaration, l'amusement disparaissant de ses yeux pour laisser place à la confusion. Cette femme n'avait aucune idée de la place qu'elle occupait dans la vie de Drake. Il ferait mieux d'y remédier au plus vite ou elle disparaîtrait en un éclair.

—Euh… donc, Justice, à quelle heure M. Donovan, je veux dire Drake, sera-t-il à la maison… enfin, de retour à son appartement ?

Il n'en revenait pas qu'elle manque à ce point de confiance en elle. Il avait envie de la prendre dans ses bras pour la réconforter et la rassurer, mais s'il le faisait, il n'était pas garanti qu'elle arrive un jour à l'appartement de Drake et ce dernier le tuerait. Ou du moins essaierait de le tuer.

Il avait toujours adhéré au principe qu'une femme ne passe jamais d'un frère à l'autre, mais à l'instant, il se dit que certaines femmes pouvaient en valoir le coup. Il secoua la tête à cette triste pensée et cessa de s'appesantir sur ce qui ne serait jamais.

— Drake rentrera à 18 heures, et il ne veut pas que vous vous inquiétiez de votre tenue pour le dîner. Il prévoit que vous mangiez tous les deux à l'appartement ce soir.

La panique se lut dans ses yeux et elle retira vivement sa main de la sienne, ne tenant plus en place. Elle se mordit la lèvre, son esprit allant visiblement à mille à l'heure.

— Il faut que je m'arrête au prochain supermarché, lâcha-t-elle. S'il vous plaît ?

Il la regarda, dérouté par sa requête inattendue et sa contrariété manifeste. Il haussa les épaules. Il avait reçu l'ordre de rendre Evangeline heureuse et de lui accorder ce qu'elle voulait du moment qu'elle ne risquait rien et que Justice ne la quittait pas d'une semelle. Il pressa le bouton de l'interphone et ordonna au chauffeur de s'arrêter à l'épicerie la plus proche. Il remarqua le soulagement d'Evangeline. Qu'est-ce qui avait bien pu la mettre dans un état pareil ?

Quelques minutes plus tard, ils s'arrêtaient devant une épicerie gastronomique populaire pour sa sélection de produits de premier choix et son large éventail de nourriture du monde. Evangeline sortit immédiatement de la voiture avant que Justice ne puisse faire le tour pour lui ouvrir la portière, et elle se précipita vers l'entrée, obligeant Justice à allonger le pas pour la rattraper.

Il la rejoignit à l'entrée et elle le regarda d'un air renfrogné.

—Vous n'êtes pas obligé de venir avec moi. Je n'en ai que pour quelques minutes. Vous pouvez attendre dans la voiture. Je suis sûre que vous avez eu votre dose de magasins pour la journée.

Justice fronça les sourcils à son tour, la mâchoire serrée avec obstination.

—Il le faut.

Elle leva les yeux au ciel, clairement mécontente.

—Comme vous voudrez, marmonna-t-elle en entrant dans le magasin.

Elle attrapa un petit panier, qu'il lui confisqua aussitôt, ce qui lui valut un autre regard mauvais de la part d'Evangeline. Puis, marmonnant dans sa barbe, elle progressa à toute allure entre les rayons, très concentrée.

Il se demanda ce qui avait précipité cette virée inattendue, mais un simple regard à son expression lui fit comprendre qu'elle était fébrile, et il n'avait aucune envie de se retrouver avec une hystérique sur les bras. Il garda donc le silence et la suivit dans les rayons, où elle prenait les articles sélectionnés et les mettait dans le panier qu'il portait.

À sa grande surprise, elle ne choisissait pas les articles les moins chers. Elle choisissait les marques les plus onéreuses, les comparant méticuleusement avant de faire sa sélection finale. À la boucherie, elle examina les offres, et il pouvait presque voir les roues tourner dans son crâne tandis qu'elle se mordait la lèvre, l'air pensif.

Elle finit par opter pour du poisson frais et, après lui avoir confié les filets empaquetés, elle tourna immédiatement les talons et se précipita vers le rayon vin.

C'est là qu'elle passa le plus de temps, examinant les bouteilles, marmonnant des commentaires pour elle-même. La virée shopping avait sans doute été trop intense pour elle : elle avait visiblement perdu la tête.

Finalement, elle choisit deux bouteilles. Un vin rouge onéreux, et un vin blanc tout aussi cher et de très bonne qualité.

Après cela, il pensa qu'elle devait avoir réellement perdu la tête, car elle passa quinze minutes de plus au rayon pâtisserie, quoiqu'il ne puisse se retenir de jeter un œil à l'assortiment d'ingrédients qu'elle mettait dans le panier : il avait l'eau à la bouche en imaginant les desserts qu'on pouvait confectionner avec.

— J'ai fini, dit-elle, considérant attentivement les articles dans son panier, comme si elle réfléchissait à ce qu'elle avait pu oublier.

Au bout de quelques instants, elle se dirigea à grands pas vers la caisse, où Justice posa le panier. Une fois que le caissier eut scanné tous les articles, Justice vit Evangeline grimacer, puis elle plongea la main dans sa poche pour en sortir une liasse de billets de vingt dollars soigneusement pliés. Elle regarda d'un air inquiet le total affiché sur la caisse puis la monnaie dans sa main comme si elle avait peur de ne pas avoir assez. Elle compta lentement les billets et poussa un soupir de soulagement quand elle atteignit le bon montant alors qu'il lui restait un billet de vingt.

Il fronça les sourcils et lui attrapa le poignet juste avant qu'elle ne donne les espèces à la caissière. Il la fusilla du regard puis paya avec la carte de Drake.

Evangeline semblait fâchée contre lui, mais il refusait d'être celui qui annoncerait à Drake que sa nana avait payé des courses de plusieurs centaines de dollars alors qu'elle vivait, ou plutôt avait vécu, dans un appartement merdique, avec un boulot de merde, et avait eu du mal à boucler ses fins de mois. Il comprenait la fierté. Tous ses frères comprenaient. Mais Drake serait furax s'il apprenait qu'Evangeline avait déboursé de l'argent, dont elle avait visiblement besoin, pour lui acheter à manger.

Il attrapa les sacs, refusant l'offre d'Evangeline de l'aider à les porter, et se dirigea vers la sortie.

— Entêté aussi, marmonna-t-elle. Tous ces foutus critères.

À la voiture, le conducteur était là pour prendre les sacs à Justice, qui se tourna vers Evangeline, l'air interrogateur.

— De quoi parlez-vous ?

Elle rougit. À l'évidence, elle n'avait pas voulu qu'il entende ce qu'elle disait.

— J'ajoutais seulement un élément supplémentaire à la liste des critères pour travailler à l'*Impulse*, répondit-elle.

Il haussa un sourcil.

—Oh ? À quels critères faites-vous allusion ?

—Manifestement, il faut être à la fois un gros dur et un canon pour travailler à l'*Impulse*. Je veux dire, de tous les hommes qui travaillent là-bas, il n'y en a pas un qui soit moche et pas un qui ait l'air commode. Et je viens de me rendre compte qu'il y a un prérequis supplémentaire : être entêté.

Justice se mit à rire à gorge déployée. Il riait encore quand il accompagna Evangeline jusqu'à sa portière pour qu'elle monte en voiture. Il secouait la tête lorsqu'il monta à son tour.

—Ah, voilà un critère de moins, marmonna-t-elle.

—Est-ce que je veux savoir ? s'enquit-il.

—J'avais supposé que le fait de ne jamais sourire était une condition sine qua non pour bosser au club, mais vous venez de briser cette règle, donc j'imagine que vous êtes autorisés à sourire de temps en temps.

Il rit et secoua la tête.

—On peut retourner à l'appartement maintenant ? demanda-t-il, exaspéré.

Elle lui adressa un regard mauvais.

—Si j'avais le temps, je vous obligerais à vous arrêter encore quelques heures. Juste pour vous voir souffrir.

Il tenta de réprimer un éclat de rire, mais en vain. Cette femme lui plaisait, et il la respectait car elle restait calme sous pression. La journée avait été un enfer pour elle ; elle avait été mortifiée que quelqu'un d'autre paie pour elle, Justice s'en était tout de suite rendu compte.

— Tout ira bien, Evangeline, dit-il affectueusement. Vous allez vous en sortir.

— Eh bien, Dieu merci, grommela-t-elle. Je ne voudrais pas me mettre à dos un gros dur canon et entêté.

Il rit de plus belle et ordonna au chauffeur de les ramener à l'appartement de Drake. Dès qu'il eut donné l'ordre, l'humeur légère s'envola et Evangeline se tut, visiblement soucieuse. Et raide comme la justice. Durant tout le trajet, elle donna l'impression d'être menée à l'échafaud.

Chapitre 12

La voiture de Drake s'engagea dans l'allée de son immeuble, adjacente à l'entrée latérale, et il en sortit rapidement pour entrer d'un pas vif dans le bâtiment. Dans l'ascenseur, il desserra le col de sa chemise et retira sa veste de costume, qu'il jeta sur son bras.

Il était sur les nerfs. Il l'avait été toute la journée, depuis qu'il avait laissé Evangeline dans son lit ce matin-là. Il était d'une fébrilité incompréhensible, ressentant l'envie de consolider sa relation avec Evangeline et de définir ses attentes pour que ses intentions ne fassent aucun doute.

Ce soir, il la posséderait. Mais d'abord, ils auraient la discussion qui avait germé dans son esprit toute la journée, puis un dîner décontracté qui laisserait à Evangeline le temps d'assimiler tout ce qu'il allait lui dire. Puis il la prendrait, la posséderait. Il lui montrerait à qui elle appartenait dorénavant.

Une satisfaction farouche s'empara de lui, et il se rendit compte qu'il n'avait pas anticipé la présence d'une femme dans sa vie. D'ailleurs, pour la première fois, il n'avait pas décidé du temps que durerait cette liaison. Il n'entamait jamais une liaison sans savoir quand elle prendrait fin, et pourtant il n'avait pas vu plus loin que son désir de mettre Evangeline en sécurité et de s'assurer qu'elle n'irait nulle part pendant un bon bout de temps.

Bordel, envisageait-il une véritable relation et non un coup d'un soir ou une passade ? Peut-être perdait-il les pédales. Il était certain que ses hommes le pensaient. Et peut-être était-ce vrai, car son monde avait été bouleversé à l'instant où il avait vu Evangeline entrer dans son club. Rien n'avait plus été pareil depuis.

Quand les portes de l'ascenseur s'ouvrirent, il pénétra dans son appartement et tourna aussitôt la tête vers la cuisine, sourcils froncés. Un arôme délicieux parvenait à ses narines. Il consulta sa montre, certain qu'il ne s'était pas trompé d'heure. Il avait quitté le bureau pour arriver précisément à 18 heures, comme il l'avait dit à Justice. Le traiteur ne pouvait pas avoir fait l'erreur de livrer les plats avant l'heure convenue.

Il avait méticuleusement planifié toute la soirée, et il n'aimait ni les interruptions, ni les tournants inattendus.

Il jeta sa veste de costume sur le portemanteau près de l'ascenseur et entra dans la cuisine, où il s'arrêta net en voyant Evangeline devant la cuisinière, en train de manier quatre poêles à la fois. C'était un homme direct et il n'avait pas tendance à mettre beaucoup de formes dans sa façon de dire les choses, puisque ses paroles suffisaient à obtenir des résultats.

—Qu'est-ce que tu fous ? demanda-t-il.

Evangeline sursauta, lâchant presque la spatule qu'elle avait à la main. Elle tourna la tête vers lui, les yeux immenses alors qu'elle le dévisageait avec inquiétude. La confusion se lisait dans ses yeux bleus, puis elle lui adressa un regard perplexe suggérant qu'il n'avait aucune raison de se demander ce qu'elle faisait.

—Justice m'a dit que tu rentrais à 18 heures, que je ne devais pas me préparer à sortir, que nous allions dîner ici. J'ai pensé que tu voulais que je cuisine, puisqu'il n'était pas prévu que nous sortions, répéta-t-elle, comme pour se rassurer sur le fait qu'elle avait bien compris ce que Justice lui avait dit.

Sa voix tremblait et Drake soupira, comprenant qu'elle pouvait avoir mal interprété ses intentions. La peur et l'incertitude dans les yeux d'Evangeline rendirent sa réponse instinctivement douce. Il ne voulait pas débuter la soirée sur une mauvaise note. Tant de choses en dépendaient.

—Je n'ai aucune intention de faire de toi une esclave domestique, et je ne m'attends pas non plus à ce que tu cuisines pour moi. J'ai un service de livraison qui m'apporte les meilleurs mets quand je veux manger à la maison. Ils viennent, mettent la table, et s'en vont aussitôt. J'ai prévu une livraison pour 19 heures. Je voulais qu'on discute avant de manger.

—Oh, murmura Evangeline.

Elle baissa les yeux sur le repas qu'elle était en train de préparer, les joues empourprées, et on devinait l'embarras dans son regard bleu. Il eut l'impression de prendre un coup dans le ventre et d'être le pire des imbéciles d'avoir été si direct et d'avoir tourné sa déclaration comme une réprimande. Comme si elle avait fait quelque chose de mal. Alors qu'en vérité, cela le touchait qu'elle ait préparé un repas maison pour lui. Sa propre mère ne lui avait jamais rien cuisiné ; il avait très peu de souvenirs d'elle.

— Je suis désolée, dit-elle à voix basse. Je peux tout jeter. J'ai mal compris. Je suis désolée, répéta-t-elle.

Il se sentit mal, comme s'il avait frappé un chiot, et ce n'était pas une expérience plaisante. Il ne voulait aucunement la peiner alors qu'elle avait donné de sa personne pour préparer ce qui semblait être un dîner somptueux.

— Absolument pas, affirma-t-il. Ça sent divinement bon, et on ne doit pas gâcher de la bonne nourriture. Je vais appeler le service de livraison et annuler notre commande. Le repas sera prêt dans combien de temps ?

Elle refusait toujours de croiser son regard, et ramassa une grande cuillère pour remuer les ingrédients dans l'une des poêles.

— C'est prêt. Je gardais seulement tout au chaud pour pouvoir le servir dès ton arrivée, dit-elle doucement.

Il prit conscience que leur discussion devrait attendre, car il ne tenait pas à débuter la soirée en vexant Evangeline et en lui donnant une raison supplémentaire d'ériger un mur entre eux. Tant pis si c'était dégueulasse, il mangerait et la complimenterait parce qu'il refusait de l'humilier de quelque façon que ce soit.

Et puis, elle avait cuisiné pour *lui*. C'était une chose simple, mais aucune femme n'avait jamais proposé de cuisiner pour lui, et encore moins fait l'effort que le repas soit prêt à son retour du travail.

Il alla la rejoindre et l'enlaça, collant son dos contre son torse. Il se pencha et effleura la peau nue de son cou du bout des lèvres, et sourit quand il lui arracha un frisson.

—Si c'est aussi bon que l'odeur le suggère, ce sera excellent.

Elle se détendit contre lui, la tension quittant son corps.

—Pourquoi ne passes-tu pas quelque chose de plus confortable pendant que j'apporte le dîner à table? proposa-t-elle d'une petite voix.

Il l'embrassa dans le cou, mordillant cette fois sa peau soyeuse, avant de la quitter pour aller dans la chambre. D'accord, la conversation devrait attendre, mais qu'elle ait cuisiné pour lui était révélateur. Elle ne se débattait pas, et visiblement, elle n'avait pas changé d'avis.

Il s'était attendu à ce que Justice l'appelle pour se plaindre d'avoir à jouer au baby-sitter ce jour-là, mais à son étonnement, tout ce que Justice avait trouvé à dire après avoir déposé Evangeline à l'appartement de Drake était: «Tu as trouvé une fille bien, Drake. Ne fais pas tout foirer.»

Il fronça les sourcils. Il avait déjà été témoin de la réaction de Maddox face à elle, et de celle de Thane. Et voilà que Justice avait à son tour succombé à son charme. Il n'était pas sûr d'apprécier l'effet qu'elle avait visiblement sur ses hommes. Ils lui mangeraient bientôt tous dans la main, et il se doutait que si Evangeline y réfléchissait à deux fois et partait, l'un d'eux, si ce n'est les trois, tenterait sa chance.

Hors de question que ça arrive.

Après avoir passé un jean confortable et un tee-shirt, il retourna à la cuisine pour trouver Evangeline en train de disposer les assiettes sur la table de la salle à manger. Quand elle l'entendit, elle se retourna, une moue aux lèvres.

— Je ne savais pas ce que tu préférais comme vin, donc j'ai pris du rouge et du blanc.

— J'aime les deux, je prendrai comme toi, répondit-il.

Elle ouvrit une bouteille et servit deux verres, puis resta immobile, l'observant avec nervosité comme si elle ne savait pas quoi faire.

— Assieds-toi, dit-il. Nous ne voudrions pas que le repas refroidisse.

Drake recula une chaise pour elle et elle s'y glissa, puis il s'installa en face d'elle afin de pouvoir l'observer et la regarder dans les yeux. Il n'avait même pas prêté attention à ce qu'elle avait préparé, mais à présent qu'il examinait l'assiette savamment arrangée devant lui, il vit qu'il s'agissait d'un filet de poisson recouvert d'une sauce, avec une pomme de terre en robe des champs et deux accompagnements qu'il ne reconnut pas. Mais ça avait l'air délicieux – et ça sentait bon.

La présentation était digne des restaurants qu'il fréquentait. Il était habitué à la cuisine gastronomique, un petit plaisir qu'il ne se refusait pas maintenant qu'il en avait les moyens. Grandir dans la misère avec la faim au ventre façonne l'âme d'un homme. Il avait juré sur la tombe de sa mère quand il avait onze ans que sa vie ne serait pas la sienne. Qu'il agirait et aurait plus. Et surtout, il avait juré qu'il n'aurait plus jamais faim.

Bien qu'il soit grippe-sou quand il s'agissait des affaires, ce qui lui valait les moqueries de ses partenaires parce qu'il serrait les cordons de sa bourse, il n'avait aucun scrupule à s'accorder des plaisirs personnels, et la gastronomie figurait au sommet de la liste. Il reconnaissait donc une présentation professionnelle quand il en voyait une. Et le plat préparé par Evangeline n'avait visiblement rien à envier à ceux servis dans ses restaurants favoris, les plus huppés. Restait à savoir si le goût était à la hauteur du visuel, mais jusque-là, il était impressionné. Cette femme était pleine de surprises. Soudain, il lui tarda de découvrir tous ses secrets, de comprendre ce qui l'animait, ce qui se cachait sous le voile d'innocence et l'éclat qui ne pouvaient passer inaperçus dès qu'on s'approchait d'elle.

Elle jouait avec sa fourchette, lui jetant des coups d'œil furtifs. Il piqua son poisson, en prit une bouchée, puis s'arrêta net. Il mâcha puis prit promptement une autre bouchée, ayant du mal à croire l'expérience qu'il venait de vivre.

Désormais disposé à goûter les autres offrandes, il planta sa fourchette dans les accompagnements inconnus puis se pencha en arrière en gémissant. Evangeline affichait un air inquiet, et il remarqua qu'elle n'avait pas touché à son assiette.

— C'est incroyable, Evangeline. C'est délicieux. C'est toi qui as fait ça ? Tu es sûre que ce n'est pas une blague, que tu n'as pas commandé tout ça ? la taquina-t-il.

Evangeline rougit mais le compliment de Drake fit briller ses yeux de joie, et elle baissa timidement la tête avant d'opiner.

—J'adore cuisiner, dit-elle doucement.

Puis elle releva la tête pour croiser son regard, et ses joues rosirent de nouveau.

—Je suis assez douée, en réalité. C'est moi qui faisais à manger à la maison, et je cuisine pour mes colocs pour qu'on ne mange pas tout le temps dehors, pour économiser de l'argent. Quand j'étais petite, j'allais à la bibliothèque pour regarder les livres de cuisine et copier les recettes. On ne pouvait pas s'offrir le câble ni la télévision par satellite, donc je ne pouvais pas regarder les chaînes culinaires, alors j'apprenais en essayant et en faisant des erreurs. C'est incroyable tous les repas délicieux qu'on peut faire avec des ingrédients peu onéreux. Le secret, c'est l'assaisonnement. Manger au restaurant était un luxe qu'on ne pouvait pas se permettre. Pas même les fast-foods, et, quand je me suis améliorée, pour être honnête, je préférais de loin ma cuisine à ces menus à emporter bien gras.

Il s'efforça de ne pas afficher un air renfrogné. Quand Evangeline avait-elle eu le temps de vivre sa vie? D'avoir une vie, simplement? D'après les informations qu'il avait glanées de-ci de-là, elle avait tout sacrifié pour sa famille, quittant même son foyer pour vivre dans des conditions misérables afin de pouvoir subvenir aux besoins de ses parents. Et il ne savait toujours pas pourquoi ses parents ne pouvaient pas s'en sortir seuls. Elle lui avait dit que son père s'était blessé au travail et que l'assurance avait trouvé un moyen de ne pas le dédommager, mais qu'était-il arrivé à sa mère? Cela le mettait en colère qu'une belle jeune femme à l'orée de l'âge adulte ait dû tout mettre en suspens pour travailler d'arrache-pied, mettant ses aspirations entre parenthèses pour aider les autres. Toutefois, cela la rendait singulière. Sa générosité et son altruisme désintéressés l'élevaient largement au-dessus des autres.

— Quel âge avais-tu quand tu as appris à cuisiner seule? demanda-t-il, sachant déjà que la réponse n'allait pas lui plaire.

— Neuf ans, répondit-elle, comme si c'était la chose la plus naturelle au monde. Maman aidait autant que possible, mais c'était plus important pour elle d'être avec papa, donc j'ai pris la cuisine en main, et ils ont fait comme s'ils ne voyaient rien quand de la fumée sortait de la pièce et que je courais dans toute la maison pour ouvrir les portes et fenêtres, conclut-elle avec un petit rire.

Drake, en revanche, ne trouvait pas ça drôle. Il était furieux. *Neuf ans.* Elle avait neuf ans quand elle avait endossé le rôle de soutien familial pour ses parents adultes. Il dut mettre ses mains sous la table pour qu'elle ne le voie pas serrer les poings. Et l'attitude d'Evangeline était révélatrice. Elle ne voyait rien d'anormal à ce qu'un enfant soit forcé de grandir trop vite et assume une montagne de responsabilités. Qu'il n'ait jamais d'enfance. Tout comme lui, bien que les circonstances aient été bien différentes. Elle, au moins, avait de quoi manger et elle ne s'était pas plainte une seule fois de la façon dont ses parents la traitaient. D'ailleurs, chaque fois qu'elle parlait de sa famille, son visage s'attendrissait et ses yeux étaient pleins d'amour.

Pour autant, cela ne changeait rien au fait qu'elle avait été privée des choses que la plupart des enfants considéraient comme allant de soi. Avait-elle l'intention de vivre sa vie un jour ? De faire quelque chose rien que pour elle ?

Ça oui. Il allait y veiller. Il ne pouvait rien changer à leurs passés respectifs, mais il pouvait assurément changer l'avenir d'Evangeline. L'époque où elle mettait ses aspirations de côté pour les gens qu'elle aimait était révolue. Il ne pouvait pas lui promettre grand-chose, mais il pouvait au moins lui faire cette promesse. Jamais plus elle ne vivrait dans la servitude, qu'elle y soit disposée ou non.

Ils continuèrent à manger en silence. Drake réfléchissait au mystère qu'était Evangeline Hawthorn. Et de plus en plus, il se rendait compte qu'elle ne ressemblait à aucune autre femme qu'il avait pu connaître, et il ne savait pas quoi faire de cette information. Ni d'elle. Il se retrouvait dans une situation délicate qu'il n'avait jamais connue auparavant.

Il avait su manœuvrer avec aisance ses conquêtes de passage, sans jamais faire de faux pas. Il avait sa routine et ses efforts étaient grandement appréciés et accueillis avec ravissement.

Pour la première fois de sa vie, il ne savait pas comment s'occuper d'une femme. L'ironie de cette situation ne lui échappait pas. Il était évident qu'il ne pouvait appliquer sa stratégie habituelle avec Evangeline, car elle ne ressemblait en rien à celles qui l'avaient précédée. Cela aurait pu agacer un autre homme, mais conférait à Drake un enthousiasme inédit.

Elle allait probablement être son plus grand défi, et il se nourrissait de défis. Il lui fallait seulement découvrir comment la tenir. Ce qui lui faisait plaisir. Car il n'avait aucune envie de porter atteinte à sa fierté. Et elle avait de la fierté à revendre, ce qu'il admirait et respectait, car il était assez bien placé pour le comprendre.

Il repensa au fait qu'il n'avait pas fixé de date limite à sa relation avec Evangeline –oui, *relation*, un mot qu'il n'avait jamais utilisé auparavant pour qualifier le temps qu'il passait avec une femme. Car il était sûr d'une chose : il lui faudrait plus que quelques jours, quelques semaines, ou même quelques mois pour apprendre tout ce qu'il y avait à savoir sur son ange. Il avait hâte.

Se rendant compte que son assiette était vide, il se laissa aller contre le dossier de sa chaise et posa le regard sur ce qui lui appartenait.

—C'était merveilleux, Evangeline. Cela dit, tu avais tort quand tu as dit que tu étais assez douée en cuisine.

Elle écarquilla les yeux, mais il poursuivit avant qu'elle ne puisse tirer la mauvaise conclusion.

—Tu es *extrêmement* douée. J'ai mangé dans un nombre incalculable de restaurants cinq étoiles, et ça, c'était le meilleur repas que j'aie jamais mangé de toute ma vie. Et que tu l'aies préparé pour moi le rend unique à mes yeux. Merci.

Elle rougit vivement et ses yeux pétillèrent de bonheur. Son visage tout entier s'illumina et son expression radieuse lui coupa le souffle. Bon sang, comment cette femme avait-elle fait pour garder sa virginité pendant vingt-trois ans avant de la perdre avec un enfoiré ? Les hommes avaient dû essayer de la mettre dans leur lit depuis son adolescence.

Il connaissait déjà la réponse à cette question : les hommes n'entraient pas dans les projets ou objectifs d'Evangeline. Elle ignorait à quel point elle était belle. Elle pensait n'être rien ni personne.

Même si c'était la dernière chose qu'il faisait, il allait l'obliger à se voir telle que lui – et le reste du monde – la voyait.

—Il y a aussi un dessert, dit-elle. Un repas sans dessert n'est pas un bon repas. J'ai préparé quelque chose de simple à cause de la contrainte de temps, mais tu as le choix entre une mousse au chocolat maison avec de la chantilly ou bien des cupcakes.

—Les deux, répondit-il sans hésiter une seule seconde, ce qui la fit rire.

—Je ne te voyais pas vraiment comme un amateur de cupcakes, dit-elle, amusée.

—Si c'est sucré, j'aime.

—Attends d'avoir goûté ma tarte chocolat-caramel, dit-elle d'une voix songeuse. Elle est honteusement délicieuse.

—J'ai hâte, dit-il d'une voix rauque suggérant qu'il était également impatient de découvrir d'autres choses.

Elle sourit et s'éclipsa, avant de revenir avec un élégant plateau en argent massif sur lequel étaient disposés deux cupcakes et deux ramequins en cristal de mousse au chocolat.

Il examina les deux desserts, sachant que s'ils étaient à la hauteur du dîner, il allait encore gémir de plaisir.

Il ne fut pas déçu.

—Tu me gâtes déjà, dit-il en faisant glisser les plats vides, avant de prendre sa serviette pour essuyer les miettes accrochées à sa bouche.

—Certainement pas autant que toi, fit-elle remarquer.

—Bien.

Evangeline se leva, un sourire aux lèvres, et entreprit de ramasser les assiettes vides. Drake fronça les sourcils, puis enroula ses doigts autour de son poignet, l'arrêtant net.

—Laisse, ordonna-t-il. La femme de ménage vient demain matin. Je la paie pour faire ça. Toi et moi avons à parler.

L'incertitude qui se devina instantanément sur le visage d'Evangeline le mit mal à l'aise. Il lui lâcha le poignet puis se leva et lui tendit la main, attendant qu'elle choisisse ou non de la prendre. Il n'en revenait pas lui-même. Jamais il ne laissait les autres choisir librement. Ou prendre l'initiative. Il était du genre à prendre les choses en main. Il était impitoyable, même. Et pourtant, il attendait qu'une jeune femme lui fasse suffisamment confiance pour décider de poser sa main dans la sienne.

Mais lorsque, confiante, elle glissa, ses doigts doux comme la soie dans sa main, il fut content d'avoir attendu, de ne pas lui avoir imposé sa volonté. D'une certaine manière, cela signifiait tellement plus qu'elle soit venue à lui de bon gré, sans la moindre appréhension.

Il la guida dans le salon et l'installa sur le canapé. Se souvenant soudain de la petite boîte dans la poche de son pantalon, il la sortit, sans lâcher la main d'Evangeline. Il lui tendit la boîte sans un mot. Il n'était ni sentimental ni fleur bleue, mais les cadeaux parlaient d'eux-mêmes ; cela lui avait bien servi par le passé.

Mais elle garda les yeux rivés sur le paquet, stupéfaite, puis le dévisagea d'un air surpris.

— Drake, qu'est-ce que c'est ?

Il lui adressa un petit sourire en coin.

— Ouvre et tu verras. Ce n'est pas comme ça qu'on fait d'ordinaire ?

Au lieu de déchirer le papier, comme la plupart des femmes qu'il connaissait l'auraient fait, elle contempla le paquet avec un effroi mêlé d'admiration, touchant le ruban et le papier coloré avec respect. Bon sang, n'avait-elle jamais reçu de cadeau auparavant ? Non, il ne voulait pas connaître la réponse. Cela ne ferait que l'énerver davantage.

— J'ai peur de l'abîmer, dit-elle d'une voix rauque. C'est trop joli.

Il était dans tous ses états alors qu'il n'avait pas encore consolidé le fait qu'elle était à lui et à lui seul. Il ne savait pas exactement ce que cela présageait, mais il n'était pas entièrement certain d'aimer ça.

Néanmoins, il sourit avec indulgence, ressentant une sensation proche de la décontraction. Son portable était éteint – ce qui n'arrivait presque jamais. Et tous ses hommes avaient reçu l'ordre strict de ne pas le déranger de la nuit, sous peine d'être démembrés. Bon sang, ce soir, il allait mettre les choses au clair entre Evangeline et lui.

Elle ouvrit timidement le paquet, en prenant garde à ne pas déchirer le papier. Elle glissa son ongle sous le scotch et souleva jusqu'à ce qu'elle puisse libérer la boîte en gardant le papier complètement intact. Elle tripota un moment le ruban comme si elle en savourait la texture, tout comme Drake avait savouré la sensation soyeuse de sa peau.

Elle regardait fixement la boîte posée sur ses genoux comme si elle ne savait pas quoi faire. Elle retint son souffle.

— Ouvre-la, mon ange, intima-t-il d'une voix rauque qu'il ne reconnaissait pas.

Les doigts tremblants, elle fit glisser le couvercle et se mordit la lèvre, désemparée, en découvrant une autre boîte, un écrin en velours cette fois. Elle fit tourner la boîte et la secoua légèrement pour faire tomber l'écrin dans sa paume, puis elle le retourna pour l'ouvrir, un peu maladroitement.

— Oh, Drake! murmura-t-elle.

Des larmes brillaient dans ses yeux lorsqu'elle les leva vers lui, visiblement bouleversée. Qu'est-ce que…?

— Tu n'aurais pas dû. Ça a dû coûter une fortune! s'exclama-t-elle, paniquée.

Toutefois, elle toucha du bout des doigts le délicat pendentif en forme d'ange suspendu au collier en or.

— Tu aimes? demanda-t-il avec insistance.

—J'adore! répondit-elle sans hésiter. C'est le plus beau cadeau qu'on m'ait jamais fait.

L'émotion perceptible dans sa voix lui serra le cœur.

—Alors ce n'était pas trop cher.

—Mais Drake, tu me connais à peine, protesta-t-elle. Tu n'aurais pas dû m'acheter un cadeau pareil.

—Et toi, tu n'avais pas à me faire un dîner si succulent, répliqua-t-il. Et pourtant, tu l'as fait.

Elle semblait troublée, comme si elle ne savait pas quoi répondre.

S'il attendait qu'elle sorte le collier pour le passer, ils seraient là toute la nuit; il prit donc l'écrin sur ses genoux, libéra le collier de ses attaches, puis lui ordonna de se tourner.

Elle pivota aussitôt et, une fois encore, il fut satisfait qu'elle obéisse à ses ordres sans réfléchir. Ce n'était pas une femme qui pourrait ou voudrait être soumise à n'importe qui, et cela la rendait encore plus désirable à ses yeux. Non, elle était *sa* soumise. Il ne se faisait pas d'illusions, ce n'était pas une soumise de nature, elle ne réagirait pas ainsi avec tous les hommes. Qu'elle l'ait choisi, qu'elle en soit déjà consciente ou non, était une chose qu'il ne pouvait considérer comme acquise, et il chérirait cette précieuse faveur.

Quand elle se retourna, elle posa ses yeux et ses doigts sur le collier qui tombait entre ses seins. Il avait failli exploser de rire quand elle lui avait dit, choquée, que ça avait dû coûter une fortune. C'était le cadeau le moins onéreux qu'il ait fait à une femme, et pourtant il était si approprié qu'il n'avait pu s'en empêcher. Et il ne fallait pas oublier qu'il devait être prudent avec Evangeline. Ce n'était pas une femme qu'on enveloppait de fringues et de bijoux tapageurs de la tête aux pieds. Ce n'était pas une femme qui avait *besoin* de ces accessoires pour briller ou rehausser sa beauté. Sa beauté n'avait nul besoin d'être mise en valeur.

Il glissa sa main dans la sienne, la souleva, et se rapprocha d'elle, leurs cuisses se frôlant, leurs mains jointes posées sur la jambe de Drake.

— Nous devons discuter de plusieurs choses ce soir, mon ange, mais d'abord, je veux savoir ce qui t'a contrariée ce matin.

Elle leva brusquement la tête, surprise, et le regarda avec une confusion évidente.

— Quelque chose te dérangeait quand tu es partie faire les boutiques, précisa-t-il patiemment. Et ça n'avait rien à voir avec notre conversation téléphonique. J'aimerais savoir ce que c'était.

Elle baissa les yeux et gigota, les épaules tombantes tandis que ses lèvres affichaient une moue triste. Justice avait raison, et Drake croyait connaître précisément la source de son chagrin.

— Est-ce que le coup de téléphone que tu as passé à tes amies a quelque chose à voir avec ton silence et ton air préoccupé? Parce que, mon ange, tu resplendis. En étant seulement toi-même, tu resplendis, sauf quand quelque chose te contrarie.

Il jura dans un souffle lorsque Evangeline rougit et que ses lèvres se mirent à trembler. Elle détourna la tête pour tenter de cacher sa réaction – comme si c'était possible. C'était une femme sans artifice. Il suffisait de la regarder pour savoir ce qu'elle pensait ou ressentait. C'était une bonne chose qu'elle soit de nature honnête, car elle ferait une très mauvaise menteuse.

Il la saisit tendrement par le menton et fit pivoter son visage vers lui. Il eut l'impression qu'on lui avait donné un coup de poing dans le ventre quand il vit les larmes dans ses beaux yeux bleus.

— Dis-moi, demanda-t-il.

— Elles pensent que j'ai perdu la boule, dit-elle d'une voix lasse. Elles sont inquiètes. Je ne le leur reproche pas.

— Et ? Insista Drake, sachant qu'il y avait davantage.

— Steph m'a dit que j'étais bête de dépendre autant d'un homme et m'a demandé combien de temps je pensais qu'il faudrait avant que tu ne te lasses de moi et que tu me dégages, et ce que je ferais alors.

Il y avait une certaine amertume dans sa voix qui suggérait que les mots caustiques de son amie avaient renforcé un doute déjà ancré en elle. S'il pouvait enrouler ses mains autour du cou de Steph dans l'immédiat, il le lui tordrait. Cette sale garce avait déjà causé suffisamment de problèmes la nuit précédente. Et elle se disait l'amie d'Evangeline ? Bordel, si toutes ses amies étaient comme elle, nul besoin d'avoir des ennemis !

—Je ne devrais pas être aussi sensible, s'empressa-t-elle de s'excuser, ses yeux empreints d'inquiétude se posant de nouveau sur Drake comme si elle avait peur qu'il pense qu'elle cherchait à lui soudoyer des assurances ou des garanties. C'est plus sa façon de le dire qui m'a dérangée, j'imagine. Elle avait l'air si… en colère. Sarcastique. Je ne sais pas. Peut-être même amère. Comme si je les avais trahies en disparaissant. Et…

Elle se tut, baissa les yeux, son visage s'empourprant de nouveau. Elle se mordit la lèvre, et il était clair qu'elle n'avait pas eu l'intention d'en dire autant. Mais il savait déjà qu'Evangeline était des plus ouvertes, et honnête à l'excès.

—Et quoi? demanda-t-il avec douceur.

Elle soupira.

—Le soir où je suis allée en boîte, Lana, Nikki et Steph n'arrêtaient pas de dire que j'étais sublime, qu'Eddie n'était qu'un con, qu'il avait été incapable de voir qu'il avait une pépite sous ses yeux, bla bla bla. Elles m'ont dit que je n'étais pas consciente de ma beauté. Du coup, si Steph pense vraiment tout ça, pourquoi part-elle du principe qu'un homme comme toi ne voudra pas d'une femme comme moi, et que tu me dégageras à la première occasion?

Drake dut respirer profondément pour se calmer et retenir les jurons qui ne demandaient qu'à sortir. Au lieu de cela, il prit le visage baigné de larmes d'Evangeline entre ses paumes et plongea son regard dans ses beaux yeux innocents.

—J'imagine qu'il y avait beaucoup de choses derrière cette affirmation. Je suis sûr que tes amies ont toutes été prises au dépourvu et n'étaient pas préparées à ce que tu déménages subitement alors que tu as toujours été d'un grand soutien pour elles. J'ai raison, n'est-ce pas? C'est vers toi qu'elles se tournent quand elles ont le cœur brisé, quand quelqu'un les a énervées, ou simplement quand elles ont passé une mauvaise journée.

L'expression d'Evangeline était sans équivoque. Il n'était pas nécessaire qu'elle réponde, et il poursuivit donc.

— Et je suis certain qu'elle est inquiète pour toi, mais bébé, écoute-moi, et écoute-moi bien, parce que ce que je vais te dire ne va pas te plaire, même si c'est la vérité pure et simple.

Elle le regarda droit dans les yeux, l'air interrogateur.

— Cette fille est jalouse de toi.

Evangeline voulut répondre, sans doute pour nier; mais Drake fit glisser sa main pour placer son pouce contre ses lèvres, la réduisant au silence.

— Elle ne mentait pas quand elle t'a dit que tu étais sublime et que tu ignorais à quel point tu étais belle. Mais tu n'étais pas une menace tant que tu n'en jouais pas. Elle est jalouse que tu te trouves ici et elle là-bas. Je suis prêt à parier qu'elle regrette de t'avoir donné ce pass VIP pour l'*Impulse*.

Evangeline eut l'air dévastée, mais il s'aperçut également que ses mots avaient un impact. Il la vit ressasser ses propos encore et encore, se repasser la conversation et arriver à la même conclusion que lui.

Puis elle ferma les yeux et d'autres larmes roulèrent sur ses joues, jusque sur les mains de Drake. Il se pencha en avant et effaça les larmes de ses baisers, une joue après l'autre.

—Cela ne veut pas dire qu'elle te déteste, murmura-t-il. J'imagine qu'elle regrette déjà son emportement. Elle s'excusera probablement, et toi, tu accepteras ses excuses, tu oublieras, et vous resterez amies. Nous sommes tous coupables de jalousie à un moment où à un autre. Et il nous arrive à tous de dire des choses que nous ne pensons pas, ou de nous défouler sur ceux que nous aimons. Cela ne veut pas dire qu'elle ne t'aime pas.

—Merci, murmura-t-elle.

Il lui caressa les joues, savourant la douceur de sa peau. La conversation était loin d'être terminée, car malgré sa tentative, Steph avait semé le doute dans l'esprit d'Evangeline. Un doute dont il devait se débarrasser avant qu'il se multiplie et gâche quelque chose de magnifique.

—À présent, il y a un autre sujet que je veux aborder, et je veux que tu m'écoutes, dit-il, pour s'assurer qu'elle comprenait qu'il était très sérieux. Tu ne manqueras jamais de rien. Tu seras toujours prise en charge. Si cela te rassure, je vais veiller tout de suite à ce que tu ne sois pas sans ressources même pendant que nous sommes ensemble. Je vais t'acheter un appartement si tu veux rester en ville, ou si tu préfères vivre en dehors de la ville, je t'achèterai une maison, qui sera à ton nom, bien entendu. Dès demain, je vais t'ouvrir un compte en banque sur lequel je déposerai deux millions de dollars. Néanmoins, tant que tu es avec moi, je t'interdis de dépenser un seul centime de ton argent. Ce que tu portes, ce que tu manges, ce que tu bois, et tout le reste, sera acheté et payé par moi, compris ?

L'effarement se lisait sur les traits d'Evangeline. À la voir, on avait l'impression qu'on venait de la menacer de mort. Elle plaqua ses mains sur ses oreilles.

— Stop! Oh, arrête! Je ne veux pas d'appartement ou de maison, et surtout pas ton argent. Tu veux que je me sente encore plus mal?

Elle fut secouée d'un frisson de dégoût et semblait au bord des larmes.

— C'est si sordide! s'étrangla-t-elle. Comme si j'étais une *prostituée* que tu paies. Je suis là parce que je *veux* être là, Drake. Pas à cause de ce que je pourrais t'extorquer. Ou parce que tu as de l'argent. Je ne veux que… *toi*. Que tu puisses penser que…

Elle se tut et se couvrit le visage des deux mains, les épaules secouées de sanglots silencieux.

Drake maudit Steph, lui-même et toute cette situation merdique. Il savait qu'Evangeline n'était en rien comme les autres femmes qu'il avait eues, et pourtant il la traitait à l'identique. Sa tentative pour lui assurer qu'elle ne se retrouverait jamais dans une situation désespérée s'ils venaient à se séparer avait terriblement mal tourné. Il n'avait pas l'habitude des femmes comme Evangeline et ne savait pas comment se comporter.

Il la tira dans ses bras et la serra contre son torse, profondément bouleversé par son accès passionnel. «Je ne veux que… *toi*.» À quand remontait la dernière fois où on avait voulu de lui en tant qu'homme? Pour lui-même et non pour ce qu'il possédait ? Il était si ébahi qu'il ne savait même pas comment réagir.

—Je suis désolé, Ange, dit-il d'un ton bourru. Je ne voulais pas te donner cette impression. Je veux seulement que tu saches que tu es en sécurité avec moi. Et que tu ne manqueras jamais de rien. Je jure que je ne pensais pas à mal. C'était moche de dire ça, surtout que je sais que tu n'es pas une femme vénale. J'ai parlé sans réfléchir. Je ferai toujours en sorte que tu aies ce qu'il faut. Me fais-tu suffisamment confiance pour me croire sur parole ?

Lentement, elle s'écarta de lui, les yeux luisants de larmes, mais elle le regarda droit dans les yeux comme pour mesurer sa sincérité ou son dessein. Jamais il ne s'était senti si analysé de sa vie. Jamais il ne s'était senti aussi peu à la hauteur. Personne au monde ne pouvait défier Drake Donovan du regard ni même lui faire ressentir une once de remords ou de compassion. À part, manifestement, son joli petit ange. Elle était trop bien pour lui, et lui pas assez bien pour la laisser partir.

—Tu m'as expliqué ce qu'être avec toi impliquait. Que je te serai soumise. Que tu me contrôles. Tout entière. Et que je n'ai pas le droit de dire non. Ça me fait peur, Drake. Je ne vais pas le nier. Je n'ai jamais été dépendante de qui que ce soit. Je n'ai toujours compté que sur moi. C'est plus sûr ainsi. Personne n'a de prise sur moi, et ça me va très bien. Je t'en prie, n'en déduis pas que je ne te fais pas confiance, même si ce ne serait pas entièrement déraisonnable vu que nous nous connaissons depuis quarante-huit heures à peine. Je ne serais pas là si mon intuition me poussait à me méfier de toi. Et peut-être que cela fait de moi la potiche naïve que la plupart des gens voient en moi. J'ai seulement besoin d'en savoir plus. Tu veux que je me soumette. Que je te donne tout pouvoir sur moi. Comment ça fonctionne exactement ? Je veux dire, que vas-tu exiger de moi ? Je dois tout savoir, sinon je vais imaginer les pires scénarios.

— Je ne veux pas que tu aies peur de moi, Ange, s'empressa-t-il de répondre. Jamais. Je ne te ferai aucun mal. J'ai des attentes et des critères exigeants. Ils peuvent paraître extrêmes, mais dans mon monde, ce sont des maux nécessaires.

Elle semblait un peu perdue.

— Je ne veux pas que tu te sentes prise au piège, et je me rends bien compte que vivre avec moi sera un grand changement pour toi, qu'il te faudra du temps pour t'y faire. Chaque fois – et je dis bien chaque fois – que tu quitteras cet appartement pour aller quelque part sans moi, un homme te surveillera. Et seulement l'un des plus fiables. Tu seras protégée en permanence.

Elle écarquilla les yeux avec inquiétude, mais il poursuivit avant que la panique ne s'empare totalement d'elle.

— Tu seras disponible pour moi à tout instant. Parfois, je te voudrai près de moi quand je devrai sortir. Quand je serai à la maison, tu seras là avec moi. Quand tu n'es pas avec moi, je veux savoir où tu es et avec qui. Tu ne dois en aucun cas oublier de m'informer de ton programme.

Elle déglutit nerveusement.

—J'ai déjà informé ton employeur que tu ne travaillerais plus au pub.

Il marqua une pause quand elle retint son souffle, et il lui lança un regard menaçant qui fit mourir la protestation d'Evangeline sur ses lèvres.

—On s'occupe de tes amies. Leur loyer a été payé pour les deux années à venir et j'ai obtenu par écrit une garantie du propriétaire de ne pas augmenter le loyer pendant dix ans. Et demain, il faudra que tu me donnes le RIB de tes parents afin que je puisse transférer les fonds nécessaires pour qu'ils n'aient plus de soucis financiers, et pour que tu ne continues pas à travailler comme une forcenée pour subvenir à leurs besoins.

Evangeline serrait les dents et tremblait de la tête aux pieds, de colère ou d'émotion. Mais, connaissant sa fierté, il y avait de fortes chances pour qu'elle soit furieuse.

—Tu es entrée dans mon monde de ton plein gré, Ange, dit-il dans un souffle. Par conséquent, tu as accepté mes règles, ma façon de faire. Je t'ai promis de m'occuper de toi et que tu ne manquerais de rien, et cela vaut aussi pour ceux que tu aimes.

Ses larmes brillaient, suspendues à ses cils noirs, contraste saisissant par rapport à ses cheveux blonds et ses yeux bleus hypnotiques.

—Je vois bien que cet arrangement est à mon avantage, Drake, dit-elle d'une voix étranglée. Mais qu'est-ce que tu y gagnes, toi? Parce que de mon point de vue, tu n'es pas le plus avantagé dans cette affaire, loin de là. D'ailleurs, j'ai l'impression que tu n'y gagnes rien du tout. Alors pourquoi fais-tu tout cela?

— Toi, Ange. Je t'ai, toi. Toi tout entière. Et crois-moi, tu te trompes, c'est moi qui suis le plus avantagé. Je serai toujours en train de compenser, car tu vaux plus que tout l'or du monde. Evangeline sembla désarmée et Drake remarqua qu'elle avait la chair de poule.

— Tout ce que tu as à faire, c'est être toi, mon ange, et d'après ce que je sais, ça ne va pas être un problème, car tout est authentique chez toi. Je te protégerai, tu m'appartiendras, et je prends soin de ce qui m'appartient. Donne-moi ton corps, ta soumission, ton obéissance, ta confiance, et *toi*, et tout ira bien. Je te le promets.

— Je ne sais pas quoi dire, répondit Evangeline, décontenancée.

— Tu en as déjà dit assez. Tu m'as dit oui. Tu m'as accordé ta confiance. Assez discuté pour ce soir ; à présent, je vais t'emmener dans la chambre et te faire mienne.

Chapitre 13

Drake se leva puis souleva Evangeline et la prit dans ses bras, comme si elle ne pesait rien, avant de se rendre dans la chambre. Il la déposa sur le lit avec respect, et elle en fut émue au plus haut point. Il s'allongea près d'elle, et écrasa sa bouche sur la sienne en un baiser intense et torride, dévorant.

Il s'écarta seulement pour déposer des baisers le long de son menton jusqu'à son oreille et mordiller sa peau sensible, lui donnant la chair de poule. Puis il lui lécha le lobe de l'oreille avant de le sucer avec douceur entre ses dents, le mordillant avec ce qu'il fallait de force pour la faire frissonner de désir.

Il se redressa, le visage au-dessus de celui d'Evangeline de telle façon qu'ils se regardaient dans les yeux. Elle vit la passion brûler dans son regard noir.

— Tu es magnifique, Ange. Et avant la fin de la nuit, non seulement tu sauras à quel point tu es belle, mais tu le sentiras.

Oh bon sang. Cet homme était irrésistible.

Lentement, comme si elle était la chose la plus précieuse au monde, il la déshabilla, petit à petit. Chaque fois qu'il la débarrassait d'un vêtement, il posait sa bouche sur sa peau pour explorer la zone fraîchement exposée. Elle inspirait et se cambrait sous ses caresses, alors qu'elle n'était pas encore totalement nue.

Quand il dégrafa son soutien-gorge, elle eut un bref accès de panique. Ses seins étaient de taille moyenne, pas très fermes, et refusaient d'être ronds sans l'aide de son soutien-gorge push-up. Elle l'avait acheté seulement parce qu'il lui fallait absolument afficher le peu d'atouts qu'elle avait dans son métier. Ses seins ne tombaient pas, ils étaient simplement un peu mous. Pfff.

— À quoi tu penses ? murmura Drake en la regardant dans les yeux.

— Tu ne veux pas savoir, maugréa-t-elle.

— Arrête de réfléchir, lui ordonna-t-il d'un ton autoritaire qui la fit frémir.

Les yeux de Drake scintillèrent ; pour la première fois, elle entrapercevait l'homme dominant auquel elle s'était donnée.

— Contente-toi de ressentir, dit-il, sa voix de mâle alpha presque aussi douce qu'un ronronnement.

— D'accord, murmura-t-elle.

Il baissa la tête et elle retint son souffle, attendant, se languissant, mourant d'impatience qu'il referme sa bouche sur son téton. Elle poussa un gémissement de plaisir et de frustration lorsque, à la place, il passa sa langue sur la pointe déjà raide, la faisant durcir davantage. Puis il pivota la tête et accorda la même attention à l'autre téton, ses gestes experts et sereins.

Bon sang, cela faisait à peine deux minutes qu'ils faisaient l'amour et c'était déjà mille fois mieux qu'avec Eddie, dont l'idée des préliminaires se résumait à lui mordre douloureusement les tétons et à la doigter brutalement avant de lui écarter les cuisses pour la pénétrer alors qu'elle n'était pas prête à le recevoir.

Elle savait que si Drake lui écartait les cuisses pour la pénétrer à cet instant, elle serait mouillée et plus que prête.

Son souhait précédent fut enfin exaucé et il referma sa bouche sur son téton, le suçotant avec délicatesse pour commencer, puis de plus en plus fort, jusqu'à ce que sa vision se trouble.

— Oh, bon sang, Drake, il faut que tu arrêtes. S'il te plaît, ne t'arrête pas.

Ce qu'elle disait n'avait aucun sens, mais elle délirait presque d'extase alors que tout ce qu'il avait fait, c'était embrasser ses lèvres, son cou, ses seins.

Il rit doucement, son souffle chaud vibrant contre son téton, le faisant durcir davantage.

— Que veux-tu, mon ange? Que j'arrête ou que je continue?

— Je ne sais pas, gémit-elle. Je ne sais pas quoi faire, Drake. Aide-moi, s'il te plaît.

Il leva la tête et plongea son regard dans le sien, l'air sombre et profondément sincère.

— Fais-moi confiance, bébé. Je te guiderai toujours. Je te montrerai toujours quoi faire. Tu dois seulement te laisser aller. Je me charge de t'emmener vers l'extase.

Elle prit son visage entre ses mains et baissa la tête pour l'embrasser, son premier acte non passif.

—Je te fais confiance, Drake. Je ne sais pas pourquoi, mais je te fais confiance. Je me sens en sécurité avec toi. Jamais je ne me suis sentie autant en sécurité.

Un feu sauvage flamba dans les yeux de Drake et elle sut que ses mots le comblaient de joie, que c'était exactement ce qu'il voulait entendre.

—Allonge-toi, Ange, et laisse-moi t'aimer. Nous avons toute la nuit et j'ai l'intention de prendre mon temps pour donner du plaisir à ma maîtresse.

Elle ferma les yeux pour contenir le flot soudain d'émotions. En cet instant, elle se sentait désirée, chérie. Comme si elle comptait. Elle n'était pas une femme comme les autres. Drake lui donnait la sensation d'être unique au monde, et les mots lui manquaient pour décrire combien elle se sentait précieuse entre ses mains. Aucun homme ne l'avait jamais regardée comme lui. Aucun homme ne s'était jamais battu pour elle, ne l'avait jamais soutenue. C'en était trop pour elle. Elle était complètement submergée.

—Tu es avec moi, bébé ? murmura-t-il. Je te veux avec moi tout du long.

—Oh, oui, Drake ! Je suis avec toi. Je ne voudrais être nulle part ailleurs, mais bel et bien ici et maintenant.

Il frémit contre elle puis se redressa pour retirer ses vêtements, et elle admira avec émerveillement et sans honte la beauté de cet homme. Elle contempla son torse large et ses tablettes de chocolat. Mais lorsque son regard descendit plus bas, sur la volute de poils de son entrejambe et son imposante érection, elle écarquilla les yeux.

Eddie était assez bien membré, et elle avait eu mal quand il l'avait pénétrée. Mais Drake? En comparaison, Eddie passait pour un ado prépubère, et elle déglutit nerveusement en se rappelant qu'Eddie lui avait fait – très – mal. Drake était autrement doté par la nature... Comment pourrait-elle le recevoir en elle?

Son sexe était gonflé et raide, tendu vers le haut jusqu'à son nombril, quasiment plaqué contre son ventre. Il devait faire au moins vingt centimètres de long, et elle avait du mal à estimer son diamètre. Ce n'était pas possible.

Et pourtant, sa virilité la fascinait. Son torse large et musclé. Ses cuisses épaisses et ses biceps bombés. Il se dressait de toute sa hauteur au-dessus d'elle, lui donnant l'impression d'être une petite chose délicate. Il pourrait presque l'écraser sans faire exprès.

Ce n'était peut-être pas une si bonne idée. Son initiation sexuelle avait été désastreuse, et l'homme qui était sur le point de lui faire l'amour était bien mieux doté que son premier amant.

—Ange, regarde-moi, dit-il avec douceur. Je ne te ferai jamais de mal. Je t'en prie, n'aie pas peur de moi. Tu n'as connu que la brutalité, et je vais te donner la délicatesse. Tu as dit que tu me faisais confiance, alors laisse-toi aller, ça va être bon pour toi, pour nous deux.

Ses paroles réconfortantes apaisaient ses peurs et son appréhension.

—Désolée, dit-elle, s'efforçant de remplacer sa grimace par un sourire. Je ne suis pas vraiment une experte, mais je sais que ton sexe est plus gros que la moyenne.

Hésitante, elle retint son souffle, ne voulant pas prendre le risque de gâcher un moment si poignant. Néanmoins, il fallait qu'il sache à quoi elle pensait. Il avait le droit de savoir. Il s'était montré compréhensif et patient. Elle lui devait d'être honnête.

—La première fois, j'ai eu mal. Très mal. Et il était loin d'avoir ce que tu as entre les jambes. Ce n'est pas que je ne te fais pas confiance, mais j'ai peur de ne pas pouvoir t'accueillir *physiquement* sans avoir encore plus mal. Je te désire de toute mon âme, plus que l'air que je respire, je te désire plus que tout, mais je mentirais si je disais que je n'ai pas d'appréhension. Parce que je veux que ce soit parfait avec toi, Drake. Parce que tu es si parfait toi-même…

Le regard de Drake s'attendrit et elle soupira de soulagement en voyant qu'elle ne l'avait pas énervé en mentionnant son premier amant alors qu'elle était dans son lit. Son baiser était fiévreux et possédait tout ce qui avait manqué à ceux d'Eddie. Pendant de longues secondes, il explora patiemment sa bouche, lécha doucement ses lèvres, s'attardant particulièrement sur un des coins.

Lorsqu'il s'écarta légèrement, son regard était grave mais plein d'ardeur.

—Ce n'est pas la taille qui compte, Ange. Ce qui compte, c'est que l'homme s'assure que son amante est prête à le recevoir. Et je promets de m'en assurer avant de te pénétrer. Et si jamais je te fais mal, alors on arrête. Sur-le-champ. Et il faut que tu me préviennes si tu as mal, car je serai furieux si tu penses être obligée de supporter la douleur pour me satisfaire. Compris?

Elle sourit si largement qu'elle en avait mal aux joues, et les larmes aux yeux.

—On peut revenir aux passages très, très agréables?

—Je pensais que tu ne le demanderais jamais, dit-il d'une voix rauque.

Il écrasa de nouveau ses lèvres sur les siennes, faisant l'amour à sa bouche, l'embrassant longuement et patiemment, goûtant chaque partie de sa langue, absorbant son essence, respirant son air et lui donnant le sien. Puis il descendit lentement le long de son corps, la couvrant de baisers, de morsures, suçant ses tétons à lui en faire perdre la tête. Evangeline fut bientôt au comble de l'excitation.

Lorsqu'il s'aventura encore plus bas et passa une main ferme entre ses cuisses pour les écarter, elle poussa un long soupir, se souvenant de cette fameuse nuit dans son bureau, où il lui avait donné le meilleur des orgasmes avec sa langue.

Avec ses doigts, il traça une ligne à la naissance de ses lèvres puis les écarta avec douceur, pour offrir son clitoris et son sexe à ses yeux – et à sa langue avide.

Un gémissement monta du fond de la gorge d'Evangeline. Leur première fois avait été pressante, accablante, comme une bombe qui explose. Cette fois-ci, il léchait, suçait et titillait, prolongeant son plaisir pendant ce qui semblait être une éternité.

Il glissa un doigt dans son vagin, caressant délicatement ses parois, allant plus avant pour appuyer doucement sur son point G, qu'elle pensait être un mythe. Elle mouilla soudain abondamment le doigt de Drake et il laissa échapper un grognement de satisfaction qui vibra sur son clitoris, qu'il ne cessait de lécher.

Elle allait jouir et elle le voulait en elle. Elle s'agita, le suppliant en silence de la prendre. De s'enfoncer profondément en elle jusqu'à ce qu'ils ne fassent plus qu'un.

—Encore un peu de patience, mon ange, murmura-t-il contre son sexe. Je veux être sûr de ne pas te faire mal.

Elle faillit crier : « Fais-moi mal ! Je m'en fiche ! Libère-moi de ce désir ! »

Il inséra délicatement un deuxième doigt en elle, distendit sa chair et décrivit des va-et-vient pour qu'elle mouille encore. Puis il retira ses doigts et abaissa sa bouche sur son entrecuisse pour la toucher avec sa langue, la faisant presque jouir aussitôt.

Il décrivit des cercles autour sa vulve, léchant et suçant légèrement, puis il glissa sa langue à l'intérieur, la goûtant tout entière. Elle haletait, son corps totalement crispé dans l'anticipation de quelque chose de véritablement extraordinaire.

Puis sa bouche la quitta et le cri de déception d'Evangeline emplit la pièce.

Il la calma d'une caresse de la main.

—Un instant, Ange. Il faut que je te protège.

Un instant plus tard, il lui écarta davantage les jambes et se posta à genoux devant son sexe, puis il saisit son énorme érection d'une main sans cesser de la caresser, jusqu'à ce qu'il soit certain qu'elle était prête.

—Tout doux, dit-il d'un ton apaisant. Rien ne presse. Si tu veux que j'arrête, tu n'as qu'un mot à dire, mais je vais y aller doucement et te laisser le temps de t'adapter.

Elle sentit son gland à l'entrée de son intimité et se cambra instinctivement, voulant le prendre en elle. Mais il lui plaqua fermement les hanches contre le matelas pour l'en empêcher.

Il s'interrompit et baissa les yeux vers elle avec une expression possessive.

—C'est *maintenant* ta première fois, Ange. C'est maintenant que ça compte. C'est ta première fois avec moi, et tu vas être respectée et vénérée et ton don de toi-même va être chéri comme il aurait dû l'être. Je veux que tu oublies tout ce qui m'a précédé. C'est ta première fois avec moi, et c'est aussi ma première fois avec toi. Ce ne sont pas des paroles en l'air ; ça veut *tout* dire.

Quelque chose changea tout au fond d'elle, son cœur se serra puis se relâcha, ouvrant une porte qui avait toujours été fermée. Et à laquelle elle n'avait jamais permis à qui que ce soit d'accéder. L'émotion la submergea et elle fut incapable de répondre, bien qu'elle en ait envie. Mais que pouvait-elle dire après le cadeau si précieux qu'il venait de lui donner ?

Lui-même. L'absolution pour ce qu'elle considérait comme la pire erreur de sa vie. Oubliée. Elle disparaissait, là, dans ses bras. Il avait raison. C'était la première fois qu'elle *faisait l'amour.*

Il pénétra lentement en elle. Très lentement. Mais plus il avançait, mieux elle comprenait pourquoi il s'était donné autant de mal pour qu'elle soit prête. Elle avait beau être très mouillée, elle se demandait comment il allait pouvoir la pénétrer entièrement. À plusieurs reprises, il marqua une pause, s'immobilisa, et lui caressa le clitoris, provoquant des spasmes de son vagin autour de sa queue.

Leurs gémissements se confondaient. Drake avait le visage crispé, les yeux fermés, la tête renversée en arrière comme s'il faisait l'expérience du plus doux des plaisirs ou de la pire des douleurs. Peut-être les deux. Cela lui conféra une satisfaction immense de savoir qu'elle, Evangeline Hawthorn, une fille qui n'avait rien d'extraordinaire, pouvait procurer un plaisir si exquis à ce bel homme qui pouvait avoir n'importe quelle femme au monde.

—Accroche-toi à moi, Ange, dit-il d'une voix tendue. Enroule tes jambes autour de ma taille et soulève ton joli petit cul pour que j'aie un meilleur angle.

Avide de se soumettre à ses souhaits, elle s'empressa de faire ce qu'il demandait et il la pénétra de quelques centimètres supplémentaires, leur arrachant à tous deux un cri de stupeur.

—Vas-y, Drake, souffla-t-elle. Tu ne me feras pas mal. Tu ne me feras jamais mal. Prends-moi. Fais-moi tienne.

S'il te plaît. J'ai besoin de toi. Tellement besoin de toi. Besoin de *ça*.

Il grogna et sembla en proie à une lutte interne, mais son « s'il te plaît », à moins que ce ne soit la confession qu'elle venait de lui faire, parut le faire basculer et il s'enfonça en elle d'un coup, dans un élan déterminé qui l'enfouit pleinement en elle.

Elle ouvrit grand les yeux, bombardée d'une centaine de sensations différentes, accablantes. Mais aucune n'était la douleur. Elle resserra ses jambes autour de lui. Planta ses ongles dans ses épaules. Et se cambra pour l'accueillir en elle autant que possible.

Lui allait et venait lentement, la pénétrant aussi loin qu'il le pouvait avant de se retirer presque tout à fait, puis il s'enfonçait en elle de plus belle.

Evangeline n'avait jamais rien ressenti d'aussi beau dans sa vie. Et ça n'arriverait plus jamais. Elle le savait aussi sûrement qu'elle savait que le soleil se levait chaque matin. Son orgasme se déployait comme une fleur sous un rayon de soleil, et elle sentit Drake se crisper au-dessus d'elle : lui aussi était sur le point de jouir. La nuit où il l'avait fait jouir dans son bureau, l'ascension avait été soudaine et s'était conclue par une explosion qui l'avait brisée. Là, c'était plus doux, mais pas moins intense ni moins bouleversant pour ses sens. Ce n'était pas purement physique, comme dans le bureau. Son cœur s'emballait déjà, et elle ne pouvait l'en empêcher.

— Ensemble, murmura-t-elle. J'y suis presque, Drake. Je ne peux pas, je ne vais pas tenir plus longtemps.

—Alors laisse-toi aller. Nous allons le faire ensemble, lui souffla-t-il à l'oreille.

Le monde se troubla autour d'elle et la seule chose à rester nette fut le visage de Drake au-dessus du sien. Drake, qui l'embrassait avec passion, haletant, et avec une infinie tendresse dans les yeux. Puis c'en fut trop et elle s'agrippa à son amant, enroulant chaque membre de son corps autour de lui alors qu'elle volait en éclats, comme un million d'étoiles éparpillées dans la nuit claire.

Drake poussa un cri rauque puis il se laissa retomber doucement contre elle, ses hanches remuant encore lentement jusqu'à ce qu'ils s'immobilisent enfin. Ils restèrent allongés là, muets et essoufflés après cette «chose» pour laquelle Evangeline n'avait pas de mots. Une chose qui défiait toute explication.

Elle savait à présent comment c'était censé se passer, et son seul regret fut que Drake n'ait pas été son premier amant. Et pourtant. Il lui avait soutenu qu'il était le premier. Drake était le premier. Eddie était oublié, jamais plus elle ne devait y repenser. Il n'y avait plus que Drake à présent.

—Je reviens, mon ange, murmura-t-il. Il faut que je me débarrasse du préservatif. Ne bouge pas.

Comme si elle pouvait bouger! Elle était complètement désarticulée, incapable du moindre mouvement. Quelques secondes plus tard, Drake grimpa de nouveau dans le lit, s'allongea sur le côté et l'incita à faire de même pour qu'ils soient face à face.

Il posa sa main sur sa joue et la caressa tendrement.

—Ce ne sera pas toujours comme ça. Mais tu avais besoin que ce soit ainsi cette fois. Comme ça aurait dû l'être la première fois, au lieu que ce connard te fasse mal et prenne son plaisir sans t'en donner en retour. Il aurait fallu que tu sois chérie et traitée avec délicatesse, et qu'on te fasse tendrement l'amour. Je pensais ce que j'ai dit. Je veux que tu considères que ce que nous venons de vivre était ta première fois et que tu oublies l'existence de ce crétin.

Cet homme savait s'immiscer en elle et remettre de l'ordre dans son monde, aussi fou que cela puisse paraître. Il avait complètement bouleversé sa vie depuis qu'il y était entré.

Elle se blottit dans ses bras, satisfaite, et ne put s'empêcher de passer ses mains sur les muscles puissants de son torse et de son abdomen. Sur ses épaules et ses bras dessinés qui témoignaient d'un régime d'entraînement strict. Ce n'était pas un homme qui passait son temps derrière un bureau et à manger de bons plats sans se préoccuper de son corps.

Drake passa longuement sa main dans la chevelure d'Evangeline, marquant une pause de temps en temps pour déposer un baiser sur sa tempe, son front, ses lèvres, ou même ses paupières.

Tandis que l'euphorie brumeuse se dissipait, elle repensa à ce qu'il avait dit et recula la tête pour le regarder dans la lumière tamisée, provenant de la seule lampe allumée de la chambre.

—Drake?

—Oui, Ange?

—Que voulais-tu dire?

Il l'embrassa tendrement avant de s'écarter.

—À quel propos?

—Quand tu as dit que ce ne serait pas toujours comme ça. Qu'est-ce que ça voulait dire?

Il lui attrapa le menton, soudain très sérieux.

—Tu sais ce que je suis, ce que je veux et ce que j'attends.

Elle opina.

—Je voulais seulement dire que nos ébats ne seront pas toujours comme ce soir. J'apprécie une large variété de pratiques sexuelles. Le sexe brutal, tendre, dur, doux. Le bondage, la fessée, toi à ma merci, moi en position de maître à tout instant. J'aime ce qui sort un peu de l'ordinaire. J'aime l'idée que mon amante soit disponible pour moi à tout moment. Et après ce soir, il n'y aura plus de préservatifs. Quand j'éjaculerai, ce sera en toi, pas dans une foutue capote. Je te fournirai mes résultats de tests les plus récents, et je vais te prendre sans délai un rendez-vous pour que tu prennes la pilule.

Elle baissa un instant les yeux, mais il lui releva la tête, l'air interrogateur.

—Et si je te déçois, Drake? demanda-t-elle d'une petite voix. Tu sais que je n'ai pas de pratique. Et que je n'ai pas d'expérience dans ton… monde. Avec tes exigences.

Il sourit et l'embrassa.

—Primo, je vais me faire un plaisir de t'apprendre tout ce que tu as besoin de savoir pour me satisfaire, tout comme je compte apprendre ce que tu aimes. Et deuzio, du moment que tu me donnes ce que tu m'as donné ce soir, ta reddition, ta douceur, ta soumission totale, tu ne me décevras jamais, Ange. Tu resplendis de tout ton être, et c'est la plus belle chose que j'aie jamais vu de toute ma vie. Tu ne me décevras pas. C'est tout simplement impossible. Moi, en revanche, je te décevrai certainement, je te frustrerai et t'énerverai régulièrement. Je suis du genre exigeant et mes exigences seront, parfois, extrêmes. Mais si tu me suis, Ange, si tu restes avec moi et que tu tiens bon, et si tu ne reprends pas la confiance que tu m'as accordée, je te garantis que tu ne vas pas être déçue du voyage.

Chapitre 14

Evangeline se réveilla lovée dans le lit de Drake, qu'elle trouva vide, comme la veille. Elle chercha un soupçon de chaleur qu'aurait laissé son corps, mais ne trouva que des draps froids, bien qu'elle devine encore son empreinte sur le matelas.

Elle soupira. Cet homme ne dormait-il jamais ? Il avait manifestement un rythme singulier, même s'il était rentré à la maison à 18 heures la veille au soir. Était-ce une exception pour elle ? Ou l'exception était-elle sa présence au club à 4 heures du matin, parce qu'elle l'avait fait attendre ?

Qui pouvait le dire ? Mais après la nuit passée et son acceptation… Disons qu'elle ne savait pas exactement dans quoi elle s'était embarquée. Oh, il avait été clair quant à ses attentes et au genre de relation qu'ils entretiendraient, mais elle se posait encore un million de questions. Toute personne saine d'esprit se poserait des questions dans cette situation ! À cela près qu'une personne saine d'esprit ne se serait certainement pas retrouvée dans le lit d'un homme pour la deuxième fois en deux jours sans le connaître, et aurait encore moins accepté de se soumettre à lui en toutes choses.

Sa main effleura quelque chose de dur au milieu de la mollesse des draps somptueux et elle se redressa, sourcils froncés. Elle tira les couvertures pour couvrir ses seins puis explosa de rire. De qui se cachait-elle ? Il n'y avait personne.

Elle scruta la boîte anxieusement ; elle était, en termes de forme et de taille, presque identique au cadeau qu'il lui avait fait la veille. Elle porta aussitôt une main au collier qu'il lui avait offert, toujours pendu à son cou.

Son cœur se serra. Était-ce un autre cadeau scandaleusement onéreux ?

Il y avait un mot à côté, mais elle ne put se résoudre à le lire avant d'ouvrir la boîte posée là comme si elle la narguait. Elle la dépaqueta hâtivement cette fois-ci, et ouvrit l'écrin pour y découvrir une magnifique paire de boucles d'oreilles ornées d'un solitaire.

Oh… mon… Dieu.

Elle les contempla avec stupeur. Les diamants étaient énormes. Elle ne savait pas ce qui définissait un carat, mais elle devait en avoir plusieurs sous les yeux. Jamais elle n'avait vu de bagues avec des diamants aussi imposants. Était-elle censée les porter ? Et si elles tombaient ? Si elle en perdait une ?

Elle pourrait certainement acheter une maison dans son état natal avec l'équivalent de ces boucles d'oreilles. Cela la rendait presque malade de tenir quelque chose de si précieux entre ses mains, et elle les mit précipitamment de côté pour consulter le mot.

Jax viendra te chercher à 13 heures à l'appartement pour t'amener au club. Porte une tenue décontractée, mais prends-en une plus habillée et sexy à mettre plus tard. Tu passeras la journée avec moi et nous rentrerons ensemble, tard ce soir. J'espère que les boucles d'oreilles te plaisent. Tu les éclipses, largement, mais je veux que mon ange brille. Prévois de déjeuner et de dîner avec moi.

Elle s'avachit. La confiait-il à un homme différent à la moindre occasion pour la dérouter intentionnellement, ou voulait-il seulement présenter chacun des hommes qui devraient l'accompagner à tout moment quand il ne serait pas avec elle ?

Elle contempla les diamants scintillants et sut qu'elle devrait les porter sous peine de l'énerver en rejetant son présent. Elle priait seulement qu'aucune des deux boucles d'oreilles ne tombe ou qu'elle ne les perde pas avant la fin de la journée.

Puis elle regarda l'heure et se mit à paniquer. Drake indiquait que Jax, qui qu'il soit, serait là à 13 heures. Et il était 13 h 10 ! Elle ne se réveillait jamais aussi tard d'ordinaire. Même quand elle finissait tard au bar, elle se réveillait toujours avant les autres. Elle avait trop de choses à faire, trop de responsabilités.

Spontanément, une chose que Drake avait dite la veille lui revint à l'esprit. Il voulait les coordonnées bancaires de ses parents. Elle les avait, bien entendu, mais comment allait-elle leur expliquer la rentrée soudaine d'argent sur leur compte ? Jamais elle n'avait menti à sa mère, mais elle était cruellement tentée de lui dire quelque chose d'abracadabrantesque, qu'elle avait gagné au loto ou autre chose de tout aussi absurde.

Elle était au bord de la crise de panique quand elle entendit une voix au loin.

— Yo, Evangeline. C'est Jax. Drake voulait que je vienne vous chercher à 13 heures. Faut vous bouger. Le patron a horreur qu'on le fasse attendre.

Elle bondit et faillit hurler, mais porta une main à sa bouche pour empêcher tout son de s'en échapper. Son cœur battait à tout rompre ; il lui avait fait peur. Puis elle s'impatienta. Elle en avait marre qu'on lui dise que Drake n'aimait pas qu'on le fasse attendre.

— Dites à Drake qu'il faudra qu'il s'y fasse ! s'écria-t-elle avec humeur. Je serai prête quand je serai prête, pas avant.

Seul un ricanement lui répondit.

Malgré sa bravade, elle sortit du lit en toute hâte et fit les cent pas pour réfléchir à ce qu'elle devait faire en premier. Une douche. Oui. Puis elle verrait ce qu'elle mettrait. Elle déciderait de la solution concernant ses parents quand elle arriverait au club, car elle n'avait pas le temps pour ce genre de coup de fil dans l'immédiat.

Elle se doucha en cinq minutes, peigna rapidement ses cheveux mouillés et les sécha à la serviette du mieux qu'elle pouvait. Puis elle se dirigea vers l'armoire où on avait rangé toutes ses affaires.

Une tenue décontractée. OK, elle pouvait être décontractée. Ça la connaissait, le style décontracté. C'est pour la tenue habillée qu'elle se sentait perdue. Qu'est-ce que Drake considérait comme « habillé » ?

Elle choisit un jean scandaleusement onéreux mais incroyablement confortable qui lui tira un soupir quand elle l'enfila. Puis elle attrapa l'un des soutiens-gorge push-up en dentelle qu'elle avait choisis et se concentra sur le haut qu'elle allait porter.

Les jours précédents avaient été plus frais, même si l'été n'avait pas encore cédé sa place à l'automne, et elle se souvint que le bureau de Drake faisait l'effet d'une chambre froide ; elle choisit donc un pull en cachemire à manches courtes avec un décolleté plongeant dont les plis couvraient discrètement ce qu'il fallait.

En ce qui concernait les chaussures, elle opta immédiatement pour les ballerines vernies auxquelles elle n'avait pu résister.

Puis, se souvenant de ses directives, elle se précipita dans la chambre et détacha avec précaution les boucles d'oreilles de l'écrin pour les mettre à ses oreilles. Nerveuse, elle se plaça devant le miroir pour regarder ce que ça donnait et y trouva une femme qu'elle ne reconnaissait pas. Ses cheveux étaient ébouriffés et ses lèvres encore légèrement enflées à cause des baisers passionnés de Drake. Surtout, on lisait sur ses joues et dans ses yeux qu'elle était une femme comblée. Elle était presque… jolie. Puis elle s'en voulut de se laisser ainsi emporter par ce monde imaginaire dans lequel elle avait été transportée, et se rappela qu'elle était toujours la même Evangeline. Vêtements et bijoux onéreux ne faisaient pas miraculeusement d'elle quelqu'un de différent, et il était dangereux de croire à cette illusion ne serait-ce qu'un instant. Le retour à la réalité n'en serait que plus difficile, et elle tomberait de haut quand elle retrouverait le monde auquel elle appartenait.

Consciente que son temps était compté, elle se mit une touche de maquillage et un peu de gloss à lèvres, et finit par le mascara pour souligner ce qu'elle considérait comme son atout : ses yeux.

Puis elle paniqua, car elle devait encore trouver une tenue à emporter pour plus tard. Elle n'avait aucune envie de se ridiculiser ou pire, de faire honte à Drake. À défaut de pouvoir l'appeler pour lui demander exactement ce qu'il voulait qu'elle porte, sa seule solution était… Jax.

Cela ne la ravissait pas, mais tant pis. Ce n'était pas comme si elle ne s'était pas déjà ridiculisée devant ses autres hommes de main. Aucune raison que Jax échappe à la règle. Il avait déjà certainement entendu parler d'elle de toute façon et devait ronger son frein d'avoir tiré la courte paille aujourd'hui. Ou peut-être s'était-il porté volontaire pour voir la catastrophe ambulante de ses propres yeux.

Nerveuse, elle sortit de la chambre et jeta un coup d'œil dans le salon, où elle découvrit un homme imposant vautré sur le canapé de Drake, la télécommande dans une main, un verre dans l'autre.

—Euh… monsieur Jax ? demanda-t-elle prudemment.

L'homme se retourna et, instinctivement, elle recula d'un pas. Certes, tous les hommes de main de Drake étaient de gros durs au physique de dieux grecs qui restaient impassibles en toutes circonstances, mais en plus du reste, ce mec était immense ! Il avait les deux bras couverts de tatouages qui remontaient jusque dans son cou ; elle se demanda si tout son torse était une œuvre d'art grandeur nature. Il portait au moins trois anneaux à chaque oreille et avait les cheveux longs et indisciplinés, ce qui allait parfaitement avec son allure désinvolte.

Il avait les cheveux aussi noirs qu'une aile de corbeau et les yeux – waouh ! – d'un bleu cristallin. Elle resta plantée devant lui, le dévisageant sans un mot, tandis qu'il se contentait de lui rendre son regard, attendant manifestement qu'elle lui pose sa question. D'ailleurs, qu'était-elle venue lui demander ?

Puis Jax sourit et, comme ç'avait été le cas pour les autres, ce sourire le transforma en un clin d'œil : le type pas commode laissa place à un homme capable d'arrêter la circulation avec un simple sourire. Il se leva et vint tranquillement à sa rencontre, comme s'il sentait qu'elle était à deux doigts de partir se réfugier dans la chambre.

—Appelez-moi Jax. Et vous devez être Evangeline, à moins que Drake ne cache deux belles blondes aux yeux bleus dans son appartement, dit-il avec un sourire charmeur. Il y a un problème ? Vous avez besoin de quelque chose ?

Sa voix s'était adoucie et il s'arrêta à quelques dizaines de centimètres d'elle, soit par coïncidence, soit eu égard à sa nervosité évidente.

—Euh… oui. Enfin non.

Elle grogna et se frappa le front du plat de la main.

Jax éclata de rire.

—C'est oui ou non ?

—Oui, je suis Evangeline, et non, il ne cache pas deux femmes dans son appartement. Du moins, il n'a pas intérêt à faire une chose pareille.

Elle avait marmonné ces derniers mots dans un souffle, mais sut au petit sourire en coin de Jax et à l'amusement qui brillait dans ses yeux qu'il l'avait entendue.

—Ils disaient vrai sur vous, dit Jax en penchant la tête sur le côté, comme pour l'étudier.

Elle plissa les yeux.

—Qui ? De qui parlez-vous ?

Bon sang, elle savait qu'elle faisait office de divertissement du jour pour le nouveau.

Il se contenta de sourire.

—Que puis-je faire pour vous, mademoiselle ?

Puis elle se souvint de la raison pour laquelle elle était venue trouver Jax et fut morte de honte. Elle ferma les yeux, le visage en feu. Elle n'avait aucune chance de survivre un seul jour dans le monde de Drake, il était vain de penser à l'avenir !

Jax se radoucit à la vue de cette belle et douce jeune femme qui semblait en plein désarroi. Bon sang, les autres avaient raison. Son agitation lui donnait envie de faire tout son possible pour remédier à ce qui la troublait. Il s'était moqué de Thane, Maddox et Justice quand ils avaient vanté les vertus d'Evangeline et lui avaient raconté l'impossible. Qu'elle était authentique. Trop douce et innocente pour son bien, mais une vraie tigresse quand il s'agissait de défendre ceux qu'elle considérait comme victimes d'injustice.

— Evangeline, qu'est-ce qui ne va pas ? demanda-t-il avec douceur. Que puis-je faire pour vous aider ?

Oh merde.

On aurait dit qu'elle était sur le point de fondre en larmes. S'il y avait bien une chose qu'il était incapable de supporter, c'était une femme en pleurs.

Plutôt que de répondre, elle lui tendit un morceau de papier. Perplexe, il le déplia et parcourut l'écriture caractéristique de Drake avant de relever les yeux vers Evangeline, de plus en plus nerveuse.

Qu'est-ce qui pouvait bien la bouleverser autant dans le mot de Drake ? Il était direct. Du Drake tout craché. Il ne voyait pas ce qui avait pu troubler Evangeline à ce point.

— Il entend quoi par «habillée et sexy» ? demanda-t-elle d'une toute petite voix. Je n'ai pas la moindre idée de ce qu'il entend par là, parce que ma définition et la sienne sont diamétralement opposées. Et comme je ne suis pas sexy, comment saurais-je quoi mettre pour être habillée comme il faut ?

Jax resta bouche bée. Pas sexy ? Elle était dingue ?

— Je ne veux pas lui faire honte, murmura Evangeline, les yeux remplis de larmes.

Il se fit violence pour ne pas la prendre dans ses bras. Bordel. Qu'est-ce qui lui arrivait ? Il songeait à faire un câlin à quelqu'un ? Il aurait dû savoir que c'était un coup monté quand on avait suggéré que ce soit lui qui aille chercher Evangeline. Puisqu'il fallait « qu'elle rencontre tous les hommes de Drake », avait fait remarquer Maddox d'un air satisfait.

Jax pinça les lèvres, puis il prit Evangeline par la main pour la tirer derrière lui jusqu'au dressing. Il n'était pas au fait de la mode, mais il savait ce qui mettait une femme en valeur. Surtout une femme comme Evangeline. Punaise, elle serait canon même dans un sac à patates. Qu'est-ce qui clochait chez Drake pour que sa nana ne se trouve pas sexy ? Car si Evangeline appartenait à Jax, il ne se passerait pas un jour sans qu'elle sache à quel point elle était désirable.

— Vous, mettez-vous là, ordonna-t-il en plantant Evangeline au milieu de l'immense dressing. Bon, ce que vous portez est parfait comme tenue décontractée. Vous déchirez dans cette tenue. J'imagine que Drake sera odieux quand un autre homme devra entrer dans son bureau.

Elle le regarda comme si elle n'avait aucune idée de ce qu'il racontait.

Jax faillit secouer la tête de dépit. Putain, les autres ne s'étaient pas moqués de lui à son sujet. Ils lui avaient dit la stricte vérité.

— Habillée et sexy pour une soirée au club, ça veut dire quelque chose de plus flamboyant, de plus fun, voire osé.

Il se demanda s'il avait bien fait d'ajouter ce dernier qualificatif. Drake pourrait lui mettre une branlée si sa nana se pointait avec une tenue trop suggestive et que Jax et les autres étaient obligés de passer la soirée à tabasser des mecs parce qu'ils avaient reluqué le beau petit cul d'Evangeline.

—Vous voulez dire quelque chose comme ça? demanda-t-elle d'une petite voix en se dirigeant vers l'un des cintres.

Elle passa ses doigts sur le tissu soyeux blanc et argenté et il surprit l'envie dans ses yeux. Cela n'aurait pas été grave que la tenue ne soit pas appropriée à cet instant. Il était hors de question qu'il lui dise non.

—Absolument, dit-il en hochant la tête. Vous avez des chaussures à mettre avec, ou devons-nous nous arrêter en chemin pour en acheter? Drake comprendra.

Elle écarquilla les yeux, paniquée.

—Oh non. J'ai des chaussures. Et puis, je suis déjà en retard, et comme tout le monde ne cesse ne me le rappeler, Drake n'aime pas qu'on le fasse attendre, donc il est déjà certainement fâché.

Jax fronça les sourcils.

—Attendez une minute, ma belle. C'est vrai que Drake n'aime pas qu'on le fasse attendre, mais il ne sera pas en colère contre vous et ne vous fera aucun mal. Et puis, je lui dirai simplement que j'ai été retenu et que j'étais en retard pour venir vous chercher.

Elle sourit et, l'espace d'un instant, il oublia de respirer. Bon sang, cette femme était redoutable et ne s'en rendait même pas compte.

—C'est adorable de votre part, Jax, mais jamais je ne vous autoriserai à vous faire accuser alors que je me suis réveillée trop tard et que j'ai craqué, parce que je suis trop bête pour savoir ce que je suis censée me mettre ou comment me comporter. Si Drake doit se mettre en colère contre quelqu'un, ce sera contre moi et personne d'autre.

Elle avait la mâchoire serrée : elle était sérieuse.

—Les chaussures sont là, dit-elle en se penchant pour fouiller dans plusieurs boîtes, avant de brandir une paire d'escarpins irisés qui seraient déments sur ses jambes déjà sublimes.

Puis elle fronça les sourcils.

—Je devrais peut-être emmener du maquillage et des affaires de toilette. J'ai le temps de préparer un petit sac ?

—Ma belle, prenez tout le temps que vous voulez. Je vous attends dans le salon.

Il était presque à la porte quand elle le rappela.

—Oh ! Jax, j'ai failli oublier. Vous pouvez me rendre un service s'il vous plaît ?

Bordel, elle pouvait lui demander ce qu'elle voulait, il le ferait, ou se tuerait à essayer.

—Pour sûr ! Dites-moi.

—Il y a une boîte de cupcakes sur le bar de la cuisine. Pouvez-vous la prendre pour moi ? J'allais les laisser là pour Drake, mais comme nous allons au club et qu'il y en a beaucoup, je me disais que ça ferait peut-être plaisir aux agents de sécurité du club.

Il fut momentanément à court de mots. Des cupcakes ?
Elle apportait des cupcakes pour les mecs de l'*Impulse* ?
Drake ne trouverait peut-être jamais mieux, et ce fut donc
avec joie qu'il accepta d'aller chercher la boîte et de l'attendre
dans la cuisine.

Evangeline rangea soigneusement la robe dans une housse
à vêtements de Drake, attrapa un petit sac, et y fourra les
chaussures, son maquillage et toutes ses affaires de toilette
avant de se précipiter dans la cuisine pour voir Jax enfourner
le reste d'un cupcake dans sa bouche.

Lorsqu'il l'entendit, il leva les yeux, ignorant son regard
accusateur et sa main posée sur sa hanche.

— Putain de merde, c'est trop bon. Vous les avez achetés
où ?

Elle ne savait plus où se mettre.

— Je les ai faits.

Les yeux de Jax lui sortirent de la tête.

— C'est vous qui les avez faits ?

Elle acquiesça, les yeux baissés.

— J'adore cuisiner. Et faire de la pâtisserie.

— Oh punaise, je suis accro ! grogna-t-il. Y a moyen que
vous oubliiez que vous vouliez les offrir aux gars et que vous
me laissiez les rapporter chez moi ?

Elle sourit.

— Non. Mais je vais faire comme si vous n'aviez pas déjà
pris votre part pour que vous puissiez en prendre un autre en
arrivant là-bas.

—Super. Je meurs de faim. J'ai pas encore eu le temps de manger.

Evangeline fronça les sourcils, posa ses affaires sur le comptoir, puis poussa un Jax surpris de l'autre côté du bar pour le forcer à s'asseoir.

—Qu'est-ce que vous faites? demanda-t-il, visiblement déconcerté.

—Je vous nourris. Il y a des restes du dîner que j'ai préparé à Drake hier soir. Il ne faut que quelques minutes pour le réchauffer et comme vous l'avez dit, nous sommes déjà en retard, alors quelques minutes de plus ou de moins… Il y avait du monde sur la route.

Jax éclata de rire.

—Vous me plaisez déjà.

—Ce ne sera pas aussi bon qu'hier soir, s'excusa-t-elle. Mais ce ne sera pas mauvais. Promis.

—Vous avez vraiment cuisiné pour Drake?

—Ouais. Je pensais que j'avais merdé et que je l'avais énervé. Il avait commandé un repas chez le traiteur pour 19 heures, mais j'ai mal compris quand il a dit qu'il rentrerait à 18 heures et que nous dînerions à la maison. J'ai cru qu'il voulait que je cuisine, alors c'était un peu gênant. Jusqu'à ce qu'il goûte à mes plats, ajouta-t-elle en souriant.

Quelques minutes plus tard, elle posa devant Jax une assiette avec les restes de poisson et des accompagnements, la pomme de terre en moins, et fut surprise de le voir littéralement dévorer le plat.

—Jésus Marie Joseph, marmonna Jax. Vous êtes une déesse. Si ce n'est pas aussi bon qu'hier soir, c'est un miracle que Drake ait survécu et qu'il soit vivant et au travail aujourd'hui. Parce que c'était le paradis dans ma bouche. Y a-t-il une chose que vous ne sachiez faire ? Une femme belle, douce, pleine de compassion, qui sait cuisiner ? Pourquoi c'est pas moi qui vous ai rencontrée en premier ? dit-il avec mélancolie.

Ce compliment la fit rougir de plaisir. Néanmoins, elle s'empressa de prendre l'assiette pour la mettre dans l'évier.

—Bon, on ferait mieux d'y aller, sinon Drake va nous étrangler tous les deux, dit-elle, ne plaisantant qu'à moitié.

À ce moment précis, le téléphone de Jax sonna et il grogna.

—C'est le patron qui se demande où est sa dame.

—Dites-lui que nous sommes bloqués dans les bouchons, dit-elle, le visage impassible.

Jax éclata de rire, puis dit une chose étrange.

—Bon sang, ça fait bien longtemps que Drake ne nous a pas offert pareil divertissement.

Chapitre 15

DRAKE ÉTOUFFA L'ENVIE PRESSANTE DE CONSULTER SA montre une nouvelle fois, conscient que Silas et Hatcher remarqueraient qu'il n'était pas concentré sur l'affaire qui réclamait son attention, à savoir la gestion d'un problème qu'il fallait résoudre au plus vite. Et Maddox, qui se cachait toujours dans l'obscurité, à portée de voix, saurait exactement à quoi Drake pensait, et ce n'était pas à Eddie Ryker. D'ailleurs, pour des raisons qui échappaient à Drake, Justice et Thane étaient actuellement assis sur le canapé, affalés comme s'ils n'avaient rien de mieux à faire que d'être en pause illimitée. Il leur demanderait la raison de leur présence ici dès qu'il en aurait fini avec le problème le plus pressant.

—Alors, que veux-tu qu'on fasse, Drake ? demanda Silas de son ton imperturbable.

Silas était une énigme, et Drake préférerait crever plutôt que de reconnaître qu'il ne l'avait jamais compris. Il en savait suffisamment sur l'homme qu'il considérait comme l'un de ses associés les plus fiables et les plus estimés pour ne pas s'inquiéter de sa fidélité, et il savait, grâce à ce qu'il avait été capable de déterrer dans les archives publiques, que l'enfance de Silas avait été un véritable enfer.

S'il s'était agi d'un autre, cela n'aurait pas plu à Drake. Il n'embauchait pas des hommes autour desquels on voyait flotter des ombres. Mais il considérait Silas comme son alter ego, et aussi comme un homme qui attachait de l'importance à la parole des autres. Pendant toute la durée de leur collaboration, jamais Silas n'avait manqué à sa parole. Quelles que soient les circonstances. Dans le cas contraire, Drake le saurait. Il faisait en sorte de tout savoir sur les hommes à qui il accordait sa confiance. Mais Silas était une exception : personne ne savait rien de cet homme, si ce n'est ce qu'il choisissait de révéler.

Drake jeta un coup d'œil à Hatcher, dont le visage était imperturbable malgré ses poings serrés pendant le long de son corps, signe révélateur de son agacement. Drake fronça les sourcils : les hommes qui laissaient transparaître leur humeur, leurs pensées ou leurs intentions, étaient ceux qui avaient le plus de chance de se faire tuer.

— Tu t'en occuperas, Silas, ordonna Drake, décidant finalement de ne pas confier cette mission à Hatcher.

Il avait entièrement confiance en Silas quand il s'agissait de s'occuper des problèmes qui surgissaient, mais cette mission était en dessous de ses capacités. N'importe lequel de ses employés pouvait faire le nécessaire, et même s'il n'avait aucun scrupule à se servir des hommes qui travaillaient pour lui à prix d'or, il devait admettre que de temps à autre, il s'inquiétait du fardeau considérable qui reposait sur les épaules de Silas, qui était chargé du nettoyage. Il était trop précieux, indispensable aux missions les moins honnêtes de Drake.

Si Silas apprenait que Drake voulait seulement protéger son hercule, il prendrait ça pour une trahison. Il attachait de l'importance à la loyauté et à la réalisation de toutes les tâches que Drake lui confiait, qu'importe qu'il se salisse les mains au passage. Drake choisissait Silas pour ce rôle spécifique pour la simple raison qu'il pouvait tout bonnement déconnecter, faire le job froidement, sans émotion et sans en subir les conséquences, deux choses que Drake exigeait de tous ses hommes, mais surtout de celui-là.

Silas ne remettrait pas en question la décision de Drake, ni ses motivations, mais s'il l'avait fait, il aurait été honnête et lui aurait fait remarquer que de tous ses hommes, Hatcher était celui qui était à son service depuis le moins longtemps, ce qui voulait dire qu'il devait encore faire ses preuves non seulement auprès de Drake, mais auprès de ses frères.

Drake jeta un autre coup d'œil à Hatcher, satisfait qu'il ne manifeste aucune réaction quant à la décision qu'il venait de prendre. Drake devait admettre qu'il ne pouvait pas lui en vouloir d'être en colère contre Eddie alors que lui-même ne demandait qu'à traquer ce salopard pour le tuer de ses mains.

Mais il n'était pas directement question d'Eddie. Ce dernier avait déjà compris qu'il devait éviter Evangeline

Hawthorn à l'avenir, grâce à Silas, Jax et Justice. Un message qu'il avait reçu cinq sur cinq et dont il devait encore être en train de se remettre. Sauf qu'il s'était pointé à la boîte de nuit de Steven Cavendar la veille. Et non seulement on l'avait laissé entrer, mais il avait également profité d'un statut VIP et de tous les avantages que garantissait ce statut.

Drake avait pris ses renseignements sur Eddie, et ce qu'il avait découvert n'avait fait que redoubler son mépris. Il n'avait ni fortune personnelle, ni travail, ni même l'ambition de faire quoi que ce soit d'autre que de vivre aux crochets de ses généreux parents et de dilapider leur argent pour tenter d'épater la galerie. Il cherchait une chose qu'il n'avait aucun espoir d'obtenir un jour : le respect. C'était un parasite, et ça ne faisait aucun doute pour Eddie qu'une fois qu'il avait jeté son dévolu sur Evangeline, elle tomberait dans ses bras comme une prune mûre qui ne demandait qu'à être croquée.

Il avait fait erreur sur la personne en sélectionnant Evangeline, il courait le mauvais lièvre. Evangeline voulait, désirait, avait besoin d'un homme déterminé, dominant, même s'il doutait qu'elle en soit consciente. Quand bien même il aurait été satisfaisant au lit, Eddie l'aurait déçue dans tous les domaines où il était possible de décevoir une femme. Il était faible, lâche, n'éprouvait aucun remords quant à la vie qu'il menait. Enfant unique, il avait été pourri gâté, et il ne savait rien du monde réel, ni de là d'où Drake et ses hommes et Evangeline venaient, de ce qu'ils étaient devenus à force de travail. C'était un abruti qui n'espérait rien de plus que voir les femmes s'accrocher à lui comme à une bouée de sauvetage sur un simple signe de sa part.

Jusqu'à Evangeline. Et elle avait non seulement piqué sa fierté en le forçant à user de tous ses charmes pour la séduire, mais elle l'avait ridiculisé, et pire, il le savait, même si jamais il ne l'admettrait. Il s'était fixé pour objectif de prendre la virginité de la jeune femme pour la jeter le lendemain et ne plus jamais y repenser.

—Vous avez donné une grosse leçon à Eddie ? demanda Drake à Silas, naviguant rapidement d'une pensée à l'autre. Parce que je me dis que s'il est allé faire la fête chez Cavendar hier soir, c'est qu'il n'a pas eu la moitié de ce qu'il méritait.

Il acheva sa phrase d'un ton rageur qui fit soudain apparaître Maddox à l'autre bout de la pièce, où se trouvait la porte presque invisible. Il observa la scène, les yeux plissés, comme s'il se demandait s'il devait intervenir.

—Je suis surpris qu'il puisse de nouveau marcher, répondit Silas de son ton si caractéristique, détaché, impassible.

Drake lui jeta un regard noir.

—Tu veux donc dire qu'il a le pouvoir de guérir comme par magie ?

Son sarcasme pesa sur la pièce à présent silencieuse.

Hatcher se contenta de hausser les épaules.

—Un homme dont l'orgueil est blessé est capable de beaucoup de choses. Après qu'on lui a claqué plusieurs portes au nez, il a dû désespérer. Et on sait tous que Cavendar vendrait père et mère pour se faire un peu plus de blé. Comment Eddie est entré et s'il était mobile ou non est sans importance pour lui. Ce qui compte, c'est qu'il ait été vu et qu'il n'ait pas été foutu à la porte. Et tout comme Cavendar peut être acheté, je doute que ça dérange les femmes qui tiennent d'ordinaire compagnie à Eddie qu'il ait l'air d'avoir été percuté par un camion, du moment qu'il leur fait plaisir. Et leur donne carte blanche avec l'argent de ses parents.

— Raison pour laquelle j'aimerais que tu aies une petite discussion avec Cavendar, dit sèchement Drake à Silas.

Silas hocha la tête.

— Fais-moi un rapport…

Merde. Il avait presque oublié qu'il allait passer le reste de la journée – et de la nuit – avec Evangeline.

— On en reparle demain, corrigea-t-il. Je veux que le problème soit résolu d'ici là.

Silas se contenta de hocher la tête une nouvelle fois.

— On aurait dû le balancer dans l'Hudson, ce connard, rumina Maddox, qui prenait la parole pour la première fois.

Un cri de stupeur provenant de l'ascenseur fit brusquement pivoter les quatre hommes dans cette direction. Evangeline se tenait à côté de Jax, qui secouait la tête comme pour dire qu'ils étaient tous de fichus idiots d'avoir parlé sans prendre de précautions.

Putain. Avait-elle entendu toute la conversation? Toutefois, Evangeline ne regarda pas une fois dans la direction de Drake. Elle était concentrée uniquement sur Maddox, l'air indécis; mais ce dernier ne tressaillit pas, ce qui était tout à son honneur.

Il alla à sa rencontre à grandes enjambées, prit ce qu'elle avait dans les mains, et laissa tomber le tout dans les bras d'un Silas perplexe. Ce qui ne plut guère à Silas, puisque cela attirait l'attention sur lui alors qu'il aurait pu s'éclipser discrètement, comme il le faisait avec tout nouveau venu. Puis Maddox prit Evangeline dans ses bras et l'embrassa bruyamment sur la joue.

—Comment va ma captive préférée ? plaisanta-t-il.

Drake dut se contenir face à l'étalage d'affection spontané de Maddox. Il savait parfaitement pourquoi Maddox avait fait ça. Si Drake ne s'était pas laissé distraire, chose dont il se rendait plus fréquemment coupable depuis qu'Evangeline avait mis les pieds dans sa boîte de nuit, il aurait su que Jax et elle étaient en chemin. Bon sang, il aurait su qu'ils étaient arrivés au moment où ils auraient passé la porte.

Comme Evangeline gardait les yeux rivés sur Maddox avec circonspection, celui-ci lui adressa un regard bienveillant et se mit à rire.

—Allons, ne fais pas ta timide avec moi, ma belle. Tu m'as déjà montré tes griffes. Ne t'inquiète pas. Je n'ai jeté personne dans l'Hudson. Je prenais seulement mes désirs pour des réalités. C'est ce qui arrive quand ton comptable t'apprend, après que tu as fait une demande de prolongation et payé le montant d'impôt estimé parce que le formulaire relatif à tes investissements n'arrive que bien après le 15 avril, que tu dois beaucoup plus qu'il ne l'avait estimé.

Même Silas cligna des yeux tant Maddox était convaincant. Drake remarqua qu'il avait intentionnellement utilisé des termes qu'Evangeline ne maîtriserait certainement pas au vu de son statut économique, et puis, riche ou pauvre, personne n'aimait le fisc.

Evangeline éclata de rire, et le son mélodieux vida la pièce de toute tension.

— Pauvre chéri. J'ai un petit quelque chose pour te remonter le moral, le taquina-t-elle, tout comme il l'avait taquinée.

Drake sourit malgré lui. Evangeline était là. Avec plus d'une heure de retard, et il ne croyait pas une seconde à l'excuse bidon de Jax concernant les bouchons, mais elle était là, ce qui voulait dire que tous les autres ne devraient pas être présents. Et pourtant. Il se rendit compte alors qu'il était vraiment stupide. Ses hommes savaient qu'Evangeline venait ce jour-là. La curiosité devait ronger ceux qui ne l'avaient pas encore rencontrée, et ceux qui la connaissaient cherchaient probablement une bonne excuse pour la revoir. Soudain, la menace de Maddox de jeter quelqu'un dans l'Hudson lui sembla séduisante, seulement dans ce cas précis, il allait être questions de plusieurs « quelqu'un ».

Evangeline saisit une boîte dans les mains de Jax, et il adopta un air de chiot blessé qui donna envie à Drake de se taper la tête sur son bureau. Ses hommes étaient-ils tous en train de devenir de vraies mauviettes ? Putain.

— Donne ou tu n'en auras pas, plaisanta Evangeline.

Sa vaine menace fit glousser Thane et Justice.

Jax soupira et fit tout un cinéma avant de lui donner la boîte à contrecœur – ou était-ce un *Tupperware* ?

Evangeline ouvrit le couvercle, plongea la main à l'intérieur et, à la grande surprise de Drake, en tira un des cupcakes qu'elle lui avait préparés pour le dessert la veille au soir. Elle le tint sous le nez de Maddox pour le tenter.

—Ça va mieux?

Il eut l'air méfiant.

—Ça dépend si tu les as empoisonnés ou non.

—Si je l'ai fait, tu le mérites. Je suis sûre que ton comptable me remercierait.

Une autre série de rires retentit et Drake se laissa tomber contre le dossier de sa chaise, ne cherchant plus à dissimuler son agacement. Non pas que quiconque lui prêtât attention.

—C'est des *cupcakes*? demanda Justice, incrédule.

Thane et lui scrutaient Maddox et Evangeline comme si une troisième tête leur avait poussé. Drake comprenait ce qu'ils pouvaient trouver de comique à ce qu'une femme armée de cupcakes entre dans son sanctuaire, où aucune femme n'avait jamais mis les pieds. Et encore moins avec des putains de cupcakes.

Evangeline se tourna vers Thane et Justice, mais Jax s'éclaircit la voix. Evangeline leva les yeux au ciel et lui tendit l'une de ses pâtisseries. Drake avait le mauvais pressentiment que son ange allait dresser ses hommes comme des chiens en leur donnant des petites gourmandises dès qu'elle serait dans le coin.

Puis elle se dirigea vers le canapé en cuir où Thane et Justice se prélassaient et leur tendit consciencieusement à chacun un cupcake.

Ce qu'elle fit ensuite médusa Drake.

Elle s'approcha de Hatcher, dont le regard passa d'Evangeline à Drake comme s'il jaugeait la réaction de ce dernier ou déterminait s'il devait même adresser la parole à la copine de son patron.

— Bonjour, dit-elle timidement en lui tendant un cupcake. Je suis Evangeline.

Hatcher prit le cupcake et lui sourit.

— Bonjour, Evangeline. Moi, c'est Hatcher.

Mais quand elle se tourna vers Silas, qui avait depuis filé dans le coin le plus éloigné, si peu éclairé que Drake fut surpris qu'elle l'ait localisé aussi facilement, on aurait dit que toute la pièce retenait son souffle.

Elle alla se planter juste devant cet homme imposant, immobile et muet telle une statue, et lui adressa un sourire radieux. Drake se rendit alors compte que, malgré sa bravade, elle était en réalité terrifiée. Son agacement s'envola alors que la fierté déferlait dans ses veines. Evangeline faisait ce qu'il lui avait demandé. Elle pénétrait dans son monde et l'acceptait, acceptant Drake du même coup. Et elle avait manifestement senti qu'en l'acceptant, elle acceptait ses hommes comme extension de lui-même.

Sa jalousie s'évapora parce qu'elle faisait tout ça pour *lui*.

Il se détendit, un petit sourire aux lèvres, et observa Evangeline, qui dut pencher la tête en arrière pour regarder Silas, bien plus grand qu'elle.

Puis elle plongea la main dans le récipient, en tira un cupcake, et le tendit à Silas.

—Bonjour, dit-elle, réitérant la présentation qu'elle avait faite à Hatcher. Je suis Evangeline. Je jure que je n'ai pas empoisonné *votre* cupcake. Seulement celui de Maddox. Et, dit-elle en se penchant en avant pour chuchoter d'un air de conspiratrice, j'ai fait en sorte que le sien ait des vermicelles et un glaçage rose.

Des rires retentirent dans son dos, mais Evangeline resta concentrée sur Silas, qui tendit lentement la main, paume vers le haut. Elle posa doucement le gâteau dans sa main et Silas resta sans bouger, perplexe, l'air dérouté, comme s'il ne savait pas quoi faire d'Evangeline.

Bienvenue au club, mon frère.

—On fait des soirées cupcakes ici maintenant?

La voix de Zander résonna dans la pièce avec l'effet d'un coup de feu. Evangeline bondit, faisant tomber le cupcake de la main de Silas. Dans sa chute, il glissa sur son pantalon, laissant une tache visqueuse de glaçage.

—Oh mon Dieu, je suis désolée! s'écria Evangeline d'une voix affligée alors qu'elle s'empressait de gratter le glaçage sur le genou de Silas. J'espère que je n'ai pas ruiné votre pantalon. J'ai été si maladroite…

Des larmes d'humiliation montèrent aux yeux d'Evangeline, et ses joues et son cou rougirent de honte. Elle ne regardait plus aucun des hommes présents dans la pièce. Non, son regard était fermement rivé vers le bas tandis qu'elle frottait inefficacement la tache sur le pantalon de Silas.

Drake jura, et eut envie de massacrer Zander pour les dégâts qu'il avait causés par inadvertance. L'espace d'un instant,

Evangeline avait surmonté sa timidité et ses doutes et s'était détendue en présence de Drake et de ses hommes. À présent, on aurait dit qu'elle rêvait que le sol s'ouvre sous ses pieds et l'avale tout entière.

Silas fusilla Zander du regard et, les surprenant tous, il se pencha et prit la main d'Evangeline qui frottait encore frénétiquement son pantalon.

—Evangeline, dit-il à voix basse. Ce n'est rien. Ce n'est pas votre faute. Si Zander avait un tant soit peu de manières, il n'aurait pas débarqué comme ça pour vous donner la peur de votre vie. Vous pouvez être sûre que je vais lui envoyer la note du pressing.

Drake adressa à son tour à Zander un regard assassin qui lui promettait des représailles. L'air perplexe de Zander ne fit qu'accroître la rage de Drake, car ce crétin n'avait aucune idée de ce qu'il venait de détruire en à peine trois secondes.

Evangeline ne se départit pas de son expression tracassée, les larmes brillaient encore dans ses yeux, et elle tremblait tant qu'elle faillit faire tomber la boîte qu'elle tenait dans l'autre main. Silas la récupéra et la posa sur le côté avant de saisir sa main, si bien qu'il tenait ses deux mains dans les siennes.

À présent que la poigne de Silas empêchait ses mains de trembler, le tressaillement de son menton était plus prononcé. Il eut l'impression qu'elle rassemblait tout son sang-froid pour ne pas fondre en larmes et s'enfuir aussi vite que possible.

Drake, qui ne supportait pas de la voir en détresse, ouvrit la bouche pour aboyer un ordre qui viderait la pièce en un clin d'œil, mais avant qu'il ne puisse prendre la parole, Silas resserra son étreinte sur les mains d'Evangeline et la regarda dans les yeux.

— S'il en reste, j'adorerais avoir un cupcake, dit Silas, comme si elle lui offrait la lune.

Drake vit les mâchoires de tous ses hommes se décrocher ; Silas était en train d'apaiser la peur et l'embarras d'Evangeline avec quelques mots simples et un contact réconfortant.

Le sourire d'Evangeline était resplendissant lorsqu'elle attrapa un autre cupcake pour le poser dans la main ouverte de Silas. Puis ce dernier lança un regard noir à Zander par-dessus la tête d'Evangeline.

— Tu dois tes excuses à la dame, dit-il d'une voix glaciale. La dame de *Drake*.

— Ah, merde, jura Zander. Je crois que j'ai gâché mes chances d'avoir un cupcake.

Drake vit Evangeline jeter un coup d'œil dans le récipient et, pendant un instant, il crut qu'elle allait en donner un à Zander. Mais au lieu de ça, elle prit un cupcake et renversa la boîte, lui faisant savoir qu'il n'y en avait plus.

— Désolée, dit-elle. Mais celui-ci est pour Drake.

Les autres ricanèrent et Maddox regarda Zander d'un air sombre.

— Crois-moi, mec, tu ne veux pas t'en faire une ennemie.

Drake ignora leurs paroles car Evangeline pénétrait dans son espace, passant derrière le bureau pour se poster devant son fauteuil, qu'il avait fait pivoter pour regarder son échange avec Silas.

—Désolée d'être en retard, dit-elle d'une petite voix. Nous n'étions pas vraiment dans les bouchons. Je me suis réveillée tard.

Drake se retint de sourire puis céda, se fichant bien de savoir qui pouvait voir sa réaction face à l'ange qui se tenait devant lui avec un cupcake à la main.

—Je sais, murmura-t-il en retour, bêtement ravi qu'elle ne soit même pas capable d'une duperie si infime.

Un petit sourire en coin se dessina sur les lèvres d'Evangeline.

—Si je te donne le dernier cupcake, tu me pardonnes?

Il l'attira entre ses genoux écartés, le cupcake toujours posé sur sa paume ouverte.

—Cela dépend si tu lèches le glaçage sur mes lèvres quand j'aurai fini.

Ses joues s'enflammèrent, mais elle n'avait pas d'inquiétude à avoir. Ses hommes avaient disparu à l'instant où elle s'était approchée de son bureau. C'étaient peut-être des crétins irrévérencieux pour la plupart, qui avaient mis la patience de Drake à rude épreuve en occupant son bureau alors qu'ils savaient qu'Evangeline arrivait, mais ils savaient quand s'éclipser.

Quand Evangeline jeta un rapide coup d'œil autour d'elle et comprit ce que Drake savait déjà, elle se détendit et une lueur diabolique brilla dans ses yeux. Elle passa un doigt sur le sommet du cupcake. Puis elle tendit la main avant qu'il ne puisse prendre conscience de ce qu'elle avait en tête et étala le glaçage en travers de sa bouche.

Il cligna des yeux, surpris, puis la tira en avant pour la faire tomber sur ses genoux, le cupcake complètement oublié. Elle admira ses lèvres et murmura :

— Miam.

Elle réussit presque son petit numéro de diablesse coquine. Presque, car elle gâcha tout en devenant rouge comme une tomate, ce qui fit rire Drake à gorge déployée. De tous ses après-midi, c'était de loin le plus désordonné, le plus chaotique, et le plus différent de l'après-midi barbant auquel il était habitué depuis longtemps. Tout ça grâce à un ange espiègle aux cheveux d'or et aux yeux bleus, muni d'un Tupperware rempli de cupcakes.

Chapitre 16

Evangeline hésita, sachant qu'elle avait lancé le défi impulsivement, et elle ne pouvait pas vraiment prendre une serviette pour lui enlever le glaçage de la bouche. Ce qu'elle avait fait la scandalisait un peu, mais elle avait agi sur un coup de tête. En entendant les taquineries de Drake, elle s'était aussitôt imaginée en train de lécher ce délicieux glaçage sur sa bouche et, avant même de se dire qu'il valait mieux ne pas jouer avec le feu, elle avait succombé à la tentation.

Qui était cette femme dont elle ignorait l'existence? Elle se comportait comme une tentatrice. Une partie d'elle était mortifiée, l'autre saluait l'initiative qu'elle avait prise.

La lueur dans les yeux de Drake lui indiqua qu'elle ne s'était pas trompée et qu'il attendait qu'elle finisse ce qu'elle avait commencé.

Timidement, elle l'attrapa par le menton et se pencha en avant, dardant sa langue en direction du coin de la bouche de Drake, où le glaçage formait une tache épaisse. Elle lapa, retirant la substance sucrée, et Drake grogna, lui donnant le courage de continuer.

Elle pressa sa bouche sur la sienne, étalant le glaçage sur ses lèvres avant de faire surgir sa langue, léchant délicatement sa chair. Puis elle la glissa dans sa bouche pour qu'il puisse goûter le glaçage répandu sur leur peau.

Elle avala son souffle, le savoura, avant de reprendre son entreprise lente et sensuelle. Elle s'occupa de chaque centimètre de sa bouche, léchant et suçant jusqu'à ce qu'il ne reste que leurs lèvres fusionnées ensemble. Après un dernier coup de langue nonchalant, elle s'écarta, à bout de souffle, cherchant son regard, impatiente de découvrir sa réaction.

Les yeux de Drake brillaient dangereusement et elle frémit. Qu'avait-elle provoqué ? Son expression lui donna la douce sensation d'être traquée, comme si elle était la proie et lui, le prédateur prêt à bondir.

Il la hissa pour la remettre debout puis se leva, la forçant à reculer un peu. Face à elle, il déboutonna son pantalon sans un mot et le baissa sur ses hanches. Puis il plongea la main dans son caleçon et en sortit son sexe en érection.

Elle considéra cette érection puissante, retenant son souffle, impatiente. L'excitation, la nervosité et une flopée d'autres sensations tourbillonnèrent dans son ventre jusqu'à lui donner le vertige.

— Recouvre chaque centimètre de glaçage avec tes doigts, ordonna-t-il.

Choquée, elle le regarda avec incrédulité ; dans quoi s'était-elle fourrée ? Elle était figée, incapable de bouger. Elle semblait seulement capable de rester plantée là, bouche bée.

Il plissa les yeux et elle devina qu'elle l'avait contrarié. Le sentiment d'échec qu'elle ressentit ne lui plaisait pas du tout.

—Tu refuses de m'obéir ? demanda-t-il sur un ton dangereusement calme.

—N-non, bredouilla-t-elle. Mais... et si quelqu'un rentre ? demanda-t-elle à voix basse, paniquée, comme si les murs avaient des oreilles.

De ce qu'elle avait vu jusqu'à présent, cela semblait être le cas.

Il fronça les sourcils, son mécontentement s'intensifiant autant que la poitrine d'Evangeline se nouait.

—Primo, personne n'oserait entrer quand je suis seul avec ma maîtresse, et en outre, si je te demande de me sucer et que quelqu'un entre, je ne veux pas que tu arrêtes. Compris ?

Elle se mordit la lèvre pour étouffer la protestation qui lui vint instantanément. Puis elle hocha lentement la tête pour acquiescer.

—À qui appartiens-tu, Ange ? demanda-t-il d'un ton sévère.

—À toi, murmura-t-elle.

—Qui te possède ? À qui dois-tu toujours obéir sans poser de questions ?

Oh là là...

Qu'avait-elle fait ? Était-ce vraiment ce qu'elle voulait ? Sa raison lui cria que non, qu'elle était folle de l'envisager. Elle se rappela qu'elle avait accepté en étant pleinement consciente de la nature dominatrice de Drake. Ce n'était pas comme s'il n'avait pas été clair à propos de ses attentes. Il n'aurait pu être plus direct.

—À toi, Drake, dit-elle, soulagée de constater qu'elle paraissait plus forte et plus ferme.

Il lui saisit fermement le menton d'une main.

—Alors à genoux. Mets ta bouche où je te dis de la mettre.

Obéissante, elle tomba à genoux et attrapa le cupcake d'une main tremblante, prenant une bonne quantité de glaçage sur ses doigts. Elle étala la substance collante d'une main hésitante sur sa verge dressée. Satisfaite d'avoir fait ce qu'il avait demandé, elle jeta le cupcake dans la poubelle à côté du bureau de Drake puis se retourna pour admirer son pénis sous un jour nouveau.

Elle savait qu'il était bien membré. Son corps avait protesté contre son intrusion quand il lui avait fait l'amour, mais elle avait été trop folle de plaisir pour accorder plus d'attention à son envergure. Mais à présent, elle n'était plus certaine de pouvoir y arriver.

Il devait savoir qu'elle n'avait jamais fait ça. Il le savait certainement.

—Evangeline, dit-il d'une voix moins brusque que précédemment.

Elle leva les yeux vers lui, avalant nerveusement le trop-plein de salive qui s'était accumulé dans sa bouche.

—Je vais te guider. Si je voulais une experte en fellation, j'aurais pu choisir beaucoup d'autres femmes. Mais ton innocence m'excite au plus haut point. Ça me plaît, d'être le seul homme à sentir ta jolie bouche autour de ma bite. Détends-toi. Je te promets, moi dans ta bouche, ce sera rien de moins que la perfection.

Encouragée par ses paroles et heureuse de se sentir désirée malgré son inexpérience, elle se pencha en avant et plaça ses mains sur les cuisses de Drake, mais il les chassa gentiment pour les poser sur ses propres cuisses.

—Laisse tes mains là. Je vais diriger tes mouvements. Tout ce que tu as à faire, c'est te détendre et me faire confiance.

Elle se rendit alors compte que, malgré ses doutes, elle lui faisait effectivement confiance, sans savoir exactement pourquoi. Pourtant, les débuts tumultueux de leur relation ne s'y prêtaient pas, mais elle se sentait en sécurité avec lui, et au fond d'elle-même, elle savait qu'il ne lui ferait pas de mal.

Après s'être assurée que ses mains étaient au bon endroit, elle se pencha en avant et fit tourner timidement sa langue sur son gland pour le nettoyer. Puis elle ouvrit la bouche plus grand pour le faire glisser plus loin, passant sa langue sur son membre pour être sûre de ne pas oublier le moindre centimètre carré de peau.

À son grand dam, elle n'en était qu'à la moitié quand elle sentit son gland toucher le fond de sa gorge. Elle avait raison. Il était impossible qu'elle le prenne en entier dans sa bouche. Elle en aurait certainement des haut-le-cœur et se donnerait maladroitement en spectacle. Ce serait trop humiliant! Elle n'avait aucune expérience en gorge profonde, et n'en avait entendu parler qu'en épiant les conversations les plus grivoises de ses amies. Selon elles, les hommes appréciaient les femmes capables de faire des gorges profondes. Pourtant, Drake avait soutenu que s'il avait voulu une experte en fellation, selon ses propres mots, il n'était pas à court de prétendantes. Il la voulait, *elle*. Cela devait bien vouloir dire quelque chose, non ?

— Détends-toi, Ange, dit Drake avec douceur. J'aime quand c'est long et lent. Jouir si vite dans une bouche si belle serait un crime. Inspire profondément. Je vais te guider. Respire par le nez. Je ne vais pas t'accabler.

Ses paroles eurent un effet apaisant ; elle se détendit aussitôt. Il emmêla ses doigts dans ses cheveux et posa ses paumes à plat sur son crâne, la tenant fermement, prenant le contrôle.

Il donna un coup de reins, tandis qu'Evangeline se remémorait ses instructions. Il marqua une pause et elle leva les yeux vers lui pour voir son visage extatique. Il se retira et s'enfonça de nouveau, plus profondément.

Elle fut brièvement prise de panique et s'efforça de respirer par le nez et de se calmer.

Pendant de longues minutes, il alla lentement d'avant en arrière, s'enfonçant plus profondément dans sa bouche à chaque coup de reins, permettant à Evangeline de s'habituer à l'exercice et à son calibre considérable.

Elle sentit immédiatement le changement en lui quand il s'opéra et sut qu'il était sur le point de jouir. Il agrippa sa tête plus fort et ses mouvements se firent moins doux. Il était chaud, soyeux et si dur dans sa bouche, glissant sans relâche sur sa langue.

—Je vais baiser ta bouche, Ange.

Avant même qu'elle ne puisse réagir à sa déclaration, il se mit à la pénétrer plus fort, lui baisant la bouche comme il avait baisé son sexe. Elle n'eut pas le temps de réagir, ni de trop réfléchir ou de paniquer. Elle était trop concentrée, s'efforçant de rester aussi détendue que possible et de penser à respirer. Elle dut en appeler à toute sa volonté pour ne pas s'étrangler ni avoir des haut-le-cœur, mais elle était déterminée à ne pas le décevoir.

Un fluide salé se répandit sur sa langue, ce qui la surprit. Elle comprit qu'il allait bientôt éjaculer.

—Avale, Ange. Ne laisse pas une goutte échapper à cette bouche dans laquelle je vais jouir.

Ses derniers mots la firent frémir; tout son corps fourmillait, ses tétons et son clitoris étaient gonflés d'excitation. À tel point que le moindre contact suffirait à lui faire atteindre l'extase.

Elle n'avait jamais fait de fellation à un homme, et encore moins avalé son sperme. Et il lui avait donné l'ordre de ne laisser aucune goutte s'échapper de ses lèvres. Les yeux fermés, elle céda aux exigences de Drake et s'abandonna à lui, sachant qu'elle n'échouerait pas du moment qu'il avait le contrôle.

Il donna un violent coup de reins, faisant rebondir ses testicules sur le menton d'Evangeline. Son corps tout entier se raidit et ses mains emmêlèrent les cheveux de la jeune femme. Il semblait incapable de rester immobile, ses doigts et ses mains lui caressant le crâne sans relâche tandis qu'il lui chuchotait encouragements et louanges.

Puis il donna un nouveau coup de reins. Plus puissant que tous les autres. Et elle sentit dans sa gorge une explosion de liquide chaud qui lui remplit rapidement la bouche. Se souvenant de son ordre strict, elle s'empressa d'avaler la semence de Drake qui s'était répandue par vagues successives dans sa bouche.

Il continua à aller et venir, même si ses mouvements avaient ralenti et ne revêtaient plus la même urgence. Son sperme baignait sa langue, l'intérieur de ses joues et le fond de sa gorge, l'emplissant de l'essence même de Drake. Elle avala tout, s'assurant qu'aucune goutte ne lui échappait.

Lorsqu'il se retira enfin de sa bouche, elle passa tendrement sa langue le long de son sexe, pour le nettoyer de la même façon qu'elle l'avait débarrassé du glaçage quelques instants auparavant.

Puis il tendit les mains vers elle et la remit debout. Elle tremblait, les sens rompus par ce qu'il venait de se passer. Elle avait toujours considéré comme une corvée de faire une pipe à un homme. Cela lui semblait dégoûtant, compliqué, un mauvais moment à passer. Drake avait réussi à la faire changer d'avis sur la question en quelques minutes seulement.

Elle aimait savoir qu'elle pouvait lui donner autant de plaisir. Avoir, à sa façon, un certain pouvoir sur lui.

—Tu peux aller prendre ta douche, dit-il d'une voix rauque. La salle de bains est par là, précisa-t-il en désignant une porte. Tu ne seras pas dérangée. Mets les vêtements que tu as apportés pour ce soir. Je vais faire monter à manger pour qu'on puisse déjeuner quand on aura faim.

Chapitre 17

Evangeline se sentit comme une princesse de conte de fées lorsqu'elle s'admira dans le miroir pour vérifier d'un œil critique son maquillage, l'ajustement de la robe, et ses cheveux, qu'elle avait remontés au sommet de son crâne en laissant tomber quelques boucles dans son cou.

Elle avait beau essayer, elle ne se trouvait aucun défaut. Dieu savait qu'elle avait passé du temps à régler chaque petit détail.

Il était temps de se lancer. Les souvenirs de la dernière fois qu'elle était venue dans cette boîte de nuit avaient encore le pouvoir de la couvrir de honte. Rien n'avait changé, à part son statut. Elle était devenue la compagne de Drake. Cela la mettait-elle subitement au-dessus de la moyenne ? Comme on le disait chez elle, on a beau maquiller un cochon, ça reste un cochon.

Bien sûr, la robe était à tomber et coûtait bien plus que celle qu'elle avait portée ce fameux soir, mais ce n'était pas comme si Evangeline avait essayé de venir au club dans une copie de robe de couturier. Elle essaya de trouver une infime différence qui la rendrait soudain plus digne d'être à l'*Impulse*, en vain.

Au moins, elle n'avait pas à craindre d'être mise à la porte, attaquée, ou qu'Eddie vienne gâcher la soirée. Elle avait déjà compris que Drake prenait très au sérieux le fait d'assurer sa protection.

Un long frisson la secoua lorsqu'elle se remémora les mots de Maddox. Il avait été très sérieux quand il lui avait dit qu'Eddie ne lui ferait plus de mal et qu'il ne l'approcherait plus. Elle avait perçu une lueur menaçante dans ses yeux, et elle le croyait à cent pour cent, mais elle ne voulait pas s'attarder sur les raisons pour lesquelles il était si sûr de lui ni savoir jusqu'où il était allé pour pouvoir lui assurer avec tant de certitude qu'Eddie ne serait plus un problème pour elle.

Drake possédait une boîte de nuit, mais elle avait compris au fil des conversations qu'il avait d'autres intérêts commerciaux. Elle n'était pas certaine de vouloir connaître la véritable nature de ses activités. Que faisait-il au juste pour avoir besoin de tous ces gardes du corps capables de tordre le cou d'un homme d'un simple regard ?

Non, elle ne voulait pas savoir. Toute vérité n'est pas bonne à dire, à connaître. Cela faisait peut-être d'elle une personne mauvaise. Immorale. Sans oublier stupide et naïve. Mais elle voulait se concentrer uniquement sur ce qui la liait à Drake et voir où cela les menait.

Il avait été furieux – non, « furieux » était un peu fort comme terme. « Contrarié » était certainement plus approprié – quand elle avait hésité et semblé remettre son autorité en question après avoir accepté d'obéir à ses ordres et de se soumettre à lui. Et pourtant, l'autorité dans sa voix l'avait excitée. Était-elle folle ? Avait-il réussi à mettre au jour une partie d'elle-même dont elle ne soupçonnait pas l'existence, et qu'elle n'aurait certainement jamais connue sans lui ? Elle ne pouvait imaginer réagir à un autre homme de la même manière qu'elle s'était animée sous ses caresses. Chacun de ses hommes de main était incroyablement beau et pourtant, elle ne ressentait rien d'autre pour eux que de l'admiration. Ils ne lui inspiraient aucun fantasme érotique.

Sachant qu'elle avait pris bien trop de temps pour se changer, se coiffer, et se maquiller, et que Drake était certainement contrarié, elle se regarda une dernière fois dans le miroir et lissa sa robe avant d'inspirer un bon coup et de chausser ses escarpins.

Sa main plana au-dessus de la poignée de porte tandis qu'elle prenait son courage à deux mains pour retourner dans le bureau de Drake, en espérant qu'elle lui plairait et qu'il approuverait sa tenue.

Le dos bien droit, avalant péniblement sa salive, le menton levé pour donner l'impression d'être calme et sûre d'elle, elle ouvrit la porte et avança aussi tranquillement que possible en direction de Drake. Pourtant, intérieurement, elle avait les nerfs en pelote.

Dès que la porte s'ouvrit et qu'elle fut dans le champ de vision de Drake, il riva sur elle des yeux de braise. Il garda le silence, mais son expression était éloquente. Il scruta chaque détail de son apparence, l'examinant de la tête aux pieds, ce qui fit flamber les joues d'Evangeline et alluma une lueur de désir dans les yeux de Drake.

—Tu es magnifique, déclara-t-il d'une voix grave et rauque, qui l'excita follement. Mon ange a laissé place à une sacrée tentatrice. Je voudrais te garder ici pour moi seul ce soir. Je n'aime pas l'idée de te partager avec qui que ce soit. Je préfère t'avoir près de moi pour te lécher, te goûter et te caresser toute la nuit.

Elle rougit de plaisir en percevant son ton possessif. Jamais elle n'aurait pensé être attirée par un homme si jaloux, mais l'idée qu'il la considère comme *sienne* et qu'il soit protecteur à l'excès éveillait en elle un sentiment étrange. Elle aimait ça. Elle adorait ça. Quelle femme n'aimerait pas appartenir à un homme comme Drake Donovan, et être aussi choyée ?

—Cette robe te va à merveille. Elle est faite pour toi. Quant à ces chaussures… Plus tard, je vais te prendre alors que tu ne porteras rien d'autre que ça. Mais ni robe, ni maquillage, ni chaussures ne peuvent rendre une femme plus belle que tu ne l'es déjà, mon ange. Tu resplendis, quoi que tu portes, surtout quand tu ne portes rien. Aucune femme sur Terre ne serait aussi belle que toi dans cette robe et ces chaussures. C'est toi. Ne l'oublie jamais.

Son compliment était on ne peut plus sincère, et la possessivité qu'elle lut dans ses yeux la fit presque chanceler.

L'image de lui en train de la prendre alors qu'elle portait seulement ces chaussures aux pieds fit tellement gonfler son clitoris que c'en était douloureux.

Cet homme pouvait avoir n'importe quelle femme au monde, et pourtant il l'avait choisie, elle. Elle n'en revenait toujours pas. Mais elle avait l'impression d'être dans un conte de fées et n'avait aucune envie de remettre en question le fait que ce très bel homme la trouvait belle et désirable. Elle. Pas une autre femme. Elle, Evangeline Hawthorn. Une fille ordinaire. Elle n'avait rien de spécial et pourtant Drake lui donnait l'impression d'être unique au monde.

Elle le rejoignit et se pencha de façon que leurs lèvres se touchent presque.

—Je suis contente que tu aimes, murmura-t-elle.

Puis elle l'embrassa, se souciant peu du fait qu'elle devrait se remettre du gloss à lèvres. Dans l'immédiat, il fallait qu'elle l'embrasse. Il fallait qu'elle lui montre ce que ses paroles représentaient pour elle.

Elle savoura avidement sa bouche, suçant le bout de sa langue quand il entrouvrit les lèvres puis s'aventurant plus loin pour pouvoir le goûter, le dévorer.

Un grognement s'échappa de la gorge de Drake, vibra sur sa langue, lui donna des frissons dans le dos.

Elle s'écarta doucement, et il fronça les sourcils comme s'il était loin d'en avoir fini avec elle, mais elle voulait se perdre de nouveau dans son regard et se prélasser dans le désir et l'assentiment qui se lisaient dans ses yeux noirs.

— Dire que j'aime suffit à peine à décrire ce que je ressens, Ange. Je ne sais pas si tu es un ange, ou un démon ayant pris l'apparence d'un ange. Je n'ai jamais été si affecté par un simple baiser.

— Moi non plus, souffla-t-elle.

Il sourit.

— Dis-moi, mon ange, combien d'hommes as-tu déjà embrassés au juste ?

Elle rougit et se détourna, honteuse. Il posa sa main sur son menton pour la forcer à le regarder.

— Désolé, je ne voulais pas te mettre mal à l'aise. J'espère que tu vas me dire que tu n'en as embrassé qu'un autre, parce qu'il ne compte pas le moins du monde, cet Eddie, ce qui ferait de moi ton premier. Le premier à compter. Cette idée me plaît énormément, et je me fous de ton manque d'expérience. Je veux être l'homme qui t'initiera à l'érotisme. Je veux te faire oublier Eddie et que tu me considères comme ton premier homme.

Elle se sentit si troublée qu'elle en eut le souffle coupé. Puis elle sourit, inconsciente des ravages de ce sourire sur la population masculine.

— Eddie ? Je ne vois pas de qui tu veux parler, dit-elle avec légèreté.

Il grogna et reprit les rênes, l'embrassant jusqu'à ce qu'elle soit à bout de souffle.

— Voilà ce que je voulais entendre, dit-il en passant son pouce sur sa bouche gonflée.

—Sache que tu es le premier, souffla-t-elle. Eddie s'est contenté de tirer son coup et de prendre son pied tout seul. Tu es le seul homme qui m'ait donné du plaisir.

Drake sembla extrêmement satisfait de sa réponse. Il desserra son étreinte et la laissa reculer pour laisser son regard parcourir encore son corps d'un air admiratif, ce qui la fit délicieusement frémir. Il aimait vraiment ce qu'il voyait. Il était en adoration devant elle, et c'était une sensation grisante. Comme si elle faisait le plus merveilleux des rêves, dont elle ne voulait jamais se réveiller.

—Va te mettre à l'aise, dit-il. Le repas sera bientôt là, puis je demanderai à deux de mes hommes de t'escorter en bas. Je veux que tu profites de ta soirée comme tu aurais dû le faire la première fois que tu es venue ici.

Elle se détourna hâtivement pour qu'il ne perçoive pas son désarroi. Elle ne se souvenait que trop bien de la réaction des autres clients. Ce n'était pas parce qu'elle était la copine de Drake que le regard des autres changerait : elle serait encore jugée, considérée comme indigne, quoi que Drake voie en elle.

—Evangeline.

La voix de Drake l'arrêta net alors qu'elle était sur le point de se laisser tomber dans l'un des confortables fauteuils placés de biais par rapport à son bureau. Elle pivota, l'air interrogateur.

—Tout ira bien, affirma-t-il avec douceur.

Elle ferma brièvement les yeux, déterminée à ne pas ruiner son maquillage.

—Tu ne mesures pas à quel point ce fameux soir a été horrible pour moi, Drake. Avant même qu'Eddie fasse son apparition.

Drake plissa les yeux.

—Explique-moi ce que tu veux dire par là.

Elle soupira, regrettant de ne pas avoir gardé ses pensées pour elle, et elle maudit sa fâcheuse manie de dire toujours la vérité, si gênante soit-elle.

—Evangeline ? insista-t-il.

Merde, il n'allait pas lâcher l'affaire. Elle connaissait bien le ton qu'il venait d'employer pour prononcer son nom. Ce n'était pas une requête. C'était un ordre, et un ordre auquel elle se sentait contrainte d'obéir, malgré son malaise évident à l'idée d'évoquer les événements de cette soirée.

Elle poussa un autre soupir résigné et puisa profondément en elle force et sang-froid.

—Dès que je suis sortie du taxi, les gens m'ont jugée. Dans la queue. Même ce fichu videur ou je ne sais quoi. L'homme qui est de service à la porte et choisit soit de laisser entrer les gens soit de les renvoyer dans la file. Mais il ne m'a même pas dit de faire la queue. Il m'a dit de partir. Et toutes les personnes dans cette longue file souriaient d'un air suffisant et me regardaient comme si j'étais une idiote, d'essayer d'entrer dans un endroit comme l'*Impulse*. Puis quand j'ai montré mon pass VIP au mec qui m'avait dit de partir, on aurait dit qu'il avait avalé un citron, et les gens qui faisaient la queue n'ont pas caché leur indignation en voyant que quelqu'un comme moi était autorisé à entrer alors qu'ils attendaient sur le trottoir. Ils m'ont regardée comme si j'étais un parasite. D'autres ont éclaté de rire.

Elle marqua une pause pour reprendre son souffle, surprise de ressentir encore autant de colère à cause de cette expérience humiliante.

—Une fois à l'intérieur, ça n'a pas été mieux. Tout le monde me regardait comme si j'étais une extraterrestre arrivée en soucoupe volante. Ils étaient suffisants, amusés, prétentieux, et j'ai eu l'impression d'être examinée au microscope. La seule personne qui a été gentille avec moi, c'est le barman. Il a été sympa. Il m'a traitée comme une personne normale, comme si j'étais aussi bien que n'importe quel client et que j'étais la bienvenue, alors que les autres me traitaient comme si j'avais débarqué à une soirée à laquelle je n'étais pas invitée. C'était horrible. Je m'en voulais d'avoir écouté mes amies. Au moment où j'ai décidé de quitter le club, Eddie a fait son apparition avec cette femme agrippée à son bras. Tout en elle me disait : « Je suis plus jolie que toi, plus classe que toi, mieux que toi, et je sais satisfaire mon homme, contrairement à toi. » Et je suis restée par orgueil, parce que je ne voulais pas qu'Eddie pense que j'avais honte ou que j'étais gênée de tomber sur lui. Alors je suis restée plantée là, en espérant qu'il ne me verrait pas. Je n'ai pas eu cette chance, marmonna-t-elle.

—Il est impossible qu'un homme ne te remarque pas, Ange. À moins qu'il soit mort, dit sèchement Drake. Tu n'es pas consciente de tes charmes, mais je vais y travailler.

Elle frémit et poursuivit comme s'il n'avait rien dit.

—Ça a été horrible. Toute la soirée. Et je suis censée y retourner et endurer encore tout ça ? Faire comme si ce fameux soir n'avait jamais eu lieu et me comporter comme si personne ne me jugeait, ne se moquait de moi, ne se demandait comment j'ai réussi à entrer ?

Le simple fait de se remémorer cette soirée désastreuse la rendait fébrile. Drake affichait une expression terrifiante : il était furieux, et sa mâchoire était si crispée que ce devait être douloureux.

—Rien de tout cela ne va se produire ce soir, dit-il d'une voix douce teintée d'un soupçon de menace. Les membres du personnel connaissent ton statut et savent qu'ils doivent t'offrir tout ce que tu désires et te traiter avec le plus grand respect. Mes hommes ne seront jamais loin, et sois tranquille : si quelqu'un venait à te manquer de respect d'une manière ou d'une autre, on s'occuperait de lui et ce ne serait pas joli à voir. De plus, si qui que ce soit te regarde de travers, je veux le savoir immédiatement. Je veux ta parole, Evangeline. Tu préviendras un de mes hommes et le problème sera vite résolu. Je ne tolérerai pas qu'on te manque de respect.

—D'accord, acquiesça-t-elle d'une voix tremblante, puisqu'elle savait que Drake préférait les mots aux gestes et autres hochements de tête.

La voix de Drake s'adoucit, tout comme son expression et ses yeux.

—Je veux que tu t'amuses ce soir, Ange. Je ne suis pas un salaud au point de t'exposer à une situation embarrassante, et jamais je ne te mettrai dans une position où tu pourrais te sentir mal à l'aise. Je t'ai prévu une surprise et je pense qu'elle te plaira. Je crois que tu oublieras la première fois où tu es venue à l'*Impulse*.

Elle s'affala dans le somptueux fauteuil en cuir pour réfléchir à l'affirmation sibylline de Drake et lui lança un regard curieux.

Il sourit.

—Je veux que tu t'amuses ce soir, Ange. D'après ce que j'ai compris, tu ne t'es jamais trop amusée dans la vie. Tu étais trop occupée à travailler et à aider les autres.

Son cœur cessa de battre un instant et elle ne put retenir ni le sourire ni la chaleur que sa gentillesse éveillait en elle.

—En parlant de ça, il me faut encore le nom de la banque de tes parents ainsi que leurs coordonnées bancaires. Je demanderai à mon assistante d'appeler pour faire le virement demain matin. Mais je me disais que tu voudrais peut-être les appeler d'abord pour les informer de la situation afin que le versement ne les surprenne pas.

La panique remplaça instantanément l'euphorie qu'elle venait de ressentir.

—Oh mon Dieu, Drake! Que vais-je leur dire? Comment puis-je leur expliquer un virement qui ne vient clairement pas de moi? Que vont-ils penser? Ce sera suspect, sans parler du fait qu'ils vont se poser un tas de questions sur moi et sur la nature de mes activités pour mériter une telle somme d'argent.

Elle sentit ses joues s'enflammer de honte. Comment leur expliquer sa relation avec un homme qu'elle ne connaissait que depuis quelques jours?

— Et s'ils pensent que je suis une dealeuse ou une prostituée? demanda-t-elle, horrifiée.

Dans sa petite ville natale, si quelqu'un recevait subitement de l'argent dans des circonstances mystérieuses, le moulin à ragots tournerait à plein régime, et c'était la dernière chose qu'elle souhaitait pour ses parents. Elle n'y prêterait pas attention si elle devait être la seule à en souffrir, mais elle accordait beaucoup d'importance à la façon dont on traitait ses parents, à ce qu'on disait sur eux, et à ce qu'ils pensaient d'elle.

— Que suis-je exactement pour toi? murmura Evangeline, en proie au doute, les yeux toujours rivés sur Drake. Ta maîtresse? Une compagne rémunérée?

Puis elle se tut et enfouit son visage entre ses mains, même si elle serait forcée de retoucher son maquillage.

— Ce n'est pas moi! s'étrangla-t-elle. Ce n'est pas la personne que je suis, de laisser quelqu'un d'autre, surtout quelqu'un que je connais à peine, intervenir et s'occuper de mes problèmes pour moi. Je pourrais supporter de me détester ou même d'avoir honte, parce qu'il n'y a rien que je ne ferais pas pour mon père et ma mère, mais ça ne m'est pas égal qu'ils soient déçus ou qu'ils aient honte de moi, parce que jamais ils ne voudraient que, pour les aider, je fasse quelque chose qui va à l'encontre de l'éducation qu'ils m'ont donnée.

Elle s'attendait à voir de la colère dans les yeux de Drake quand elle trouva enfin le courage de retirer ses mains de son visage. Mais elle avait fait fausse route. À cet instant, un lien inexplicable se tissa entre eux : celui de la compréhension.

Ils gardèrent tous deux le silence, conscients du lien qui les unissait, pas sur un plan physique, mais émotionnel. Ils avaient beau vivre dans des mondes diamétralement opposés, leur sens de la fierté et de l'amour-propre les rapprochait. Ils prenaient conscience de ce qu'ils partageaient. Il n'était plus question de fossé économique ou social. Ils étaient simplement deux êtres humains qui avaient quelque chose en commun.

— Tu préfères que je les appelle pour leur expliquer, Ange ? demanda-t-il avec douceur.

C'était tentant. Bon sang, c'était si tentant. Elle avait horreur du conflit, l'évitait à tout prix, parce que cela la rongeait pendant des jours, voire des semaines, après son apaisement. Cela dit, comme elle avait perdu toute forme de contrôle depuis sa rencontre avec Drake, il fallait qu'elle garde une maîtrise sur certains aspects de sa vie. Elle avait beau être lâche et enfoncer sa tête dans le sable, elle aurait honte pour le restant de ses jours si elle avait trop peur de s'expliquer auprès des deux personnes les plus importantes de sa vie.

— N-non. Non, répéta-t-elle plus fermement avant d'inspirer profondément. Je dois le faire moi-même. Je leur dois une explication, et elle doit venir de moi, pas d'un homme qu'ils ne connaissent ni d'Ève ni d'Adam. Ils ne m'ont pas élevée ainsi. Et surtout, ils m'ont appris à assumer mes actes et à ne jamais me cacher derrière les autres. Je me cache peut-être de moi-même, mais jamais on ne m'accusera de me cacher derrière un autre.

Un certain respect brilla de nouveau dans les yeux de Drake, qui apparurent plus profonds et plus sombres que d'ordinaire. Et à cet instant, elle se rendit compte que l'approbation de Drake – son respect – comptait bien trop à ses yeux alors qu'elle le connaissait à peine.

— Tu as pensé à prendre ton nouveau téléphone ou tu as besoin d'utiliser le mien ? demanda-t-il avec douceur, comme si elle n'était pas sur le point de passer un coup de téléphone susceptible de la faire complètement craquer.

— Je l'ai pris, dit-elle en regardant autour d'elle, son esprit confus tentant de se rappeler où elle avait mis son sac à main.

— Si tu cherches ton sac, tu l'as emporté dans la salle de bains avec toi.

Elle lui adressa un regard reconnaissant et se leva brusquement avant que son courage ne la quitte pour se précipiter dans la salle de bains, où son sac était posé sur le meuble à côté du lavabo. Elle chercha son téléphone en se disant qu'elle n'avait pas encore enregistré ses contacts dans l'appareil – non pas qu'elle en ait beaucoup. Dans son état actuel, elle aurait de la chance si elle parvenait à composer de mémoire le numéro de ses parents.

Elle passa ses doigts sur la surface brillante de l'écran, les sourcils froncés, concentrée, tout en revenant dans le bureau de Drake. Se dirigeant droit sur le fauteuil qu'elle venait de quitter, elle se laissa tomber sur l'assise et porta le téléphone à son oreille.

Elle leva les yeux vers Drake et se sentit submergée. Comme s'ils étaient magnétisés et qu'elle était attirée vers lui, absorbée. Sans réfléchir, sans raison, elle retira le téléphone de son oreille et le mit sur haut-parleur avant de se lever pour rejoindre Drake. Elle posa le téléphone sur le bureau et comptait rester debout devant pour converser avec ses parents, mais au moment où la voix familière de sa mère retentit dans le haut-parleur, Drake attrapa Evangeline par le poignet et la tira à lui pour la forcer à s'asseoir sur ses genoux. Puis il attrapa le téléphone, qu'il fit glisser sur le bureau pour l'approcher.

Soudain, sa nervosité se dissipa et elle s'imprégna de la force de Drake.

—Salut maman, dit Evangeline d'une voix joyeuse.

—Evangeline? C'est toi? Tu as perdu ton téléphone? J'ai failli ne pas répondre. Je reçois tellement d'appels pénibles de démarcheurs téléphoniques et d'arnaqueurs disant que je dois un montant astronomique aux impôts... Ils ne savent plus quoi inventer. On ne peut plus répondre au téléphone sans se faire harceler par des gens qui ne savent même pas prononcer les mots «pénalités» ou «impôts exigibles». Enfin, je me suis souvenue que c'était l'indicatif de ta région et je me suis dit: «Bon sang, et s'il était arrivé quelque chose à Evangeline et que quelqu'un essayait de me prévenir?» Je m'en serais voulu de ne pas avoir répondu.

Drake ne put réprimer un petit sourire amusé.

—Je vais bien, maman, répondit Evangeline, s'empressant de rassurer sa mère avant qu'elle ne se fasse des films et imagine toutes les choses atroces qui auraient pu arriver à sa fille.

La mère d'Evangeline pensait que sa fille se ferait agresser, violer ou tuer dès sa première semaine passée dans cette ville de péchés. Elle et le père d'Evangeline l'avaient implorée de ne pas déménager à New York, n'avaient pas voulu qu'elle parte si loin d'eux. Dire qu'ils étaient trop protecteurs envers elle était un euphémisme.

Elle se mordit la lèvre, sachant que quand elle expliquerait la situation, ses parents piqueraient une crise et la supplieraient de rentrer à la maison. Drake la serra contre lui pour la rassurer et l'encouragea d'un hochement de tête, ce dont elle avait bien besoin. En cet instant, elle voulait se lover contre son torse puissant et y rester.

—J'ai un nouveau téléphone. L'ancien... euh, disons qu'il m'a lâchée et que je ne peux pas rester sans moyen de communication.

Son petit mensonge la fit grimacer, car elle ne mentait jamais et avait la malhonnêteté en horreur. Elle sentit la culpabilité enfler dans son ventre et demanda pardon pour ce petit bobard.

—Oh, bien sûr. Je suis contente que tu en aies racheté un tout de suite, c'est plus raisonnable, dit sa mère. Ce ne serait pas bien que tu vives dans cette grande ville sans pouvoir appeler à l'aide. Et si tu te blessais? Ou si on t'attaquait?

Tiens, l'autre jour, j'ai lu un article dans le journal à propos de deux femmes agressées dans la rue à New York. On n'est jamais trop prudent de nos jours.

Evangeline tressaillit, les yeux fermés ; le mensonge prenait de l'ampleur, car ce n'était pas elle qui avait acheté le téléphone, mais Drake. Jusqu'à présent, il lui avait tout acheté. Assise sur ses genoux, elle écouta sa mère dresser la liste des dangers de la vie en milieu urbain où on ne pouvait pas compter sur ses voisins et où les passants ignoraient la main tendue des mendiants assis sur les trottoirs.

Evangeline avait tenté d'expliquer à sa mère que ce n'étaient que des stéréotypes et qu'en réalité, New York était une ville sûre, même si elle vivait dans un quartier sensible. Ou plutôt, «avait vécu». Encore une chose à annoncer à sa mère. Mais celle-ci refusait de croire qu'une ville aussi grande que New York pouvait être sûre. Elle avait dit à Evangeline qu'elle était une âme douce et candide et la mettait régulièrement en garde : ici, elle devait se méfier de tout. Sa mère lui reprocherait sûrement de faire fi de toute prudence et de confier sa vie à un homme qu'elle ne connaissait que depuis quelques jours.

Drake s'agita contre elle et elle se tourna brusquement vers lui, se demandant ce qui n'allait pas ; mais elle le vit rire en silence, visiblement amusé.

— Euh… maman, papa est près de toi ? Tu peux le faire écouter aussi ? J'ai quelque chose à vous dire.

— Bien sûr.

Il y eut une longue pause ; sa mère semblait être en train de considérer la demande de sa fille, qui n'était pourtant pas inhabituelle. Evangeline se dit donc qu'elle avait dû déceler quelque chose dans sa voix.

—Chérie, tout va bien ? demanda sa mère avec inquiétude.

—Evangeline, comment ça va, ma puce ?

La voix rauque de son père réchauffa le cœur d'Evangeline, la rendant momentanément si nostalgique qu'elle fut incapable de respirer. Drake la serra contre lui et elle soupira. Que ce soit en personne ou au téléphone, elle affichait ses émotions comme sur un écran géant à Times Square.

—Je vais bien, papa, souffla-t-elle. La question, c'est comment tu vas, toi ? Comment tu te sens en ce moment ?

—Ça va très bien, grommela-t-il. Tu inquiètes ta mère, alors il va falloir cracher le morceau pour ne pas lui hérisser le poil.

Elle ne put s'empêcher de fondre et de sourire. Bon sang, ce qu'ils lui manquaient ! Elle voulait rentrer chez elle pour les voir, plus que tout au monde, mais le billet d'avion coûtait cher et c'était autant d'argent qu'elle ne pourrait leur donner. Dans l'immédiat, ils avaient besoin de son soutien financier davantage que de sa visite.

Enfin, Drake était en train de changer la donne. Peut-être que... Non, elle chassa cette idée. Certes, ses parents étaient pris en charge, et elle était reconnaissante, mais Evangeline n'avait plus de travail et pas les moyens de réunir l'argent nécessaire pour rendre visite à ses parents. Elle dépendait de

Drake pour tout, et son cœur se serra quand elle pensa aux ramifications de cette réalité.

— J'ai quitté mon poste de serveuse au pub, dit Evangeline, choisissant de passer aux aveux graduellement, en commençant par les événements les plus anodins.

— Dieu soit loué! dit sa mère avec ferveur.

— Bien, ajouta son père avec fermeté. Je n'ai jamais aimé te savoir dans un endroit pareil. Un bar n'est pas un endroit pour une gentille fille comme toi. Ça me mettait très mal à l'aise que tu sois obligée de faire ça parce que je ne peux plus subvenir aux besoins de ma propre famille.

La tristesse qu'elle décela dans la voix de son père lui serra le cœur. Ne savait-il pas qu'elle ferait n'importe quoi pour leur rendre tout ce qu'ils lui avaient donné quand elle était petite?

Drake faisait aller et venir sa main le long du bras d'Evangeline, s'arrêtant à son épaule, avant de reprendre le geste lent. Il était absorbé par la conversation, l'air pensif.

— Et j'ai rencontré quelqu'un, dit Evangeline dans un souffle.

En parlant, elle leva les yeux vers Drake, l'implorant en silence d'accepter la fiction qu'elle allait inventer. Sa mère et son père ne comprendraient pas. La nature de sa relation avec Drake les déconcerterait, et elle était certaine qu'ils sauteraient dans le premier avion… Non, pire, son père demanderait à sa mère de faire tout le trajet jusqu'à New York en voiture parce qu'il apporterait son fusil et mettrait du plomb dans les fesses de Drake pour avoir «déshonoré» sa fille.

—Je travaille pour lui maintenant, leur dit-elle. C'est un super poste. Avec un salaire fantastique. Et plein d'avantages, s'empressa-t-elle d'ajouter à l'intention de Drake.

Ses yeux brillaient et il souriait de toutes ses dents. Il était si canon qu'elle sentit son corps prendre vie. Ses tétons durcirent et pointèrent, et elle se trémoussa sur ses genoux pour tenter de soulager la palpitation entre ses cuisses.

—Mais c'est merveilleux, ma chérie! s'écria sa mère. Quand allons-nous le rencontrer?

Evangeline paniqua, évitant le regard de Drake; elle ne voulait pas être présomptueuse. Car, comme il le lui avait clairement fait comprendre, c'était lui qui menait la danse.

—Bientôt, répondit vaguement Evangeline. Mais il y a autre chose. Ça ne lui plaisait pas que je travaille au pub.

Avant qu'elle ne puisse poursuivre, son père l'interrompit.

—Bien. Ça m'a l'air d'être un homme qui a la tête sur les épaules et qui prendra soin de ma petite fille. Je suis content qu'il t'ait fait entendre raison.

Drake gloussa, étouffant le bruit avec sa main sous le regard noir d'Evangeline.

—Quand il a insisté pour savoir pourquoi je travaillais si longtemps et jusque si tard là-bas, je lui ai dit que je travaillais pour aider ma famille.

Sa mère poussa un petit cri de désarroi et Evangeline ferma les yeux; sa mère était attachée à sa fierté. Chose qu'elle et son père lui avaient léguée.

—Il veut aider, poursuivit Evangeline en vitesse pour chasser cet instant gênant. Il insiste pour que je ne travaille plus là-bas, et il va donc virer de l'argent sur votre compte demain. Je voulais vous appeler pour vous le dire, pour que vous ne pensiez pas que c'est une erreur ni que vous tiriez des conclusions hâtives.

Sa mère poussa un cri de stupeur mais se reprit aussitôt.

—Depuis quand connais-tu cet homme, au juste, Evangeline? Il est gentil avec toi? Tu peux toujours rentrer à la maison, tu le sais. On s'en sortira. On s'en est toujours sortis.

C'est à cet instant que Drake surprit Evangeline: il ramassa le téléphone et désactiva le haut-parleur avant de le porter à son oreille. Avant même qu'elle ne puisse lui demander de lui rendre le téléphone, il s'adressa à sa mère.

—Madame Hawthorn, je m'appelle Drake Donovan et je tiens beaucoup à votre fille. L'endroit où elle travaillait était dangereux.

Evangeline voulut protester, mais fut immédiatement réduite au silence par une pression ferme du bras qui enveloppait son corps.

—Non seulement ça, mais l'immeuble où elle vivait était insalubre et situé dans un quartier malfamé. Elle vivait au sixième étage et les ascenseurs ne fonctionnaient plus depuis au moins un an. Les verrous étaient si fragiles qu'un enfant aurait pu pénétrer par effraction. Je n'allais pas rester les bras croisés et la laisser se mettre en danger alors que je suis en mesure de l'aider, et c'est exactement ce que j'ai l'intention de faire. Evangeline est ma priorité, et comme vous êtes sa priorité, alors vous m'importez également parce que je veux qu'elle soit heureuse, et, plus que tout, je veux qu'elle soit en sécurité. Elle s'épuisait à la tâche, exposée à des hommes qui ne la respectaient pas, et je ne pouvais accepter que cette situation perdure. Je comprends vos inquiétudes et je les partage. Mais soyez tranquilles, Evangeline sera en sécurité sous ma protection et mes bons soins, et je pense que nous pouvons être tous d'accord pour dire que si vous êtes soutenus financièrement, cela sera un fardeau en moins sur ses épaules.

Il y eut un silence prolongé du côté de Drake, qui écoutait attentivement ce que ses parents disaient, et elle frétilla d'impatience et de frustration d'être exclue d'une conversation très importante qui la concernait. Plus elle restait assise là, piégée par l'étreinte de Drake, plus elle s'énervait, jusqu'à bouillonner de colère.

—Elle sera constamment sous ma protection, et elle habitera avec moi à partir de maintenant. Elle sera toujours en sécurité et son bonheur est de la plus grande importance pour moi, je pense que pour vous aussi. Je ne serais pas un homme digne de ce nom si je ne faisais pas tout mon possible pour soulager l'inquiétude et le stress d'Evangeline, et cela passe en partie par le fait de m'assurer que les gens qu'elle aime le plus au monde sont à l'abri. Par le passé, elle a assumé cette charge sans l'aide de personne. Cela va changer à partir de maintenant. Maintenant, elle m'a. Je serais ravi de vous fournir tous les numéros où me joindre ainsi que le numéro de téléphone de notre résidence, et vous devez avoir le nouveau numéro d'Evangeline puisqu'elle vous a appelés avec. Vous pouvez appeler à tout moment ; cependant, si vous avez la moindre inquiétude, et surtout, si vous avez besoin de quoi que ce soit, je préfère que vous passiez par moi, de façon que nous évitions d'inquiéter inutilement Evangeline.

Elle adressa un regard paniqué à Drake. Coupait-il toute communication entre ses parents et elle ? Les empêchait-il de la contacter directement ?

Il la serra contre lui et déposa un baiser sur son front tout en écoutant la réponse de ses parents.

—Oui monsieur, je comprends parfaitement, et à votre place, je ressentirais exactement la même chose. Laissez-moi vous promettre ceci : Evangeline sera *toujours* en sécurité avec moi, et je remuerai ciel et terre pour la rendre heureuse et pour mériter la confiance qu'elle m'accorde.

Mais elle la regrettait déjà, même s'il semblait que ses parents, son père en particulier, avaient donné leur bénédiction à cette inconcevable situation. Car elle avait l'impression que les attaches qui retenaient sa vie se desserraient et s'effilochaient à vue d'œil, et elle sentait sa maîtrise s'évaporer sous la domination de Drake. Elle se demanda comment elle pourrait rester intacte sous le contrôle d'un homme aussi puissant et exigeant que lui sans changer radicalement.

Elle n'avait peut-être pas grand-chose, mais elle avait toujours su qui elle était et où elle en était. Et voilà que Drake menaçait tout cela. Elle était bouleversée par ce qui venait de se produire. Peut-être que ce conte de fées lui avait fait perdre la mesure de ce qu'elle avait accepté de faire.

Ou peut-être avait-elle su exactement dans quoi elle mettait les pieds et que quelque chose en elle avait exulté sous l'autorité de Drake, s'était affirmé, et avait cherché à trouver ce qui lui avait manqué. Elle pouvait résister et risquer d'être insatisfaite, retournant à sa vie ordinaire. Ou elle pouvait accepter la vie inconnue mais attrayante que Drake lui offrait et découvrir, peut-être, qui elle était vraiment et ce que voulait la *véritable* Evangeline.

Chapitre 18

Drake sut qu'Evangeline était contrariée et déroutée quand elle se leva brusquement après qu'il eut raccroché le téléphone, et prétendit qu'elle avait besoin de se repoudrer.

Il n'allait pas le lui reprocher, ni lui rappeler qu'elle avait promis de lui céder tout contrôle et lui avait accordé sa confiance. Il ne voulait pas gâcher la soirée qu'il avait préparée pour elle. Et sa réaction était compréhensible. Plus il apprenait à la connaître et découvrait les différentes facettes de cette femme qui était désormais sienne, plus il aimait ce qu'il voyait. Il était profondément fier d'elle. Rarement une femme lui avait inspiré tant de respect et d'admiration, et il ne se souvenait pas d'avoir été fier de ses conquêtes, mais Evangeline était d'une autre trempe. Elle représentait un défi auquel il ne pouvait résister, même s'il l'avait voulu. Il la voulait tout entière, et anticipait chaque étape de leur relation. Il espérait seulement qu'elle serait capable de supporter tout ce qu'il lui réservait, car il tenait à la rendre aussi heureuse qu'il l'était avec elle.

Malgré sa fragilité et sa naïveté, Evangeline avait un cœur d'acier. Et après avoir écouté sa conversation avec ses parents puis leur avoir lui-même parlé, il se rendait compte qu'il s'était fourvoyé à leur sujet.

Il avait été en colère. Non, pas en colère. Il avait été furieux, car il pensait que ceux qui auraient dû protéger Evangeline avaient profité d'elle. Après avoir été témoin de l'amour évident qu'ils portaient à leur fille, il savait que les parents d'Evangeline déploraient autant que lui le fait qu'elle se sacrifie pour eux. Evangeline était déterminée à faire tout ce qui était en son pouvoir pour subvenir aux besoins de ceux qui l'aimaient et l'avaient élevée. Il ne connaissait pas beaucoup de jeunes femmes qui auraient été prêtes à mettre leur vie entre parenthèses indéfiniment pour venir en aide à leur famille.

Lui seul avait perçu le soulagement dans la voix de ses parents quand il leur avait dit qu'elle ne travaillerait plus jamais au pub et qu'il assurerait sa sécurité en permanence. Avec le recul, il se félicitait d'avoir coupé le haut-parleur avant d'interrompre leur conversation, car entendre les mots de ses parents n'aurait fait que blesser Evangeline.

Ils ne voulaient pas que leur fille se sacrifie pour subvenir à leurs besoins. Ils pouvaient difficilement se passer de l'argent qu'elle leur envoyait, mais ils auraient préféré qu'Evangeline fasse des études et soit heureuse, qu'elle vive sa vie, plutôt que de les faire passer avant tout le reste et de faire une croix sur son avenir. À l'évidence, ils étaient tous deux rongés par la culpabilité et voulaient une vie meilleure pour la fille qu'ils aimaient de tout leur cœur. Drake comptait bien faire ça pour Evangeline et pour ses parents.

Son père était particulièrement inquiet, car il avait informé Drake, sur le ton de la mise en garde, qu'Evangeline n'avait pas eu de petits amis au lycée malgré ses nombreux soupirants. Par conséquent, elle avait peu d'expérience et était très naïve. Cela l'inquiétait qu'elle ne possède par la culture citadine de New York et qu'on puisse profiter d'elle. Drake était du même avis que lui.

Il avait perdu son calme en entendant les dernières paroles du vieil homme. Il lui avait dit qu'Evangeline était renfermée, fuyait les relations amoureuses, n'était pas consciente de son charme. Mais que quand elle aimait, elle aimait de tout son cœur et de toute son âme, et que jamais une femme ne serait plus loyale ou fidèle à l'homme qu'elle chérissait. Si Drake était celui-là, il serait l'homme le plus chanceux au monde.

Il faillit jurer en attendant qu'Evangeline fasse son apparition. Il voulait qu'elle sourie, qu'elle resplendisse. Qu'elle illumine la pièce quand elle entrerait dans la salle privée qu'il lui avait réservée. Tous ses souhaits seraient satisfaits, et il n'épargnerait aucune dépense pour qu'elle profite de sa surprise.

Toute introspection supplémentaire lui fut épargnée quand Evangeline réapparut. Son maquillage avait été rafraîchi, mais elle avait dans ses yeux un air maussade qui ne lui plaisait pas du tout. Il était évident que quelque chose la contrariait et il voulait qu'elle soit heureuse et savoure sa soirée, pas qu'elle ait la tête ailleurs.

Il soupira et tendit la main, satisfait de la voir obtempérer et se diriger vers lui, toujours à son bureau. Il la rassit sur ses genoux, mais cette fois-ci, elle ne se détendit pas dans son étreinte, ne fondit pas contre lui comme auparavant.

—Ange, nous avons un accord. Si quelque chose te dérange, que ce soit important ou non, tu dois te confier à moi. Il est clair que quelque chose te tracasse. Je veux que rien ne gâche ta soirée, alors jusqu'à ce que tu me dises ce qu'il se passe dans ta petite tête, tu restes là avec moi.

Elle eut l'air... triste. Merde. Il n'aima pas sa réaction à son chagrin. Ni qu'il lui importe tant.

Puis elle se tourna vers lui, le regard empreint de peur et d'appréhension.

—Tu as dit à mes parents de t'appeler *toi*, pas moi, pour ne pas m'inquiéter inutilement. Tu leur interdis de me contacter directement ? Tu veux faire l'intermédiaire à partir de maintenant ? Aurai-je seulement le droit de leur parler ?

Il jura dans sa barbe, comprenant qu'elle avait mal interprété la conversation unilatérale qu'elle avait entendue.

—Ce n'est pas du tout mon intention. Ils sont libres de te contacter, évidemment, de la même façon que tu peux les appeler quand tu veux. Cependant, s'ils ont besoin de quoi que ce soit, je veux qu'ils se tournent vers moi, car je ne veux pas que tu t'inquiètes pour quelque chose que j'ai le pouvoir d'arranger.

Elle hocha lentement la tête et son corps se détendit sous le coup du soulagement. Puis elle lui adressa un regard affligé.

—Je suis désolée. Je te déçois déjà. J'ai promis de te faire confiance et pourtant je doute de toi à la première occasion.

Dans des circonstances ordinaires, oui, Drake serait furieux. Il n'aurait jamais pardonné ces offenses à une autre femme qu'Evangeline, mais il la comprenait et il ne pouvait se résoudre à la sermonner alors qu'elle s'inquiétait pour ses parents.

Il l'embrassa sur le front.

—Tu ne m'as pas déçu, Ange. J'imagine que nous ferons tous les deux des erreurs dans les premiers moments de notre relation. Sois patiente avec moi et je serai patient avec toi.

Elle sourit, et ses yeux se remirent à pétiller.

—Bon, c'est quoi cette histoire de surprise?

Il caressa son dos, incapable de résister à l'envie de toucher sa peau nue et soyeuse.

—Je crois que j'ai dit que nous allions manger d'abord. Tu dois être morte de faim. Et puis, ce n'est pas encore l'heure de ta surprise.

Elle lui adressa une moue adorable, mais il doutait que ce soit intentionnel ou qu'elle soit même consciente qu'elle faisait la moue. Puis, sourcils froncés, elle baissa les yeux vers sa robe, l'air embarrassé.

—J'aurais peut-être dû manger avant de me changer. Je vais certainement en mettre partout sur ma robe et je serai obligée de me remaquiller.

— Non, dit calmement Drake. Car chaque bouchée que tu mangeras viendra de ma main.

Elle se tourna vers lui, les yeux écarquillés.

— Oui, mon ange. Tu vas rester assise là sur mes genoux pendant que je te donnerai à manger, et je vais profiter de chaque seconde. Et si jamais ta bouche se salit, je serai ravi de te nettoyer ça.

Elle semblait perplexe.

— Pourquoi voudrais-tu me donner à manger? Ça ne devrait pas être à moi de le faire pour toi puisque je suis ta soumise?

C'était la première fois qu'elle reconnaissait ouvertement ce qu'elle était, et Drake fut ravi que cela lui vienne naturellement.

Il la serra contre lui, lui faisant savoir que sa question et l'acceptation dans sa voix lui faisaient plaisir.

— J'ai des responsabilités en tant que dominant, dit-il. Oui, tu m'obéis, tu ne rends de comptes qu'à moi, mais c'est aussi mon boulot de prendre soin de toi et de satisfaire tes moindres besoins. L'acte de nourrir ma compagne est très intime et j'aime beaucoup ça; par conséquent, ça me fait plaisir.

— Oh, souffla-t-elle, l'air pensif, assimilant son explication.

On frappa à la porte, signe annonciateur de l'arrivée du repas que Drake avait commandé. Evangeline se crispa, mais il garda son bras autour de sa taille pour qu'elle ne bondisse pas à terre, et il la serra contre lui pour la rassurer; elle se détendit de nouveau.

—Entrez, dit Drake.

La porte s'ouvrit et des employés de cuisine sortirent de l'ascenseur avec un chariot puis installèrent les assiettes sur le bureau, disposèrent les plats et ustensiles, et servirent du vin à Drake et Evangeline. À peine quelques secondes plus tard, ils étaient à nouveau seuls.

Il plaqua Evangeline tout contre son torse de manière à pouvoir tendre les bras vers le bureau pour couper le steak.

Puis il harponna un morceau et le porta aux lèvres d'Evangeline, attendant qu'elle ouvre la bouche et accepte son offrande.

Elle se passa la langue sur les lèvres, le faisant presque geindre, avant de les entrouvrir pour laisser la fourchette se glisser sensuellement dans sa bouche. Elle soupira de plaisir en mâchant.

—C'est bon ? demanda-t-il.

—Très, acquiesça-t-elle d'une voix enrouée.

Au fur et à mesure qu'il la nourrissait, avec une pause de temps en temps pour prendre lui-même une bouchée, Evangeline se détendait jusqu'à être avachie contre lui. Il sentait ses mouvements quand elle mâchait et avalait, son corps bouger contre le sien, et il fut saisi par une satisfaction qui lui avait échappé pendant bien trop longtemps.

Il remarqua que chaque fois qu'il mangeait un morceau avant de lui en mettre un dans la bouche, elle prenait son temps, retenant la fourchette pour la faire glisser sur sa langue comme si elle voulait absorber chaque partie de la langue de Drake, qui venait de toucher ce qui était à présent dans sa bouche. C'était complètement innocent. Il doutait qu'elle ait conscience de ce qu'elle faisait, mais c'était sacrément excitant et son érection devait sans aucun doute marquer son empreinte sur les fesses d'Evangeline.

Au diable l'inconfort. Il refusait de bouger d'un pouce pour soulager son entrejambe car Evangeline était très bien où elle était. Elle était à lui. Elle lui appartenait. Il pouvait la posséder quand il voulait, comme il voulait, et cela lui plaisait. Jamais il n'avait autant pris son temps avec une femme, mais Evangeline était unique, et pour elle, l'attente ne faisait qu'attiser son désir.

Mais ce soir... Plus tard, quand il la ramènerait à la maison, il lui montrerait sa domination et exigerait sa soumission. Physiquement. C'était une jeune femme solide. Son apparence était trompeuse, tout comme sa naïveté. Elle était plus forte intérieurement que la plupart des hommes qu'il connaissait, et pourtant elle était la femme la plus douce et la plus délicate qu'il ait jamais rencontrée, ce qui captivait les autres au premier coup d'œil.

Il était persuadé qu'elle était prête et en mesure de supporter ce qu'il avait prévu. Il n'avait qu'une hâte, que la soirée soit finie pour qu'il puisse la ramener chez eux et assouvir les fantasmes érotiques qui l'animaient depuis l'instant où il avait posé les yeux sur elle.

Evangeline finit par se laisser complètement aller contre Drake, calant sa tête sous son menton en poussant un soupir satisfait.

—Je ne peux pas avaler une bouchée de plus. J'en ai envie, mais je suis à deux doigts d'exploser, dit-elle avec regret.

Il repoussa l'assiette et l'étreignit, savourant la douceur féminine au creux de ses bras. Il n'aimait rien tant que de tenir une femme satisfaite contre lui. D'autant qu'elle était comblée grâce à lui, ce qui lui procurait une joie immense.

Il enfouit son visage dans ses cheveux en prenant garde à ne pas défaire l'élégant chignon qu'elle avait fait, ou bien elle s'enfuirait dans la salle de bains pour le refaire, et il préférait qu'elle reste là où elle était pour l'instant.

—Tu avais raison, murmura-t-elle, son souffle courant délicatement sur la peau de Drake.

Evangeline disait tout ce qui lui passait par la tête ; il était certain qu'il ne serait jamais capable de prédire ce qu'elle pensait. Il céda à la curiosité.

—À quel propos, Ange ?

—C'est très intime de se faire nourrir par quelqu'un, avoua-t-elle. Je pensais que c'était absurde. Mais c'était… Ça m'a… excitée.

Son honnêteté naturelle le fit sourire, et il se félicita d'avoir décidé de s'approprier cet ange blond aux yeux bleus.

—Moi aussi, ça m'a excité, avoua-t-il, la voix rauque.

—Dommage que tu aies prévu autre chose ce soir, le taquina-t-elle d'une voix espiègle.

—Oh, ne t'en fais pas, Ange, dit-il en riant. J'ai d'autres projets pour toi ce soir. D'ailleurs, j'ai prévu tout un tas de choses pour notre retour à la maison.

Elle gigota sur ses genoux, manifestement excitée par ses insinuations, et il faillit grogner, car ce contact ne lui donnait qu'une envie : s'enfoncer en elle aussi loin que possible.

Elle soupira.

—Tu es un vrai allumeur, Drake. Comment puis-je profiter de ma surprise maintenant que je sais ce qui m'attend ?

Il prit un de ses seins au creux de sa paume à travers le fin tissu de la robe et caressa son téton du pouce jusqu'à ce qu'il se dresse. Puis il fit taire son soupir d'un baiser ardent jusqu'à ce qu'ils soient tous deux à bout de souffle.

—Va t'amuser, puis nous nous amuserons tous les deux, ensemble.

Chapitre 19

Le trajet jusqu'à l'appartement se fit dans un silence troublant. Evangeline était blottie contre le corps musclé de Drake, sa tête reposant sur son large torse. Elle avait fini par aimer son attitude possessive. En fait, elle adorait ça. Pour la première fois de sa vie, elle avait l'impression d'être à sa place. Même si elle ne pouvait s'empêcher de se sentir étrangère à ce mode de vie excessif et somptueux. Et pourtant. C'était la première fois qu'elle avait l'impression d'avoir retrouvé un foyer depuis qu'elle avait quitté celui de ses parents.

Qui aurait pu croire qu'elle s'amuserait tant dans le club où elle avait subi la pire des humiliations à peine quelques jours auparavant ? C'était récent, dans les faits, et pourtant elle avait l'impression que cela faisait une éternité. Tant de choses s'étaient passées lors de ce fameux soir. Étrangement, c'était grâce au plan de ses amies – et au désastre qui s'était ensuivi – qu'elle était là, en compagnie de Drake.

Comme sa mère aimait à le dire, les voies du destin sont impénétrables. Tenter de prédire l'avenir était comme essayer d'empêcher l'eau de glisser entre nos doigts. Evangeline soupira et se blottit tout contre Drake.

Il tourna la tête vers elle.

—C'était quoi, ce soupir ? demanda-t-il.

Elle haussa les épaules et enfouit son visage contre son torse. Pour une fois, elle ne laissa pas la vérité lui échapper. Comment expliquer ce qu'elle ne comprenait pas tout à fait elle-même ? Sans mentionner que même si elle avait peu d'expérience avec les hommes, elle était presque certaine que prononcer des mots comme « destin » à ce stade de la relation pousserait la plupart d'entre eux à appuyer sur la pédale de frein. Elle allait plus vite que la musique et devait se souvenir, pour la première fois de sa vie, de ne pas se projeter dans l'avenir, mais de vivre l'instant présent. Aujourd'hui. D'accepter chaque jour comme il venait et de profiter du voyage.

Étonnamment, Drake n'insista pas. Peut-être sentait-il son introspection subite. Ils firent le reste du trajet en silence, sa chaleur l'enveloppant comme un cocon.

Lorsqu'ils arrivèrent chez Drake, il la tira doucement hors de la voiture avec lui puis passa un bras protecteur autour d'elle pour la guider d'un pas vif dans le hall. Puis il congédia les deux hommes qui l'avaient accompagné. Elle n'avait pas remarqué ses gardes du corps, qui se volatilisèrent aussitôt dans l'ombre. Elle se demanda même si elle n'avait pas imaginé leur présence.

Lorsqu'ils sortirent de l'ascenseur, Drake retira sa veste de costume et la jeta, comme il le faisait chaque fois qu'il rentrait chez lui, sur le portemanteau près de la porte, puis il déboutonna les manches de sa chemise avant de les remonter pour se mettre plus à l'aise.

— Tu as apprécié ta soirée en boîte ? demanda-t-il. Tu m'as fait penser à une princesse tenant salon au milieu d'une foule d'admirateurs. Que ce soit au bar ou sur la piste de danse, on ne voyait que toi.

Il lui sourit complaisamment, tandis qu'elle rougissait, gênée. Au départ, elle n'avait eu aucune envie de passer sa soirée au club, mais elle devait admettre qu'elle s'était vraiment amusée une fois qu'elle s'était détendue.

Être une VIP était plutôt sympa, mais être une Princesse VIP, comme Maddox l'avait surnommée, c'était tout bonnement exceptionnel. Elle avait comparé tout ce qui lui était arrivé jusque-là à un conte de fées, mais ce soir ? C'était un rêve high-tech, futuriste et absolument génial qui surpassait de loin les contes de fées.

Elle avait souri, elle avait ri, de parfaits inconnus avaient fait preuve de bienveillance à son égard, et Drake avait beau être un gros dur, il était impossible qu'il ait pu prendre ses dispositions dans un délai aussi court pour que toutes les personnes dans la boîte de nuit jouent un rôle et fassent semblant de tolérer son existence. La seule conclusion possible était que… c'était de la magie.

Elle avait quelque part une bonne fée qui avait agité sa baguette magique et transformé le quotidien d'Evangeline.

Et le meilleur? Il était minuit passé, et son prince se tenait devant elle avec une expression délicieuse sur le visage.

Elle se jeta dans ses bras, le serrant fort contre elle.

—Merci. C'était la meilleure soirée de ma vie! Mais mon moment préféré reste celui où nous étions seuls dans ton bureau et que tu m'as donné à manger.

Elle rougit aussitôt, embarrassée d'avoir fait cet aveu. Car elle avait l'impression de renvoyer l'image d'une chatte ronronnant parce que son maître lui a donné une friandise.

Il lui souleva le menton pour la forcer à soutenir son regard.

—Je suis content que tu aies aimé être nourrie de ma main car je compte le faire souvent. Je suis très sérieux quand je dis que je veux prendre soin de toi, Evangeline. En toutes choses. Et ce soir, je vais te dévoiler une facette que tu n'as encore jamais vue ou connue jusqu'à présent. Tu es prête pour ça?

Elle déglutit nerveusement, mais l'excitation la fit frémir d'impatience. Elle eut la bouche sèche et passa sa langue sur ses lèvres. Il réagit à son geste innocent, ses yeux de braise admirant sa bouche, puis descendant plus bas… et encore plus bas.

—Va dans la chambre et déshabille-toi, dit-il avec douceur. Je veux que tes cheveux soient détachés. Garde tes bas et tes chaussures. Installe-toi à quatre pattes sur le lit, les genoux le plus au bord possible tout en étant à l'aise sans risquer de tomber. Je te laisse un moment pour te préparer, j'ai quelques coups de fil à passer.

Même si le ton de Drake était flegmatique, Evangeline comptait bien être prête quand il ferait son entrée, et elle se précipita dans la chambre et se déshabilla, ignorant la pudeur naturelle que lui inspiraient les instructions de son amant.

Elle enleva tout, en prenant soin de ranger les cadeaux que Drake lui avait faits dans l'une des petites boîtes à bijoux qui avait accompagné un des présents. Elle jeta sa robe et ses chaussures dans le dressing et retira à la hâte ses sous-vêtements, avant de se rappeler qu'il voulait qu'elle garde ses bas et ses chaussures.

Avec un juron, elle remit les escarpins puis retira son soutien-gorge et sa culotte. Elle n'osa pas se regarder dans le miroir pendant qu'elle détachait ses cheveux. Elle ne voulait pas savoir à quoi elle ressemblait ni ce que Drake verrait quand il entrerait dans la pièce.

Lorsqu'elle retourna sur le lit, elle l'examina nerveusement, repassant en revue les indications que Drake lui avait données, pour savoir comment se positionner correctement. Elle finit par ramper sur le lit, plaçant ses mains à plat sur le matelas et reculant les genoux jusqu'à ce qu'ils soient au bord.

Elle se sentit intensément vulnérable, sachant qu'elle ne verrait pas Drake quand il entrerait dans la pièce puisqu'elle était dos à la porte, et elle se demanda s'il avait fait exprès de lui donner ces directives afin d'avoir un effet de surprise. Elle savait déjà qu'il exigeait d'avoir le dessus en toutes choses.

Puis elle se demanda si elle ne s'était pas trop dépêchée et combien de temps elle devrait attendre dans cette position, car Drake n'avait pas précisé le nombre de coups de téléphone qu'il devait passer ni leur durée. Là encore, il avait certainement fait exprès pour accroître son impatience.

Tout son corps était en feu, fourmillant, alors qu'elle imaginait ce qu'il ferait, comment il la toucherait, jusqu'à quel point il serait dur et exigeant. Elle se souvint de son avertissement après qu'il lui avait fait l'amour la première nuit. Qu'il fallait que ce soit comme si c'était sa première fois, mais que ce ne serait pas toujours ainsi avec lui.

Elle frissonna, loin d'avoir peur. Elle était même pressée de sentir l'instant où il déchaînerait son pouvoir sur elle. Elle aurait dû être effrayée et pourtant, elle ne pouvait se résoudre à avoir réellement peur de lui. Elle avait peur de l'inconnu, de ne pas savoir exactement ce qu'il prévoyait, mais elle n'avait pas peur de *lui*.

Il avait fallu des mois à Eddie pour l'attirer dans son lit, et même alors, même si elle pensait que c'était le bon, elle n'avait pas vraiment eu envie de franchir le cap avec lui. À présent, elle se rendait compte qu'elle ne lui avait pas fait entièrement confiance, et à juste titre. En revanche, après quelques heures passées avec Drake, celui-ci lui avait donné un orgasme époustouflant et lui avait fait l'amour de manière si exquise que son expérience avec Eddie n'était plus qu'un lointain souvenir.

Elle ferma les yeux, se laissant aller à l'ivresse qui s'emparait de son corps, l'enveloppant d'un brouillard léthargique causé par la passion. Elle était si immergée dans ce nuage chaud et vaporeux qu'elle ne remarqua pas tout de suite la présence de Drake dans la pièce. Ce ne fut que lorsqu'il passa ses mains dans ses cheveux puis empoigna sa chevelure de façon à lui relever la tête qu'elle se rendit compte qu'il se tenait juste derrière elle.

Puis il la poussa en avant, face contre le matelas, lui intimant de tourner la tête sur le côté pour pouvoir respirer.

Puis elle fut sidérée de le sentir lui attacher les poignets dans le dos à l'aide d'une corde.

Une protestation monta à sa gorge mais elle la ravala, refusant d'opposer une résistance quelconque à la première manifestation de domination de Drake. Sexuellement parlant. L'autorité qu'il exerçait sur elle l'excitait. Son manque absolu de contrôle sur la situation ne faisait qu'attiser son désir. Elle avait déjà le souffle court. Tous les muscles de son corps étaient contractés. Ses tétons étaient si durs que tout contact était une vraie torture, et un brasier s'était allumé entre ses jambes. Elle se trémoussait pour essayer de se soulager.

—Ne bouge pas, dit brusquement Drake, la faisant sursauter.

Son ordre s'accompagna d'une fessée retentissante. Cela la surprit d'abord, et le feu envahit la fesse qu'il avait claquée sans ménagement, mais dès que la douleur s'évanouit, il ne resta sur sa peau qu'une exquise brûlure. De toute évidence, Drake connaissait parfaitement les limites d'une femme.

Elle ferma les yeux pour chasser cette pensée qui risquait de ruiner sa soirée. Elle ne voulait pas savoir combien de femmes s'étaient succédé dans la vie de Drake. Elle voulait seulement s'abandonner au plaisir qu'il pouvait lui donner, quelle que soit la durée de leur relation.

Il lui massa les fesses des deux mains puis ses doigts s'aventurèrent plus bas. Il en glissa un dans son vagin, et la caressa tandis qu'elle se contractait autour de lui, en voulant plus, le voulant lui. Pas seulement ses doigts. Elle le voulait tout entier.

Maintenant qu'elle savait qu'elle pouvait s'adapter à la taille de son membre, elle voulait en jouir aussi souvent que possible. Elle savait au fond de son cœur qu'aucun homme ne pourrait lui donner autant de plaisir que Drake. Jamais il n'y aurait un autre homme autant en phase avec elle qui ne reculerait devant rien pour lui offrir ce dont elle avait besoin.

—Ce soir c'est pour moi, murmura-t-il. Chaque partie de ton corps portera mon empreinte. Je vais te marquer pour qu'il ne fasse aucun doute que tu m'appartiens, corps et âme.

Elle soupira, les yeux fermés, et laissa les mots percutants l'envelopper comme une douce brume. Elle avait besoin de ça, elle en avait envie. Cette prise de conscience la choqua. Mais après avoir été aux petits soins pour les autres pendant si longtemps, à être toujours celle qui prenait les rênes et qui faisait ce qui devait être fait, pour une fois, quelqu'un faisait quelque chose pour *elle*, la soulageait de la nécessité de prendre toutes les décisions et d'assumer toutes les responsabilités. Avec Drake, elle pouvait se laisser aller, elle n'avait pas peur d'être à sa merci.

—Je sais que tu as les épaules assez larges pour ça, mon ange, dit-il. Tu es d'une innocence rare. Un vrai trésor. Tu es belle à l'intérieur comme à l'extérieur. Mais tu caches une force intérieure que la plupart des hommes ne possèdent pas, et je ne doute pas une seconde que tu peux encaisser tout ce que je te ferai ce soir, et que tu aimeras ça.

Elle frissonna et un gémissement s'échappa de ses lèvres entrouvertes. Drake lui pinça les fesses d'une main tout en la pénétrant plus profondément de l'autre. Elle commençait déjà à savoir quand il prenait du plaisir à son langage corporel et à sa façon de la toucher, et elle savait qu'il avait apprécié sa réaction, son simple gémissement d'excitation.

Un précepte que Drake lui avait dit au tout début lui revint à l'esprit. « *Tu n'as pas le droit de me dire non. Jamais.* » Cela aurait dû l'alarmer car elle était totalement à sa merci : il pouvait lui faire ce qu'il voulait en ce moment et il n'y avait rien qu'elle puisse faire pour l'arrêter. Mais elle ne voulait pas qu'il arrête, et elle se rendit compte qu'elle lui faisait confiance, tant sur le plan émotionnel que sur le plan physique. Cet homme ne lui ferait pas mal. Même s'il avait dit que cette soirée était pour lui, elle ne doutait pas une seconde qu'elle en tirerait autant de plaisir que lui.

Il lui donna une nouvelle fessée cinglante. Cette fois, elle ne sursauta pas et la douleur ne se fit même pas sentir car elle savait que le plaisir l'emporterait sur la gêne initiale.

Un autre gémissement haletant lui échappa et Drake jura doucement tout en retirant ses doigts de son intimité.

— Tu aimes ça, dit-il, visiblement satisfait. Tu es devenue si mouillée autour de mes doigts quand je t'ai fessée. Maintenant je vais prendre ce joli petit cul, Ange. Mais je vais tellement bien te préparer avant ça que tu seras folle de désir et que tu me supplieras de te prendre.

Elle écarquilla les yeux, choquée, car elle n'avait jamais envisagé le sexe anal. C'était l'une des choses figurant en bonne place dans sa liste des pratiques sexuelles qu'elle refusait d'essayer. Même avec Drake ? Il ne lui laisserait pas le choix de toute façon, mais elle n'était plus aussi réticente à l'idée d'essayer – et d'accepter – ce qu'il choisirait de lui faire.

—Je ne te ferai pas mal, Ange, dit-il doucement. Je vais te bousculer. Tester tes limites. Et sur le fil entre plaisir et douleur, tu atteindras l'extase et tu apprendras aussi que quand un homme sait ce qu'il fait, la douleur est plaisir. Le mélange peut être grisant et incomparable à ce que tu as pu connaître auparavant. Mais c'est à moi qu'il revient de ne pas t'emmener trop loin et de m'assurer que tu ressens plus de plaisir que de douleur.

La sincérité dans sa voix la fit fondre, et elle fut soudain impatiente qu'il commence. Elle voulait connaître chacune des choses qu'il avait décrites. Elle se mit à onduler des hanches, son corps s'embrasant déjà au simple son de ses mots. Ce serait infiniment plus enivrant quand il mettrait en œuvre ses promesses…

Cela lui valut une autre claque sur son cul rebondi, détail qui ne semblait pas le gêner le moins du monde. En réalité, il avait toujours fait preuve d'admiration pour son corps, si imparfait soit-il. Elle avait la taille fine, mais son ventre était loin d'être plat et elle manquait de fermeté par endroits. Et elle avait de larges hanches, ce qui lui donnait une forme ronde presque disproportionnée par rapport à sa taille et même à ses seins. Ses fesses étaient rebondies, trop à son goût, raison pour laquelle elle portait rarement des vêtements moulants.

Le seul problème était que, comme Drake avait sélectionné à l'avance la majeure partie des tenues qu'elle avait achetées, presque tous les vêtements étaient moulants ou correspondaient à ce qu'il aimait chez elle.

Rien de ce qu'il avait exprimé, que ce soit verbalement ou dans son langage corporel, ne suggérait que sa « rondeur » lui déplaisait, au contraire. Les amies d'Evangeline levaient les yeux au ciel et la réprimandaient chaque fois qu'elle utilisait le mot « ronde » pour se décrire, mais à quoi bon se mentir ? Face au miroir, elle voyait bien qu'elle n'incarnait pas la femme parfaite selon les critères de la société. Et Drake, qui pouvait avoir des femmes bien plus désirables en un claquement de doigts, l'avait choisie et s'énervait quand elle minimisait ses atouts.

Puis elle se souvint du soir où il avait dit très franchement, sans avoir l'air de le dire pour l'apaiser, que les autres femmes l'avaient traitée avec froideur et mépris car elles jalousaient sa beauté naturelle – une beauté naturelle pour laquelle la plupart des femmes dépensaient des centaines de milliers de dollars sans jamais pouvoir atteindre ce dont Evangeline avait été naturellement dotée.

Comment était-elle censée réagir ?

Elle savait qu'elle n'était pas moche, mais elle n'était pas non plus renversante. Elle était simplement normale.

Dans la moyenne. Pourtant, Drake la voyait différemment. Elle le voyait dans ses yeux quand il la regardait sans savoir qu'elle l'observait discrètement. Pour une raison inexplicable, il la trouvait attirante, et elle avait du mal à croire qu'il avait traité ses précédentes conquêtes avec les mêmes égards.

Il s'était assuré que ses amies et sa famille étaient à l'abri parce qu'il ne voulait pas qu'elle s'inquiète. Il voulait qu'elle lui cède tout contrôle et lui accorde un pouvoir ultime. Bon sang, elle aimait ça. Non, elle *adorait* ça, plus qu'elle n'aurait dû en tant que femme indépendante habituée à subvenir à ses propres besoins et à ceux de sa famille sans l'aide de personne.

La voix de Drake interrompit ses rêveries, le ton mordant.

— Tu es ici avec moi, Evangeline ? Parce que si tu as autre chose à faire, je t'en prie, je ne voudrais pas te retenir.

Elle cligna des yeux et tourna la tête autant que possible pour pouvoir le regarder. La colère non dissimulée dans sa voix manqua de la faire frémir.

Merde.

Elle l'avait ignoré, et personne ne devait jamais commettre cette erreur.

— Je réfléchissais, dit-elle dans un souffle, en toute honnêteté.

Décidément, elle ne savait pas mentir.

— À quoi ? demanda-t-il d'un ton glacial. Quand je te baise, il vaudrait mieux que je sois la seule chose à laquelle tu penses, sinon on va au-devant de sérieux problèmes.

— Je me disais que je me sentais belle avec toi, dit-elle, avec tant de sincérité qu'il ne put douter de sa parole. Je ne me suis jamais sentie belle avant. Jusqu'à toi. C'est une sensation troublante, et pourtant c'est la plus folle des sensations. Et…

Elle marqua une pause, mais Drake avait toujours les yeux rivés sur elle, même si son expression s'était adoucie.

— Et…, l'encouragea-t-il, avec plus de douceur.

— Je me disais que si j'ai déjà reconnu pour moi-même que je te fais confiance émotionnellement parlant, je me rends compte ici et maintenant que, alors que tu pourrais me faire ce que tu veux, que je suis totalement impuissante et attachée dans ton lit, et que je ne fais pas le poids physiquement face à toi, je sais que tu ne me feras pas de mal. Je le sais, Drake.

Il eut l'air perplexe, comme s'il ne savait comment réagir à sa déclaration passionnée.

— Je suis désolée si j'ai donné l'impression de ne pas te prêter attention, s'empressa-t-elle d'ajouter. Je ne pensais qu'à toi et je brûle de savoir ce que tu vas me faire. Je ne veux pas que tu te retiennes, Drake. Tu avais raison. Je suis plus forte qu'il n'y paraît et je ne m'enfuirai pas en hurlant de ton appartement parce que tu me montres tout ce dont tu m'as parlé. Je veux tout de toi, tout ce que tu peux m'offrir, à la fois physiquement et émotionnellement.

Elle prit soin d'exclure le mot «financièrement» de sa déclaration, et elle savait qu'il avait relevé cette omission. Elle ne voulait pas qu'il pense qu'elle était avec lui par intérêt. Cela ne ferait que dévaloriser leur lien, et elle voulait que la beauté de leur relation reste intacte.

Il n'y avait plus aucune trace de colère ou de mécontentement dans les yeux de Drake quand il reprit la parole.

— Tu sais à quel point c'est rare de trouver quelqu'un d'aussi honnête que toi ? demanda-t-il d'une voix rauque.

Elle ferma les yeux, gênée, le visage en feu à cause de sa façon de la regarder. Comme s'il voyait chez elle bien plus que ce que les autres voyaient. Même ses amies. Ce que ses amies considéraient comme un défaut qui n'apporterait que honte et peine pour Evangeline, Drake le voyait autrement.

Elle sentait que c'était un homme qui avait enduré beaucoup de malhonnêteté dans sa vie, ce qui expliquait certainement pourquoi il était aussi direct, aussi franc. Il n'édulcorait pas ses propos et ne ménageait pas les susceptibilités.

S'il n'avait jamais été entouré de gens honnêtes et était homme à dire la vérité toute nue, il était naturel qu'il apprécie ces qualités chez Evangeline ; l'hypocrisie était contraire à sa nature.

Elle avait bien remarqué que ses hommes, ceux en qui il avait toute confiance et qui semblaient au-dessus des autres membres du personnel, partageaient les traits de caractère de Drake. Francs, directs, inspirant obéissance et respect à ceux qui les entouraient.

— Regarde-moi, Ange, ordonna fermement Drake. (Elle ouvrit grand les yeux pour croiser de nouveau son regard.) Tu ne dois jamais avoir honte parce que tu es honnête et sincère. Les gens comme toi sont rares et, malheureusement, on profite souvent d'eux. Je ne veux pas que tu penses que c'est ce que je fais. Je te veux, mais jamais je ne profiterai de toi.

— Parfois, je suis trop honnête, murmura-t-elle. Tout le monde ne veut pas entendre la vérité, et tout le monde ne veut pas savoir ce que je pense à tout instant.

Il fit glisser sa main sur la courbe de ses fesses, puis à l'intérieur de sa cuisse, effleurant son intimité du doigt.

— Je veux toujours entendre la vérité, dit-il d'un ton très sérieux. Surtout quand il s'agit de toi et de ce que tu penses ou de ce que tu ressens. Ne te sens jamais obligée de me mentir sur quoi que ce soit. Sinon, cela implique deux choses. Que je ne fais pas mon boulot correctement, et que j'ai échoué à garder ta confiance. Ce qui n'est pas acceptable.

Elle poussa un soupir de soulagement. Pendant si longtemps, elle avait dû choisir ses mots avec précaution, ne voulant blesser personne par inadvertance. Il était difficile d'aller à l'encontre de ce que ses parents avaient instillé si fermement en elle. Mais elle refusait aussi de mentir purement et simplement, alors, la plupart du temps, elle se contentait de ne rien dire du tout.

— Tu ne sauras jamais combien j'apprécie de pouvoir être moi-même avec toi, Drake, dit-elle, plongée dans ses yeux hypnotiques.

Il glissa un autre doigt en elle, la faisant gémir. Elle ferma les yeux, sentant le plaisir envahir son corps, laissant une trace ardente comme si elle avait été brûlée par son simple contact.

— Ouvre les yeux. Je veux voir ton regard quand tu jouis, ordonna Drake d'un ton ferme.

Elle frissonna ; il s'était de nouveau glissé, avec une facilité déconcertante, dans son rôle de mâle dominant par excellence démontrant son pouvoir et son contrôle sur son amante.

Elle obéit instantanément et sut qu'il approuvait sa soumission. Son langage corporel n'était peut-être pas déchiffrable pour les autres. Ni le changement presque imperceptible dans ses yeux. Mais elle avait déjà appris la signification de chacune de ses expressions, ou du moins de celles dont elle avait été témoin jusqu'à présent.

Puis une chose lui vint à l'esprit ; sourcils froncés, elle chercha son regard tandis qu'il continuait de la doigter.

—Je croyais que tu avais dit que cette soirée était pour toi, dit-elle d'une voix rauque et sexy qu'elle ne reconnut pas.

Les yeux de Drake scintillèrent et son sourire se fit presque cruel. Il se dégageait de lui quelque chose de sauvage qui le rendait irrésistible. Tout en lui plaisait à Evangeline. Elle pensait que les hommes comme Drake n'existaient que dans les romans.

C'était un homme craint des autres : son pouvoir et son comportement prédateur n'étaient un secret pour personne. Elle avait eu pour règle d'éviter les hommes comme Drake, et elle ignorait pourquoi elle avait été si inexorablement attirée par lui et sa nature dominatrice. Elle aurait dû être terrifiée. Et non attendre avec impatience qu'il lui fasse tout ce qu'il lui avait promis.

—Ange, si tu crois que ce n'est pas pour moi que je te fais jouir alors que tu es à genoux, les fesses en l'air, mouillant ma main, tu te trompes. Oui, ce soir, je ne bouderai pas mon plaisir. Pour ce que je veux et ce que je veux te faire. Et te regarder jouir sous mon toucher, ma langue et ma queue ? Oui, tout ça c'est pour moi. Tout homme serait fou d'excitation à l'idée d'avoir une femme innocente comme toi attachée dans son lit.

Sa poitrine se serra douloureusement parce que, putain… que pouvait-elle répondre à ça ?

Puis elle ne put plus rien dire, car Drake se mit à la pénétrer plus profondément, se servant d'une main pour explorer sa chair tendre et sensible tandis que, de l'autre, il lui pinçait les tétons, lui caressait les seins et le ventre, et descendait le long de sa colonne vertébrale avant de lui donner une nouvelle fessée.

Elle avait le souffle court et ne tiendrait pas beaucoup plus longtemps ; mais elle ne voulait pas que ça s'arrête, même s'il lui avait promis que ça ne faisait que commencer.

Elle se mit à trembler violemment. Son orgasme enflait, une vague d'une intensité rare déferla en elle, et elle se demanda si elle n'allait pas s'évanouir de plaisir. Elle était trop loin, avait complètement perdu le contrôle de son corps, et n'avait conscience de rien d'autre que Drake, ses caresses, et le son de sa voix.

Elle était incapable de réfléchir. Elle ne pouvait que ressentir et frémir, se rapprochant inexorablement de l'abîme béant et de l'instant où elle tomberait en chute libre avec seulement Drake pour la rattraper, la protéger, comme il avait promis de toujours le faire.

— C'est ça, Ange, dit Drake, la voix rauque, empreinte de désir. Laisse-toi aller, mais ne me quitte jamais des yeux. Quand tu jouis, je veux voir ton regard s'embrumer sous l'effet du plaisir que je te donne, et avoir la certitude qu'aucun autre homme ne verra ce que je verrai. Aucun autre homme n'aura ce que tu me donnes, aucun autre homme ne sera capable de te donner ce que je te donne. Tu es mienne, et avant la fin de la nuit, tu sauras qui te possède, corps et âme.

Elle eut du mal à ne pas céder à cet instant précis et lutta pour ne pas fermer les yeux alors qu'elle était bouleversée par la fervente déclaration de Drake. Sa vérité. Ses règles. Elle lui appartenait, il la possédait, et jamais elle n'aurait cru que ces simples mots pourraient lui faire tant d'effet. Drake et sa domination… Était-ce ce qui avait manqué à sa vie ? La réponse se forma instantanément dans son esprit et s'insinua dans chaque cellule de son corps.

Elle se concentra sur Drake, comme il le lui avait ordonné, le regardant droit dans les yeux, et ce fut l'étincelle, qui établit avec lui ce lien profond qui allait bien au-delà de leur complicité sur le plan physique, et qui acheva de la faire basculer dans une douce inconscience.

Elle eut l'impression de se fissurer et de voler en éclats ; néanmoins, à présent que ses yeux étaient rivés sur ceux de Drake, elle ne pouvait se détacher pour rien au monde. Voir son plaisir reflété dans les yeux de son amant était l'expérience la plus érotique qu'elle ait jamais vécue.

Et à cet instant, elle éprouva une impression de sérénité, comme si rien ne pourrait plus jamais l'atteindre. Du moment qu'elle était dans les bras de Drake, rien ne pouvait la toucher. Le monde extérieur cessait d'exister. Son ancienne vie se dissipa, et il ne resta plus dans son esprit que l'instant présent et le quotidien de Drake qu'elle avait accepté de partager selon ses règles du jeu. Le monde de Drake. Elle était peut-être folle d'avoir cédé à une telle impulsion, cela ne lui ressemblait pas. Mais elle était sûre d'une chose : son lien avec Drake était réel. Si réel que cela lui faisait peur. Cela dit, elle était également saisie par un réel sentiment d'appartenance, sentiment qu'elle n'avait pas ressenti depuis qu'elle avait quitté la maison de ses parents pour venir travailler à New York.

Et à présent qu'elle avait cela, qu'elle avait Drake, elle le désirait, ainsi que tout ce qu'il avait à offrir, plus qu'elle ne tenait à la vie. Avec le temps, ses craintes et ses inquiétudes allaient se dissiper. Elle devait le croire, parce qu'elle avait trop envie de tout cela pour songer ne serait-ce qu'un instant à ce que serait sa vie après avoir goûté à une chose aussi belle et dévorante.

Comment pourrait-elle reprendre son ancienne vie après avoir connu le monde sur lequel Drake régnait comme un souverain tout-puissant ? Il lui avait révélé un monde excitant, coloré, à mille lieues de son quotidien gris et monotone, où elle se tuait à la tâche et croulait sous les responsabilités.

Elle chassa de son esprit toute pensée d'un monde sans Drake, ne voulant pas gâcher cet instant où il la prenait, exerçait physiquement sa domination, seule partie de leur relation qui n'était pas encore consolidée.

Le souffle court, elle remarqua à peine qu'il se déshabillait. Avant même qu'elle puisse mesurer les effets de son orgasme, elle tremblait de la tête aux pieds, son sexe frémissait de plus belle, attendant la caresse. Il empoigna brusquement ses fesses et l'attira contre lui.

Elle sentit son gland dur contre son intimité et il donna un violent coup de reins. L'onde de choc se propagea dans son corps. Il la tenait si fermement qu'elle savait qu'elle garderait la trace de ses doigts sur ses fesses pendant des jours. Cela lui plaisait de savoir que, lorsqu'elle s'assiérait ces prochains jours, elle sentirait ce rappel de cet instant et porterait les signes de sa possession et de sa domination.

Il se retira, sa verge touchant à peine son sexe, puis il la pénétra plus puissamment encore. Un cri de stupeur lui échappa quand elle se rendit compte qu'il était entièrement enfoui en elle.

Ce n'était en rien comme la première fois, où il avait été si tendre et délicat, l'avait prise avec une douceur et un respect qui l'avaient émue aux larmes. Elle se souvenait de ses paroles émouvantes, de sa volonté de lui faire l'amour comme si c'était sa première fois.

Elle goûtait désormais à une autre forme d'union, placée sous le signe de la soumission, et cela l'excitait, à tel point qu'elle sentit bientôt monter en elle un nouvel orgasme.

Elle se sentait incroyablement distendue, sentait la brûlure profonde en elle qui estompait la limite presque indéchiffrable entre douleur et plaisir, les faisant parfaitement fusionner jusqu'à ce qu'elle ne connaisse plus que l'extase totale.

—Je vais te prendre sauvagement, Ange. Puis je vais prendre cette belle bouche si douce et ce joli cul. Puis je vais jouir sur tout ton corps et te marquer, pour que tu n'oublies jamais à qui tu appartiens.

Elle trembla violemment, ses simples mots la rapprochant de plus en plus d'un nouvel orgasme explosif. Elle adorait sa façon de décrire les délicieux sévices qu'il allait lui infliger. À voix basse et de manière pleine de sous-entendus, d'une voix pénétrante. Ses mots étaient aussi provocants et excitants que ses caresses.

Il se mit à aller et venir en elle, la distendant sans pitié pour qu'elle accueille ses puissants coups de reins. Il fit glisser ses mains sur ses hanches, enfonçant ses doigts dans sa chair pour la maintenir fermement en place avant de la tirer en arrière tandis qu'il la pénétrait.

Puis il posa une main sur celles toujours liées d'Evangeline, tandis que l'autre s'emmêlait dans ses cheveux et tirait, fort, pour qu'elle soulève la tête et le voie, jambes écartées, penché sur elle tandis qu'il la pénétrait profondément puis restait enfoui en elle, le regard plongé dans le sien.

Pendant un long moment, ils éprouvèrent en silence la force du lien qui les unissait. Comme s'ils voulaient prolonger le plaisir de ne faire qu'un. Elle ne voulait pas y mettre fin et à en juger par l'expression déterminée et menaçante de Drake, il ressentait la même chose.

Puis il ferma les yeux, son corps puissant frissonnant contre le sien tandis qu'il se retirait.

Il fit le tour du lit puis la souleva pour la mettre à genoux, mains toujours nouées dans le dos. Puis il grimpa dans le lit et s'assit, dos contre la tête de lit de manière qu'Evangeline se retrouve entre ses cuisses écartées.

Encadrant son visage des deux mains, il la poussa vers le bas et positionna sa bouche au-dessus de son pénis en érection.

—Ouvre, dit-il durement. Mais ne bouge pas. Ne fais rien, reste comme je t'ai positionnée pendant que je baise ta bouche de toutes mes forces.

Penchée ainsi, les mains liées dans le dos et Drake maintenant sa tête, dirigeant ses mouvements, elle n'avait d'autre choix que d'exécuter ses ordres.

Une fois qu'elle eut ouvert la bouche, il s'y enfonça brutalement, s'arrêtant au fond de sa gorge en poussant un grognement guttural. Il dégagea les mèches de cheveux qui entouraient son visage pour avoir une vue directe sur elle tandis qu'elle était en train de le sucer.

Elle aurait aimé pouvoir assister elle-même à cette scène érotique. Elle rendait cet homme fou de plaisir, ce qui avait le don de l'exciter et de mettre tous ses sens en éveil.

Elle gémit autour de son énorme érection et fut récompensée par un autre son inarticulé, étranglé, s'échappant de la gorge de Drake. Elle sourit autour de sa verge et se détendit pour qu'il ait un accès libre et total à son corps et puisse faire tout ce qu'il voulait.

Il jura violemment, ses mains et le reste de son corps s'immobilisant soudain. Son pouls s'emballa. Avait-elle fait quelque chose qu'il ne fallait pas ? Lui avait-elle fait mal ?

Comme s'il avait senti sa crispation soudaine, il lui caressa les cheveux et lui releva le menton assez pour que sa queue sorte presque entièrement de sa bouche et qu'elle puisse voir son expression.

—J'y suis presque, avoua-t-il. À deux doigts, et je ne suis pas prêt à ce que ça s'arrête maintenant.

Elle sourit tout en faisant danser délicatement sa langue sur son gland.

—Je veux ce cul, Ange, mais cela va prendre un peu de temps pour te préparer à ça. Je vais te détacher parce que je veux que tu te donnes du plaisir pendant que je te prépare et surtout quand je te pénétrerai, pour que tu n'aies pas mal.

Elle rougit à l'idée de se masturber devant lui, et comme s'il avait lu dans ses pensées, il la hissa sur les genoux face à lui. Il sourit et passa son pouce sur ses lèvres gonflées.

—Fais-moi confiance, bébé. Ce ne sera pas facile de m'accepter en toi si tu ne te donnes pas du plaisir, surtout quand je te pénétrerai la première fois. L'idée est que tu sois si loin et que tu veuilles tellement jouir que tu me supplieras d'aller vite et fort pour pouvoir atteindre l'orgasme, et je te préviens : tu n'auras le droit de jouir que quand je te donnerai le feu vert. Parce que si c'est fini pour toi alors que je commence à peine, ce ne sera pas aussi bon, et je compte baiser ton joli cul un bon moment.

Son corps s'embrasa et elle se mit à onduler entre ses cuisses, déjà impatiente de s'abandonner totalement à Drake. Il lui libéra les mains et massa délicatement ses poignets pour s'assurer qu'elle n'avait pas eu mal. Puis il jeta la corde sur le sol et lui attrapa le menton, la regardant droit dans les yeux.

—Remets-toi dans la même position que tout à l'heure, les genoux au bord du matelas. Baisse la tête et pose ta poitrine sur le lit pour pouvoir te toucher et te caresser comme tu le souhaites. Je vais chercher du lubrifiant dans la salle de bains. Pendant ce temps, je veux que tu te mettes comme je te l'ai demandé et que tu sois folle d'excitation quand je reviendrai.

Sa voix était tranchante : elle ne devait même pas songer à lui désobéir.

Elle glissa sur le matelas et se mit à quatre pattes, reculant peu à peu jusqu'au bord du lit. Puis elle se pencha, face contre le matelas, et se contorsionna, la main sur son sexe. Elle laissa ses doigts glisser lentement vers le bas pour caresser son clitoris et laissa échapper un soupir satisfait en sentant le plaisir inonder ses veines.

Drake s'éclipsa et revint sans même qu'elle se rende compte qu'il était parti. Elle était si absorbée par les sensations décadentes qu'elle ressentait qu'elle s'aperçut de son retour seulement lorsqu'il glissa sa main sur ses fesses, la faisant sursauter et tomber du petit nuage sur lequel elle avait grimpé.

—Si tu sens l'orgasme monter, arrête de te caresser, ordonna Drake. Quand je te dis de jouir, fais-le, parce que ça veut dire que je suis sur le point de jouir moi aussi.

—Je m'adapterai à ton rythme, Drake, murmura-t-elle doucement en lui souriant.

Elle sut que cela lui plut grâce au feu qui s'alluma dans les yeux de Drake.

Il glissa son pouce entre les fesses d'Evangeline, le lubrifiant frais contrastant avec ses mains bien plus chaudes. Puis il glissa le bout de son doigt dans son orifice et elle inspira profondément, les yeux écarquillés, surprise que son doigt paraisse si gros.

— Touche-toi, ordonna sèchement Drake. Je ne t'ai pas dit d'arrêter. Je vais te prendre par-derrière, que tu sois prête ou non. Le choix t'appartient.

Si elle peinait à s'ouvrir assez pour son doigt, elle avait du mal à imaginer comment son membre allait pouvoir entrer. Il ne fallut pas le lui dire deux fois et elle ne voulait pas contrarier Drake en le défiant ; elle se mit donc à se caresser le clitoris, cherchant le bon angle, la bonne pression et le bon rythme de manière à faire diversion de la pénétration douce mais persévérante de Drake, qui s'assurait qu'elle était bien lubrifiée pour l'accueillir.

Se rappelant qu'elle ne devait pas cesser de se toucher quand il approcha son pénis de son orifice, elle ferma les yeux et se concentra seulement sur les sensations de plaisir que lui donnaient ses doigts. Mais la pression accablante et la brûlure qui accompagnèrent sa première pénétration apportèrent tout autre chose.

Elle était à cran, tendue. Voulait qu'il s'arrête mais, en même temps, voulait qu'il la pénètre aussi fort que possible et mette fin à leur supplice.

Elle gémit, son qui le fit stopper aussitôt.

—C'est trop? murmura Drake tout en continuant de s'enfoncer en elle.

—Non. J'en veux plus, Drake. S'il te plaît, il m'en faut plus. J'y suis presque et je te veux profondément en moi. La douleur n'est plus de la douleur. La douleur est plaisir.

Puis il plongea soudain en elle et elle cria d'une voix rauque, et retira ses doigts pour ne pas jouir sur-le-champ. Elle haletait, son corps se soulevait, Drake était tout entier en elle.

C'était la sensation la plus incroyable qui soit. Jamais elle n'aurait cru trouver du plaisir dans cet acte. Cette seule idée lui semblait répugnante. Mais à présent, à cet instant, c'était symbolique de la possession suprême de Drake et la mise en pratique de sa domination totale sur elle.

Elle avait besoin de ça. Besoin de lui.

Il se retira lentement, reculant centimètre par centimètre jusqu'à ce qu'elle n'étreigne plus que son gland. Il marqua une pause puis s'enfonça profondément en elle, lui arrachant un nouveau cri.

—Oh putain, Drake! C'est trop. Je ne vais pas tenir, dit-elle désespérément. Que dois-je faire?

—Je n'ai pas encore fini, Ange. Mets tes mains en avant, paumes à plat, et laisse-les là jusqu'à ce que j'aie fini.

Elle fit ce qu'il ordonnait à contrecœur et ferma les yeux pour se préparer à ce qui allait suivre.

Il ne fut pas aussi violent qu'il l'avait été dans son vagin et dans sa bouche, mais il était aussi ferme et rigide, gagnant de la profondeur à chaque coup de reins. Il adopta un rythme lent, presque tranquille, allant et venant jusqu'à ce que le monde se brouille autour d'elle.

Après ce qui semblait être une éternité, il entortilla une de ses mains dans ses cheveux tout en gardant une poigne ferme sur sa hanche, et il tira, la forçant à relever la tête.

—Touche-toi maintenant, Ange. J'y suis presque, il faut que tu me rattrapes.

Elle s'empressa de passer sa main entre elle et le lit et trouva son point sensible, gémissant instantanément quand le premier frisson la parcourut.

—Je n'ai pas besoin de te rattraper, dit-elle, à bout de souffle. Vas-y, Drake. J'y suis presque. Je veux que tu me prennes brutalement. Rudement. Comme tu veux. Je veux être ça pour toi. Juste pour toi.

Il lâcha ses cheveux et lui attrapa les deux hanches, lui soulevant davantage les fesses, puis il se mit à la pénétrer durement, et aussi profondément que possible. Elle sentit une giclée humide tandis que les premières vagues de son orgasme s'abattaient sur elle comme une houle dévastant tout sur son passage.

Elle cria et se débrida sous Drake jusqu'à ce qu'il la pousse en avant, la piégeant entre le lit et son corps sans cesser de la pénétrer encore et encore.

Puis, soudain, il se retira ; elle sentit alors le jet chaud de son orgasme gicler sur son dos et ses fesses. Puis il la pénétra de nouveau, restant profondément enfoui en elle, saisi de spasmes convulsifs, vidant le reste de sa semence dans le corps d'Evangeline.

—Je n'ai jamais rien vu d'aussi beau, dit-il d'un ton bourru. Tu es mienne, Ange. Tout entière. Sois sûre que tu m'appartiens, à moi seul, et que jamais un autre homme ne touchera ni ne prendra ce qui est à moi.

Chapitre 20

Comme elle s'y attendait, le lendemain matin, Evangeline se réveilla seule dans le lit, Drake l'ayant certainement déserté il y avait bien longtemps. Elle ne savait pas comment il arrivait à tenir ces horaires, ni même comment il s'arrangeait pour lui consacrer ses soirées avec son emploi du temps de ministre.

Elle ferma les yeux, désemparée, quand elle remarqua l'offrande du jour, la même que tous les autres matins depuis qu'elle avait emménagé avec Drake. Elle appréhendait de voir quel cadeau outrageusement onéreux il avait choisi pour elle cette fois-ci.

Avec un soupir résigné, elle déballa le cadeau, gardant pour plus tard le mot que Drake lui avait laissé.

C'était un bracelet rivière éblouissant et certainement hors de prix, constellé d'énormes diamants. Il était assorti aux boucles d'oreilles qu'il lui avait offertes, et elle craignait à présent qu'il lui offre bientôt le collier pour qu'elle ait la parure complète.

Le seul cadeau qu'elle gardait en permanence sur elle était le collier que Drake lui avait offert, parce qu'il était symbolique pour elle. Il représentait le surnom que Drake lui avait donné, un surnom que lui seul utilisait, et c'était le premier cadeau qu'il lui avait fait. Mais elle n'avait pas imaginé que ces offrandes deviendraient un rituel quotidien, d'autant que les onéreux bijoux qu'il lui offrait lui donnaient un sentiment de culpabilité tant ils étaient extravagants.

Le message derrière les cadeaux la mettait mal à l'aise. Comme s'il essayait de l'acheter alors qu'elle ne voulait que lui. Elle se sentait coupable de porter des bijoux si inestimables alors que ses parents et amies vivaient au jour le jour, gagnant leur salaire à la sueur de leur front.

Oui, Drake avait mis ses amies et sa famille à l'abri du besoin, mais cela dérangeait tout de même Evangeline de vivre dans tant de luxe et d'être couverte de cadeaux alors qu'un seul de ces bijoux suffirait à régler les dépenses annuelles de ses parents.

Elle remit soigneusement le bracelet dans la boîte et sortit du lit pour la placer à côté des autres, avant de lire le petit mot que Drake lui avait laissé.

Ça va être une grosse journée au boulot. Je dois m'occuper de quelques affaires importantes et dois assister à plusieurs réunions. J'aimerais que tu prépares un plat qui se garde

ou qu'on puisse faire réchauffer : je ne sais pas exactement
à quelle heure je vais rentrer. Je t'appelle dès que je quitte
le bureau pour que ce soit chaud quand j'arriverai.
Zander passera cet après-midi pour que tu lui donnes
une liste de courses, et il ira chercher ce qu'il te faut pour
ce soir. Profite de ta journée et repose-toi. J'ai été exigeant
avec mon ange cette nuit.

Evangeline pinça les lèvres. Elle ne pouvait même pas aller seule au supermarché chercher ce qu'il lui fallait pour préparer le repas ? Était-elle une prisonnière, malgré ce que Drake lui assurait ? Elle était certaine d'une chose : elle n'allait pas rester cloîtrée dans cet appartement toute la journée tandis que Zander faisait le garçon de courses. C'était une belle journée et la météo annonçait des températures plus fraîches, plus automnales, pour le reste de la semaine. Elle n'avait pas l'intention de rester enfermée.

Pourquoi avoir choisi Zander pour être son baby-sitter du jour ? Drake n'avait-il pas été fâché contre lui la veille ? Ou fallait-il qu'elle soit ballottée entre les hommes de Drake, les uns après les autres, jusqu'à arriver au bout de la meute pour recommencer du début ?

Elle haussa les épaules. Bon, elle ne savait pas à quelle heure il devait arriver, et il y avait un supermarché à deux pas. S'il n'était pas là une fois qu'elle serait douchée et habillée, elle irait elle-même faire les courses pour le dîner.

Sous la douche, elle étudia les différentes possibilités, voulant préparer quelque chose de plus élégant que ce qu'elle servait habituellement à ses amies, à l'époque où rentabiliser chaque dollar était une nécessité.

Puis elle se souvint du steak – de Wagyu – que Justice l'avait emmenée manger et qu'il avait payé une fortune. La question était de savoir quel genre de marché vendrait de la viande aussi chère, ou même si elle pouvait en trouver en dehors des restaurants gastronomiques qui la servaient…

Elle avait trouvé une recette de sauce au beurre, simple et subtile, car il ne fallait pas gâcher une bonne viande avec quelque chose qui en masquerait la saveur naturelle ; et puis, tout était meilleur avec du beurre, comme le disait sa mère. Elle pourrait servir la viande avec des haricots verts et ces macaronis au fromage dont elle avait le secret. Elle pourrait également ajouter du homard pour égayer le tout. Et elle ne devait pas oublier les pommes de terre, car un steak sans pommes de terre était un péché impardonnable selon elle.

Gratin de pommes de terre ou pommes de terre en robe des champs avec une sauce laissée à l'appréciation de Drake ?

Elle avait achevé son menu quand elle passa un jean confortable et des tennis à lacets. Pour le haut, elle choisit un pull ample avec un col confortable qui donnait un délicat aperçu de son décolleté, bien mieux mis en valeur grâce à ses nouveaux soutiens-gorge.

Elle passa en revue les bijoux que Drake lui avait offerts, mais décida de ne porter que la chaîne avec l'ange en pendentif. Un bijou sobre et discret. Il lui allait parfaitement alors que les autres ne lui ressemblaient pas.

Après s'être légèrement maquillée et avoir brossé ses longs cheveux, elle choisit de les laisser détachés pour qu'ils sèchent plus vite. Puis elle alla chercher son sac à main dans le salon avant de se mettre en route.

Elle était si absorbée dans ses pensées qu'elle ne remarqua Zander que lorsqu'il se racla la gorge, ce qui la fit sursauter et lui arracha un cri de surprise. Elle recula prudemment, maudissant la tendance des hommes de Drake à apparaître comme par magie. Drake leur laissait-il libre accès à son appartement ? Ou était-ce seulement qu'ils n'aimaient pas frapper aux portes, bon sang de bonsoir ?

— Désolé de vous avoir encore fait peur, dit Zander. Drake m'a dit que vous sauriez que je serais là.

— Il a dit que vous passeriez, pas que vous seriez là quand je me réveillerais, marmonna Evangeline. Apparemment, l'idée de frapper à la porte ou de sonner pour annoncer votre arrivée est une chose qui vous échappe, à tous.

Zander sourit.

— Je vous laisse tranquille dès que vous m'aurez donné la liste de choses à aller acheter.

Evangeline fronça les sourcils.

— En fait, c'est moi qui vais faire les courses. Vous faites ce que vous voulez de votre après-midi.

Le sourire de Zander s'évanouit, et il la dévisagea, mal à l'aise.

— Euh… Ce n'est pas ce qui est prévu.

— Maintenant, si, répondit-elle fermement. Je vais faire les courses. À vous de voir si vous venez ou pas.

Puis elle pivota pour rejoindre les portes ouvertes de l'ascenseur.

— Merde. Ça va pas plaire à Drake, marmonna Zander dans son dos.

Elle appuya sur le bouton pour fermer les portes et regarda, amusée, l'expression de Zander se faire meurtrière lorsque les portes se refermèrent sous son nez, l'empêchant d'entrer dans l'ascenseur avec elle.

Elle descendit et passa devant le portier surpris avant qu'il n'ait le temps de lui ouvrir la porte, et elle sortit dans l'air frais, la lumière soudaine du soleil la faisait cligner des yeux. Elle avait eu raison. C'était vraiment une journée magnifique. Elle inspira profondément ; elle avait l'impression qu'elle voyait le monde extérieur pour la première fois depuis qu'elle était entrée dans le monde de Drake.

Ne perdant pas trop de temps à savourer cette agréable sensation de liberté, elle se mit en route en direction du marché, seulement à quelques pâtés de maisons de là, sa liste de courses en tête. Zander la rattrapa au coin de la rue, où elle attendait que le feu piéton passe au vert.

Il l'attrapa par le coude et la fit pivoter, les yeux brillants de colère.

— Non mais qu'est-ce que vous foutez, bordel ? rugit-il presque. Vous voulez que Drake soit fou de rage, c'est ça ?

— Je me demande si ce n'est pas exactement l'inverse qui est en train de se produire, rétorqua-t-elle gentiment. Je trouve formidable que quelqu'un d'autre que moi aille faire les courses, sans même qu'on ait pris la peine de me consulter, et alors que personne à part moi ne sait ce que je vais faire et ce dont j'ai besoin… Qu'est-ce que vous y connaissez, aux marques, épices, ingrédients ?

— C'est à ça que sert une liste, grommela-t-il.

Le téléphone d'Evangeline sonna, et elle fouilla son sac pour le trouver. En voyant le nom de Drake s'afficher, elle jeta sur Zander un regard accusateur.

Il haussa les épaules.

— Vous avez creusé votre propre tombe.

— Allô ? dit-elle prudemment.

— Tu peux m'expliquer ce que tu fous ? lâcha Drake sèchement.

— Je vais faire les courses pour pouvoir préparer le dîner, comme tu l'as demandé, dit-elle, sur la défensive.

Cela ne lui plaisait pas du tout que Zander soit à quelques centimètres seulement et puisse entendre chaque mot prononcé par Drake malgré la circulation autour d'eux.

— Tu ne te souviens peut-être pas de la conversation que nous avons eue, où je t'ai précisé que je devais savoir où tu es à tout moment, que si tu sortais, tu devais m'informer de ton programme et que si tu oubliais, je serais très en colère.

Son ton était glacial et il était furieux, de toute évidence. Pas seulement en colère, mais littéralement hors de lui.

— Tu ne m'as pas laissé le choix, dit-elle d'un ton tout aussi glacial. Tu m'as dit de lui laisser une liste et qu'il y allait et pas moi. Je préfère faire mes propres courses, surtout quand il s'agit d'un menu méticuleusement préparé. Il a refusé et m'a condamnée à rester à l'appartement toute la journée alors qu'il fait un temps splendide et que je voulais aller faire les courses moi-même. Ma seule option était donc d'y aller toute seule.

— Tout ce que tu avais à faire, c'était décrocher le téléphone pour me prévenir, répondit Drake, la colère vibrant encore dans sa voix. Tu aurais pu me dire ce que tu voulais et j'aurais su où tu étais au lieu que l'homme chargé de ta protection m'appelle pour me dire que tu lui as faussé compagnie et que tu es Dieu sait où dans la ville.

Elle garda le silence, bouche bée. Ça avait l'air si simple, formulé comme ça, et pourtant rien dans les mots de Drake ne suggérait qu'elle avait le choix.

— Si cela devait se reproduire à l'avenir, je ne serais pas aussi clément ni compréhensif, dit Drake d'une voix froide. Maintenant, va faire tes courses et ne rends pas le travail de Zander plus difficile qu'il ne l'est. Son boulot, c'est ta sécurité, et il ne peut pas faire son boulot si tu es contre lui.

— D'accord, murmura-t-elle, embarrassée par les larmes qui lui montèrent soudain aux yeux.

Drake mit fin à l'appel et elle contempla l'écran noir pendant longtemps. Puis elle le glissa dans son sac, refusant de croiser le regard de Zander.

Il soupira à côté d'elle, puis tendit timidement la main pour lui serrer l'épaule.

— Nous n'avons pas démarré du bon pied, hein, Evangeline ? demanda-t-il avec regret.

— Cafteur, marmonna-t-elle.

Il gloussa, et la tension se dissipa quelque peu. Puis il reprit son sérieux.

— Il a raison sur une chose. Vous ne devriez pas sortir seule. C'est dangereux. Il pourrait vous arriver quelque chose de grave. Je suis là pour assurer votre sécurité, alors laissez-moi faire mon boulot, ça nous simplifiera la vie.

Puis il poussa un soupir exagéré.

— J'imagine que ça veut dire qu'on y va à pied et que je devrai tout porter en rentrant ?

Elle lui adressa un petit sourire qui sembla le ravir. Elle avait été garce avec lui alors qu'il n'était pas responsable de cette situation : Zander ne faisait qu'obéir aux ordres.

Elle soupira à son tour.

— Je suis désolée d'avoir compliqué votre travail. Vous n'y êtes pour rien.

Ses excuses semblèrent le dérouter et le mettre mal à l'aise.

Ils finirent donc le trajet à pied, Zander lui servant de bouclier de telle façon qu'aucun des passants qu'elle croisa sur le trottoir ne l'effleura.

Après avoir passé une heure de pure frustration à parcourir le rayon boucherie puis à se rendre chez un boucher local, Evangeline commençait à se demander si le bœuf Wagyu existait en dehors du restaurant dans lequel Justice l'avait emmenée. Peut-être était-il spécialement importé. Faire de bons petits plats avec ce dont elle devait se contenter était un exercice dans lequel elle excellait. Les aliments fins, les ingrédients gastronomiques *onéreux* étaient, en revanche, au-delà de son domaine d'expertise.

—Qu'est-ce que vous cherchez en vain, Evangeline? demanda Zander avec une pointe d'exaspération. Si je savais, je pourrais peut-être aider.

Les yeux d'Evangeline s'illuminèrent, et elle se reprocha de ne pas y avoir pensé plus tôt.

—Vous avez le numéro de Justice? Il est occupé? demanda-t-elle anxieusement.

Zander ne put dissimuler son expression perplexe en la regardant sans dire un mot.

—Oui ou non? demanda-t-elle, exaspérée. Vous voulez que je passe l'après-midi à faire les courses ou vous appelez Justice pour moi?

La réponse à cette question fut évidente lorsqu'il sortit son téléphone, pressa un bouton, puis le lui tendit.

—Yo mec, comment ça se passe, le service ange? Il t'est déjà arrivé des catas? demanda Justice d'un ton joyeux.

—Ça dépend de votre définition de la catastrophe, dit gentiment Evangeline. Tout dépend si vous considérez qu'une gaffe est une catastrophe.

—Oh merde! dit Justice avec un grognement. Bonjour, Evangeline. Tout va bien? Pourquoi m'appelez-vous du numéro de Zander? Vous devez avoir mon numéro et celui de tous les autres gars programmés dans votre téléphone.

—Oh, dit-elle. Je n'ai pas regardé. Enfin, j'ai demandé à Zander de vous appeler. Je ne savais pas que j'avais votre numéro. C'est à peine si je sais faire fonctionner ce fichu machin.

— Vous avez besoin de quelque chose? demanda-t-il d'un ton plus sérieux. Vous avez un problème?

— Non, non, rien de grave. Vous vous souvenez du restaurant où vous m'avez emmenée et où vous avez commandé ce steak ridiculement cher?

— Oui, dit-il, manifestement perplexe.

— Je ne trouve cette viande nulle part, expliqua-t-elle, frustrée. Drake veut que je cuisine ce soir et il aime le steak, donc je me suis dit que j'achèterais du steak de Wagyu, mais je n'en trouve nulle part.

Justice gloussa.

— Non, bien sûr que non. Mais ne vous inquiétez pas. Je vais passer un coup de fil tout de suite. Demandez à Zander de vous amener à ce restaurant et demandez le chef. Il sera averti de votre venue et vous donnera ce qu'il faut.

— Vraiment? murmura Evangeline, impressionnée par le carnet d'adresses de Drake et de ses hommes.

Était-ce vraiment si simple et avait-elle perdu une heure entière alors qu'un simple coup de téléphone lui aurait permis d'arriver à ses fins?

— Oui, vraiment. Raccrochez pour que je puisse passer le coup de fil. Quand vous arriverez, le chef vous attendra.

Elle mit fin à l'appel et rendit le téléphone à Zander.

— Euh… il dit de vous dire de m'amener au restaurant où il m'a emmenée manger du steak de Wagyu l'autre jour.

—Putain. Vous faites du steak de Wagyu à Drake ce soir et je suis pas invité ? demanda Zander en faisant la moue.

—Non, mais si vous êtes gentil avec moi jusqu'à ce soir, je vous garderai du dessert. Ce sera encore meilleur que mes cupcakes. Promis.

Zander grogna.

—Drake a de la chance, putain. J'espère qu'il le sait.

—J'espère aussi, chuchota Evangeline, suffisamment bas pour que Zander ne l'entende pas.

À en croire son sourcil haussé et l'étrange regard qu'il lui lança, il avait parfaitement entendu.

—Oh, il le sait, dit doucement Zander. Ne pensez jamais le contraire, Evangeline. Si vous pensez qu'il était comme ça avec les autres femmes, vous avez tort. Vous êtes unique à ses yeux, même si vous n'en avez pas encore conscience.

Elle n'était pas certaine de ce qu'elle devait faire de ce commentaire, et elle laissa donc couler tandis qu'ils entamaient la petite marche jusqu'au restaurant.

Comme Justice le lui avait dit, quand Evangeline et Zander arrivèrent au restaurant, bien qu'il ne soit pas encore ouvert pour le déjeuner, on les invita aussitôt à entrer pour les conduire jusqu'à la cuisine, où ils furent accueillis par un homme d'âge mûr, certainement le chef.

Il sourit en la voyant et enveloppa sa main entre les siennes.

—Justice m'a dit que vous aviez aimé mon steak, l'autre jour.

— C'était le steak le plus merveilleux que j'ai jamais mangé, avoua Evangeline. Je voulais en faire pour ce soir, mais je n'en ai trouvé nulle part.

Le chef se dirigea vers le comptoir, où un paquet emballé était posé, puis il l'empaqueta dans un plastique pour qu'il ne coule pas, et le tendit à Evangeline.

— Le secret, c'est la cuisson, expliqua-t-il. Ces steaks sont très persillés, donc si vous aimez votre steak saignant, je vous suggère de le cuire à point. Mais ne les faites pas trop cuire non plus. Il faut que la graisse se dissolve juste ce qu'il faut et que la viande soit chaude à cœur. Si ce n'est pas assez cuit, vous vous retrouverez avec une consistance gélatineuse à cause du persillé au lieu de la succulence juteuse que vous devriez avoir. Si c'est trop cuit, ma foi, vous aurez un morceau brûlé sans le goût merveilleux qu'il devrait avoir.

— Merci infiniment, dit Evangeline avec un sourire radieux. Je ne doute pas que le dîner sera divin grâce à votre générosité et à votre avis expert. Combien vous dois-je pour la viande ?

Le chef cligna des yeux et eut l'air embarrassé. Zander s'interposa tout en douceur et dit :

— Drake a un compte avec le restaurant. Il sera facturé. Ne vous inquiétez pas pour ça.

Ces gens avaient donc des comptes dans les restaurants ? N'était-il pas étonnant qu'ils soient en contact avec des chefs pouvant leur fournir de la viande certainement brevetée pour la cuisiner à la maison ?

Plus elle découvrait le monde de Drake, plus elle prenait conscience qu'elle était totalement étrangère à cet univers et à ses codes. On aurait dit que tout cela sortait d'un film ridicule. Ça ne ressemblait pas à la vraie vie, et certainement pas à *sa* vie.

Puis elle surprit le chef, déjà perplexe, en le serrant dans ses bras.

— Merci d'avoir fait ça pour moi. Le dîner sera incroyable ce soir, grâce à vous. Le mérite vous en reviendra entièrement.

L'homme rougit.

— Avec plaisir, mademoiselle Hawthorn. Pourtant, d'après ce que j'ai entendu dire sur votre savoir-faire culinaire, je pense que je pourrais vous embaucher et vous faire travailler dans ma cuisine n'importe quand, même si vous auriez tôt fait de prendre ma place.

Ce fut à elle de rougir, et elle se demanda comment cet homme pouvait savoir quoi que ce soit sur sa cuisine.

— Je dois filer, dit Evangeline. Il ne faudrait pas que mes ingrédients se gâtent. Merci encore.

Zander l'escorta hors du restaurant. Une fois à l'extérieur, elle plissa les yeux à cause du soleil automnal éblouissant.

— Il vous faut des lunettes de soleil, marmonna Zander.

Elle lui lança un regard étrange puis secoua la tête. Mais alors qu'ils avançaient sur le trottoir, Zander s'arrêta devant une boutique de marque et l'entraîna à l'intérieur, où il entreprit de lui faire choisir une paire de lunettes dont le prix exorbitant l'horrifia.

Elle secoua la tête avec obstination, refusant de songer à acheter cet accessoire à un prix aussi extravagant. Il se contenta de l'ignorer et, puisqu'elle refusait de faire un choix, il choisit les deux paires qui, selon lui, lui allaient le mieux. Le tout en la considérant avec une expression qu'elle commençait à bien connaître, puisque c'était celle que Drake et tous ses hommes portaient comme une seconde peau. Celle qui disait : « Tu ne me feras pas changer d'avis. »

Après les avoir payées, il glissa une paire sur le nez d'Evangeline, les ajustant à son goût avant qu'ils ne sortent de la boutique. Il eut l'air satisfait et Evangeline n'eut pas le cœur de gâcher sa bonne humeur ; elle se garda donc de dire qu'elle trouvait ridicule de dépenser des centaines de dollars pour des lunettes de soleil. Une paire à cinq dollars achetée en supermarché aurait certainement fait l'affaire.

Toutefois, ce qu'elle portait avait des retombées directes sur Drake, et elle doutait qu'il soit ravi de la voir porter autre chose que ce qu'il considérait comme ce qui se faisait de mieux.

Absorbée dans ses pensées, elle trébucha et s'étala de tout son long avant que Zander ne puisse la rattraper. Le choc fut si brutal qu'elle en eut le souffle coupé.

—Putain de merde, Evangeline, ça va ?

Le visage inquiet de Zander emplit son champ de vision alors qu'il la retournait doucement pour l'examiner. Elle porta la main à son visage, de peur d'avoir brisé ses lunettes ; lorsqu'elle se rendit compte qu'en effet, elles étaient cassées, elle faillit fondre en larmes.

—Elles n'auront pas fait long feu, dit-elle tristement.

— On s'en branle des lunettes, dit-il violemment. Ce qui m'inquiète, c'est de savoir si tu t'es cassé quelque chose. Tu peux te lever ? Tu as mal quelque part ?

Elle le laissa la mettre sur ses pieds, et grimaça lorsqu'elle tendit complètement la jambe.

— Juste au genou, dit-elle. Je crois qu'il est seulement égratigné. Bon sang, je suis désolée. Je suis si maladroite…

Zander se plia en deux au milieu du trottoir, la forçant à se tenir à son épaule tandis qu'il examinait la déchirure de son jean et bougeait le tissu de droite à gauche pour évaluer les dégâts.

— Tu saignes, constata-t-il d'un air grave. Je ne vois pas assez bien pour savoir si c'est une coupure superficielle ou si tu as besoin de points. Il faut que j'appelle Drake.

— Non ! s'écria-t-elle. Pour l'amour du ciel, Zander. Je me suis simplement écorché le genou. Ce n'est pas la fin du monde. Pas besoin de déranger Drake parce que je suis tombée et me suis écorché le genou. Il a une journée chargée, plusieurs réunions au programme, et il rentrera tard à la maison. Je ne veux pas perturber son emploi du temps pour quelque chose d'aussi insignifiant.

Zander fronça les sourcils ; il ne pouvait se fier à l'avis de la jeune femme. Il connaissait suffisamment bien Drake pour savoir que si cela concernait Evangeline, particulièrement si elle était blessée, il se ficherait bien de sa foutue réunion. Mais elle semblait être sur le point de s'effondrer, et comme elle avait déjà eu affaire à un Drake énervé ce matin, il pouvait imaginer qu'elle ne voulait pas risquer de provoquer de nouveau sa colère, même si Zander savait qu'il serait tout sauf furax.

—Zander, s'il te plaît. C'est suffisamment embarrassant comme ça, pas besoin d'impliquer Drake.

Son expression s'adoucit et il secoua la tête avant de sortir son téléphone. Au grand dam d'Evangeline, il ne semblait pas avoir été touché par sa supplication.

—Ouais, c'est Zander. Faut que tu viennes nous chercher, Evangeline et moi, et que le docteur de Drake soit prêt. Je l'emmène se faire examiner.

Il y eut une longue pause.

—Non. Elle ne veut pas que Drake le sache. Elle est juste tombée. Elle a mal au genou mais je ne peux pas vraiment l'examiner au beau milieu du trottoir. Dépêche-toi.

Une fois que Zander eut indiqué à son interlocuteur où ils se trouvaient, il mit fin à l'appel puis rassembla les sacs qu'il avait lâchés quand Evangeline était tombée. Puis il passa son énorme bras tatoué autour de sa taille.

—Appuie-toi sur moi et essaie de ne pas mettre trop de poids sur ta jambe blessée, dit-il. Il faut qu'on s'installe quelque part où tu ne risqueras pas de te faire renverser par un piéton pressé. De préférence quelque part où tu pourras t'asseoir pour soulager son genou.

Il la porta presque sur la courte distance qui les séparait de l'auvent d'un restaurant, où il l'installa sur un banc destiné aux clients en attente d'une table. Quand la femme postée à la porte voulut protester, Zander lui lança un regard féroce qui lui ferma aussitôt le clapet et la fit battre en retraite à son poste.

—Qui as-tu appelé? demanda Evangeline.

—Justice. Il n'est pas loin, sinon il aurait appelé quelqu'un d'autre qui était plus près pour qu'on vienne te chercher.

—Est-il vraiment nécessaire de consulter le médecin pour ça? demanda Evangeline, l'air renfrogné. Nous devrions rentrer à la maison. Je peux me soigner toute seule. Ce n'est pas grave. Je n'ai même plus mal.

—Justement, nous rentrons, dit Zander calmement. Le médecin de Drake a un cabinet au deuxième étage de l'immeuble où vit Drake. Il reçoit d'autres patients, mais ceux que le patron lui envoie sont prioritaires. Et crois-moi, nous sommes assez nombreux pour lui fournir un boulot à plein-temps, ajouta-t-il avec un sourire.

Mais Evangeline ne lui rendit pas son sourire. Son front se creusa alors qu'elle repensait à ce que Zander venait de dire. Drake avait besoin d'un médecin personnel? Qui prenait soin de lui et de ses hommes? Leur travail était-il donc si dangereux? D'ailleurs, elle ne savait pas encore précisément ce que Drake et ses hommes faisaient dans la vie. Il ne pouvait tirer toute sa fortune de la gestion d'une boîte de nuit, et cette activité ne nécessiterait pas d'avoir un médecin à disposition.

Elle ressentit un profond malaise. Dans quoi s'était-elle fourrée exactement? Elle avait peur d'être dépassée par les événements.

—Tu as très mal? demanda brusquement Zander.

Elle leva la tête, et plissa les yeux à cause du soleil qui l'éblouissait au-dessus des larges épaules de Zander. Il fronça les sourcils et sortit la deuxième paire de lunettes de soleil pour les poser sur le nez d'Evangeline.

—Ça pique un peu, c'est tout. Tu dramatises, marmonna-t-elle. J'ai l'impression qu'on m'a tiré dessus.

Cela n'amusa pas Zander, et son expression sombre poussa Evangeline à se demander si se faire tirer dessus était une possibilité. Était-ce parce qu'elle pouvait être blessée que Drake insistait tant pour qu'elle soit protégée en permanence quand elle quittait l'appartement?

Si elle pensait obtenir une réponse, elle aurait posé la question à Zander, mais elle savait qu'il se mordrait la langue plutôt que de lui révéler quoi que ce soit. Elle soupira donc et se résigna à sa visite chez le médecin.

Elle fut étonnée lorsque, cinq minutes plus tard, une voiture élégante s'arrêta à sa hauteur, et que Justice et Silas en sortirent.

Zander fut visiblement surpris, lui aussi, par la présence inattendue de Silas.

Justice haussa les épaules alors qu'ils approchaient du banc où Evangeline était toujours assise.

—Silas était avec moi et quand il a entendu ce qu'il s'était passé, il a voulu m'accompagner.

On ne pouvait rien refuser à Silas.

—J'espère seulement qu'il ne va pas lui foutre les jetons, marmonna Zander pour que seul Justice puisse l'entendre.

Evangeline se hérissa aussitôt et se leva d'un bond, malgré les protestations de son genou, qui n'apprécia pas le mouvement soudain et inattendu. Elle pointa son doigt sur Zander.

—À ce jour, tu es le seul à m'avoir fait peur. Sans parler de ton impolitesse. Et tu oses suggérer qu'un homme qui a d'excellentes manières et qui a fait un effort considérable pour soulager ma gêne après que j'ai fait tomber un cupcake sur son pantalon – par ta faute, soit dit en passant – pourrait me faire peur d'une façon ou d'une autre ? Très franchement, je suis plus à l'aise avec lui.

Silas resta planté à dévisager Evangeline comme si elle était une extraterrestre. Puis il avança simplement jusqu'à l'endroit où elle se tenait, chancelante, et passa un bras autour d'elle.

—Cela te fait très mal ? demanda-t-il avec douceur.

—Suffisamment, maugréa Evangeline. Je veux seulement rentrer à la maison. Ce n'est pas très grave et cela ne justifie certainement pas une visite chez le médecin qui, comme par hasard, a un cabinet juste au-dessus de l'appartement de Drake. Si ça se trouve, il possède tout l'immeuble.

—C'est le cas, confirma Silas d'une voix neutre.

Evangeline ferma les yeux. Elle n'aurait jamais dû aller jusque-là. Elle ne pouvait s'en prendre qu'à elle-même.

Silas la serra contre lui, la rassurant en silence. Elle ne savait pas vraiment pourquoi les autres semblaient à la fois avoir peur de lui et le respecter. Enfin, il avait sans aucun doute mérité ce respect, qui lui était dû. En revanche, elle ne comprenait pas leur crainte, ni pourquoi ils pensaient qu'elle aurait peur de lui alors qu'il s'était montré gentil, attentionné et compatissant avec elle.

Et comme elle était en train de réfléchir à tout cela et que tout ce qu'elle pensait finissait toujours par se frayer un chemin jusqu'à sa bouche, elle fit sa proposition avant de pouvoir se raviser.

— T-tu voudrais bien venir chez le médecin avec moi ? murmura-t-elle pour que les autres ne l'entendent pas. Zander semble penser que tu me fais peur, mais honnêtement, il me fait plus peur que tous les autres, et je me sentirais plus à l'aise, si je suis obligée d'aller voir ce docteur, si tu venais avec moi à sa place.

Silas se raidit, et elle se rendit compte qu'elle venait de faire une énorme bêtise. Maudite soit-elle, avec sa tendance à dire tout ce qui lui passait par la tête. Il faudrait qu'elle soit constamment bâillonnée.

— Je suis désolée, dit-elle sincèrement. Déjà que j'ai interrompu ta journée avec cet accident loin d'être grave. Je devrais vraiment rentrer à l'appartement de Drake et nettoyer tout ça. Les pansements, c'est un remède miracle, tu sais.

— Cela me rendrait malheureux de savoir qu'une femme comme toi puisse avoir peur de moi, répondit Silas aussi sincèrement qu'elle. Le fait que tu n'aies pas peur de moi et que tu me défendes auprès des autres te fait considérablement monter dans mon estime. Si m'avoir près de toi te réconforte, alors je viendrai. Aucune autre explication n'est nécessaire. Viens, je vais t'aider à monter en voiture. Zander peut retourner seul à l'appartement avec tes courses pendant que Justice et moi t'escortons au cabinet médical.

— Tu n'es pas une mauvaise personne, Silas, chuchota-t-elle. D'ailleurs, je trouve que tu es un parfait gentleman. Tu ne me persuaderas jamais du contraire.

Une ombre passa dans ses yeux avant qu'il ne la chasse d'un battement de paupières, mais elle vit dans cette ombre la peine passée, les souvenirs qui avaient façonné l'homme qu'il était. Puis, comme cela semblait être la bonne chose à faire, elle le serra de toutes ses forces dans ses bras frêles.

— Merci d'être venus si vite. Je préférerais que Drake ne sache rien de tout ça, mais si on ne se dépêche pas, le dîner que je suis censée préparer ne sera pas prêt à l'heure et je ne veux pas que Drake soit plus en colère contre moi qu'il ne l'est déjà.

Silas fronça les sourcils.

— Je suis sûr qu'il sera plus que compréhensif si tu ne prépares pas à manger, vu que tu t'es fait mal au genou en tombant.

Evangeline secoua la tête.

— Je ne veux pas qu'il sache quoi que ce soit à ce sujet. Rien du tout. La journée a déjà mal commencé, et cela ne ferait que gâcher toute la soirée. On peut y aller et en finir ?

Pour seule réponse, Silas la souleva pour la prendre dans ses bras, puis il se glissa sur la banquette arrière de la voiture. Une fois installé, avec Evangeline assise en travers de ses cuisses, il mit un coussin sous son genou blessé et lui dit de se détendre, qu'ils n'étaient qu'à quelques minutes de l'appartement de Drake.

Evangeline soupira.

Bienvenue dans le monde de Drake... Ou plutôt : bienvenue dans le monde insensé de Drake...

Parce que ça n'avait rien de normal d'être étendue sur les genoux d'un homme qui inspirait visiblement la peur aux autres, pour être amenée en quatrième vitesse dans un cabinet médical privé, propriété de Drake, homme immensément riche et extrêmement secret et mystérieux qui la possédait à présent, selon ses vœux et la promesse d'Evangeline.

Dingue. C'était le seul mot valable pour décrire son existence autrefois ennuyeuse, sans histoire, et prévisible.

Des choses pareilles n'arrivaient pas aux filles ordinaires venant de petites villes comme celle dans laquelle elle avait grandi. Seulement, c'était bien réel, et même un peu trop pour qu'elle se sente à son aise.

Chapitre 21

L E DOCTEUR McINNIS SEMBLA REMARQUER LE DÉSARROI et l'agitation d'Evangeline. Elle répétait sans cesse que cette consultation n'était pas nécessaire, ce qui lui mit la puce à l'oreille.

Il lui adressa un sourire rassurant et lui dit qu'elle serait sortie en un rien de temps et qu'il ne fallait pas qu'elle s'inquiète. Mais quand il annonça qu'elle aurait besoin de quelques points de suture car la coupure était profonde et qu'elle risquait l'infection si elle restait exposée aux bactéries, aux microbes et à Dieu sait quoi d'autre, Evangeline éprouva une vive angoisse.

Ce fut Silas qui l'apaisa et lui dit d'un ton neutre qu'elle allait tenir le coup. Que si elle se détendait et laissait le médecin faire ce qu'il jugeait nécessaire — et c'était lui le médecin, après tout — ce serait vite fini et elle pourrait rentrer chez Drake.

Elle attrapa la main de Silas, plus pour se rassurer qu'autre chose, et la serra pour le remercier, tout en se demandant pourquoi elle semblait être la seule à déceler, au-delà de ses airs sévères, l'homme doux et gentil qui se cachait derrière la façade. Une carapace qu'il s'était construite par nécessité. Elle avait ce sentiment à propos de tous les hommes de Drake. Que, probablement, aucun n'était issu d'un milieu favorisé et qu'ils s'étaient tous battus bec et ongles pour atteindre le succès, méritant chaque sou qu'ils gagnaient et chaque once de respect qu'ils inspiraient. Ils formaient assurément un groupe étrange, allant du raffinement de Drake avec ses mots doucereux, aux hommes robustes et débrouillards comme Zander et Justice. Même s'ils étaient bien différents. Silas était un mélange étrange entre le raffinement de Drake et son look luxueux, mais avec la jugeote que Zander et les autres possédaient. Mais le trait qu'ils avaient tous en commun, c'est qu'ils semblaient se foutre de ce que les autres pensaient.

Elle se doutait bien que, si Silas s'était montré patient et aimable avec elle, ce n'était pas dans ses habitudes. Elle avait remarqué la froideur dans ses yeux. La douleur. Il ne se doutait pas qu'elle avait décelé cela en lui, et il ne serait probablement pas ravi de le savoir.

Evangeline aimait observer les gens. Pour les filles comme elle, l'observation était le seul moyen de se rapprocher du mode de vie des autres, et elle aimait découvrir leurs différentes facettes par ce biais. De ce fait, elle devinait beaucoup plus que la plupart des gens, qui se contentaient de regarder en surface.

Les hommes et les femmes étaient un sujet d'observation passionnant, surtout quand ils n'avaient pas conscience d'être observés. C'était dans ces moments-là qu'ils révélaient le plus facilement ce qu'ils dissimulaient d'ordinaire.

Son intuition au sujet de Silas était-elle fondée? Elle tirait peut-être des conclusions hâtives, mais elle devinait en lui une blessure qui remontait à l'enfance. La plupart des gens n'étaient-ils pas façonnés par leur enfance? Avec leur famille ou absence de famille, les mécanismes de défense mis en place et la capacité d'exclure les autres et d'ériger des boucliers pour survivre.

Elle considérait qu'elle était celle qu'elle était grâce à son éducation, à l'amour et au soutien inconditionnels de ses parents, et à leur aide indéfectible. Grâce aux convictions qu'ils lui avaient léguées. Ses parents étaient des gens bien. Les meilleurs. Elle faisait partie des chanceux, contrairement à Silas et, se dit-elle, à la majorité des hommes de Drake, si ce n'était à Drake lui-même.

C'était un homme réservé qui dissimulait en lui un feu passionné. Ce qu'il considérait comme son code personnel lui tenait à cœur. Elle n'avait pas besoin de manuel pour le savoir. Il suffisait de le regarder pour comprendre que son passé avait très certainement façonné l'homme qu'il était devenu. Un homme pour qui elle ressentait une attirance irrémédiable et auquel elle était incapable de résister, alors même que son esprit, ou plutôt sa raison, s'interrogeait sur ses motivations et ses décisions, et exigeait fréquemment de savoir si elle avait perdu la tête pour avoir foncé tête baissée dans une relation aussi extrême avec un homme qu'elle connaissait à peine.

Et pourtant, elle avait beau savoir qu'elle avait encore beaucoup de chemin à parcourir avant de pouvoir ne serait-ce qu'effleurer en surface ce qui constituait cet homme compliqué et mystérieux, elle ressentait de l'enthousiasme et un certain défi, à l'idée de le découvrir petit à petit jusqu'à atteindre son cœur. Alors seulement elle comprendrait pleinement ce qui faisait de Drake le mâle alpha inflexible, intransigeant et dominant qu'il était. Traits de caractère qu'elle ne considérait pas comme mauvais, surtout quand ils s'exprimaient de manière si délicieuse.

Sauf qu'elle l'avait rendu furax et lui avait ouvertement désobéi ce matin. Il avait eu l'air en colère au téléphone. Elle se mordit nerveusement la lèvre inférieure en réfléchissant aux conséquences de ses actes et à la réaction de Drake quand il rentrerait à la maison.

Si sa cuisine distrayait les meilleurs, elle doutait qu'elle puisse décourager Drake d'aborder le problème de sa désobéissance, chose qu'il avait dit ne tolérer en aucun cas. Et à bien y réfléchir, elle savait qu'il avait raison et qu'en faisant le choix qu'elle avait fait, elle s'était comportée comme une enfant faisant un caprice pour se faire entendre. Elle connaissait les règles par cœur. Et Drake avait eu raison : tout ce qu'elle avait à faire, c'était décrocher le téléphone et le tenir informé de ses projets, et cela ne l'aurait certainement pas dérangé.

Elle se rappela quelque chose qu'il avait écrit dans son mot et se sentit encore plus coupable. Il lui avait demandé de rester à la maison pour se reposer et lui avait dit que son homme de main viendrait chercher la liste de ce dont elle avait besoin. Ses mots exacts étaient : « J'ai été exigeant avec mon ange cette nuit. »

Elle soupira. Il n'avait fait que prendre soin d'elle et c'était adorable. En retour, elle avait été une vraie garce, l'avait mal pris et s'était offusquée du fait qu'elle ne pouvait pas aller faire les courses sans qu'on lance une vaste opération de sécurité.

Elle devait des excuses à Drake. Des excuses sincères, pas un discours destiné à l'apaiser en lui disant ce qu'il voulait entendre.

— Evangeline ?

Le ton soucieux de Silas interrompit sa rêverie silencieuse.

— Tu as mal ? Il a anesthésié ton genou, donc tu ne devrais rien sentir quand il fera les points, mais dans le cas contraire, tu n'as qu'un mot à dire.

Le médecin, qui était en train de se préparer à lui recoudre le genou, leva la tête, le regard inquiet.

— Je peux vous administrer une piqûre contre la douleur. Je compte vous donner une piqûre d'antibiotiques et une pommade à appliquer trois fois par jour. Je ne crois pas que les antibiotiques par voie orale soient justifiés dans ce cas précis. Cependant, si vous remarquez une rougeur quelconque, une sensibilité, ou si ça enfle, et surtout si vous vous sentez mal ou que vous avez ne serait-ce qu'un peu de fièvre, je veux que vous reveniez immédiatement pour qu'on vous prescrive des antibiotiques.

Elle lui adressa un sourire rassurant.

— Je vais bien. Vraiment. Je ne sens rien du tout. Je n'ai pas besoin de médicaments contre la douleur. Je suis sûre qu'un cachet d'ibuprofène suffira amplement si ça me fait mal, plus tard. J'étais trop occupée à penser à toutes les erreurs que j'ai commises aujourd'hui pour ressentir la moindre gêne. C'est pas génial, de se rendre compte qu'on a joué à la fillette boudeuse qui se sert de n'importe quelle raison pour faire la gueule ?

Elle se tut dans un soupir, et fit la moue.

Silas lui fit les gros yeux, ce qui la surprit car, pour la première fois, toute trace de gentillesse avait disparu de son visage.

— Il est vrai que cela ne fait pas longtemps que je te connais, et nous n'avons pas passé beaucoup de temps ensemble, chose à laquelle je compte bien remédier quand Drake te laissera un peu plus de liberté.

Elle comprit, à son expression amusée, qu'il la taquinait.

— Mais jamais je ne te qualifierais de boudeuse. Tu es extrêmement honnête et sincère, ce qui est de plus en plus rare de nos jours. De plus, tu n'es pas consciente de tes nombreuses qualités et les compliments te mettent mal à l'aise, comme en ce moment, à en juger par ton expression.

Elle rougit car il avait vu juste.

— On ne m'avait jamais fait de compliments jusqu'à il y a peu, murmura-t-elle.

— C'est que tu ne fréquentes pas les bonnes personnes. Soit les gens que tu côtoies sont jaloux, soit les hommes de ton entourage cherchent désespérément à se rapprocher de toi et tu ne te rends compte de rien, ce qui les fout en rogne et met un coup à leur ego masculin.

—OK, il faut que tu arrêtes, dit-elle, de plus en plus mal à l'aise.

Mais il n'en fit rien. Il tendit la main et lui releva le menton d'un doigt pour qu'elle soit forcée de le regarder dans les yeux.

—Evangeline, tu es unique. Et si tu te déprécies encore une fois en ma présence, je te mettrai en travers de mes genoux pour fesser ce petit cul parfait jusqu'à ce que tu promettes d'oublier tous les mots négatifs de ton vocabulaire pour te décrire. Compris?

Putain de merde! Oh bordel.

Voilà qu'elle utilisait encore des mots qui outrageraient sa mère et la pousseraient à se demander ce qu'elle avait raté dans l'éducation d'Evangeline, puisqu'on lui avait appris qu'une vraie dame n'utilisait jamais un langage si vulgaire.

Les yeux écarquillés, elle dévisagea Silas, qui n'avait plus besoin de sa main pour qu'elle soit docile. Elle vit la domination briller dans ses yeux aussi clairement qu'elle l'avait devinée dans les yeux de Drake. Comment avait-elle fait pour la manquer jusque-là?

Doux et gentil, mon cul.

Tous les hommes de Drake étaient des mâles alpha dominants; mais avec ces quelques mots tranquillement prononcés par Silas, elle comprit qu'elle se trouvait face à un homme plus dominateur que les autres. Peut-être même plus que Drake, ce qui lui paraissait inconcevable.

Elle voyait à présent ce côté effrayant que les autres voyaient et auquel ils étaient sans doute confrontés tous les jours, alors qu'elle faisait des hypothèses en se basant sur deux brèves rencontres durant lesquelles il s'était comporté comme un parfait gentleman.

Elle déglutit péniblement parce qu'elle ne pensait pas que Silas bluffait. Il n'y avait pas une once d'amusement dans ses yeux. Seulement le plus grand sérieux. Puis, comme son cerveau était hors-service et qu'elle était incapable de tenir un discours cohérent, elle bafouilla une réponse ridicule.

—D-Drake ne te laisserait jamais faire! rétorqua-t-elle dans un murmure choqué.

Et, comme si elle n'était pas assez humiliée, elle prit conscience que le médecin était encore là, à recoudre son genou complètement oublié, et qu'il avait été témoin de tout l'échange entre eux.

Il avait un petit sourire amusé aux lèvres, sans pour autant quitter son travail des yeux, les mains fermes.

Silas adressa un petit sourire en coin à Evangeline pour lui faire comprendre ce qu'il pensait de sa déclaration naïve.

—Ne sois pas si certaine de ce que Drake autorisera ou n'autorisera pas, Evangeline. Cela ne mènerait qu'à un inévitable malentendu. Je suis certain que Drake a été très précis quant à ce qu'il attend de toi, dont, en premier lieu, ton obéissance. Je dirais que cela couvre beaucoup de terrain inexploré, pas toi?

Evangeline eut envie de crier. Comment les hommes de Drake, *cet* homme en particulier, pouvaient-ils en savoir autant sur ce que Drake lui avait dit ou pas ? Est-ce que ses besoins et exigences étaient connus de tous ses hommes ?

Bon sang, est-ce qu'ils tenaient, possédaient ou appartenaient à une sorte de club BDSM ? Étaient-ils tous membres d'une même communauté dans laquelle il existait des manuels et des règles pour ce genre de trucs et où ils adhéraient tous au même « code » ?

Elle voulut s'arracher les cheveux, se couvrir le visage, et être à des millions de kilomètres de là, car tout cela devenait de plus en plus troublant.

— Tu ne me ferais pas de mal, dit-elle, désespérée.

Les yeux de Silas s'attendrirent.

— Non, Evangeline. Je ne te ferai jamais de mal. La discipline n'est pas forcément synonyme de douleur. Sauf si c'est ton truc, ajouta-t-il en haussant les épaules. Les gens aiment ce qui leur donne du plaisir. Ce n'est pas à moi de juger. Mais sache que je n'hésiterai pas à mettre ma menace à exécution. Je n'ai pas l'habitude de dire des paroles en l'air. Donc oui. Je te retournerai sur mes genoux et te donnerai la fessée si tu te dévalorises en ma présence. Si tu ne veux pas que cela se produise, le plus simple est de ne pas dire n'importe quoi. Je me suis bien fait comprendre ?

— J'ai compris, s'étrangla-t-elle.

Il lui semblait évident qu'il n'était pas homme à se contenter d'un simple hochement de tête pour réponse.

— Vous avez fini ? demanda sèchement Silas au médecin.

Ce dernier semblait avoir déjà fini mais était visiblement absorbé par la conversation entre Silas et Evangeline ; il tenait un pansement au-dessus du genou de la jeune femme en les regardant tous deux avec fascination.

—Euh… oui, bien sûr. Laissez-moi lui mettre ça sur le genou.

Puis il ne regarda plus qu'Evangeline.

—Laissez le pansement cette nuit. Vous pourrez l'enlever demain, mais la zone doit être toujours propre. Et mettez bien la pommade comme je vous l'ai indiqué. Enfin, je vous le répète, si vous rencontrez un des problèmes que j'ai listés, revenez me voir immédiatement.

Evangeline hocha la tête, encore embarrassée par cet étalage d'informations intimes. Tous ceux qui travaillaient pour Drake connaissaient-ils chaque détail de leur relation ? Ou ne faisaient-ils que deviner en se basant sur ses liaisons passées ?

Cela toucha une corde sensible en elle, l'idée que sa relation, ou du moins ce lien qu'elle partageait avec Drake, puisse suivre une ligne directive ou un programme qu'il reproduisait, à l'identique, quelle que soit sa conquête du moment.

N'importe quelle femme ferait-elle l'affaire pour lui ? Le visage d'Evangeline se confondait-il avec ceux de toutes les femmes qui étaient venues avant elle ? Sortait-elle du lot ? Elle supposa qu'elle avait de la chance qu'il se souvienne de son nom et ne l'ait pas appelée par le prénom d'une autre. Elle le poignarderait certainement avec un couteau de cuisine si cela se produisait un jour.

Silas l'aida à se relever de la table d'examen puis la fit sortir du cabinet pour la conduire dans l'ascenseur qui les mènerait au dernier étage. Il inséra sa propre clé magnétique, nouvelle preuve que les hommes de Drake avaient toute sa confiance et qu'il les laissait accéder à ses quartiers privés.

Lorsqu'ils entrèrent dans l'appartement, elle vit que les courses avaient été déposées sur le comptoir, et lorsqu'elle voulut aller les ranger en vitesse, Silas lui bloqua le passage et la poussa dans le salon, où il la força à s'asseoir sur le canapé avant d'attraper un coussin qu'il installa sous sa jambe.

—Ne bouge pas, ordonna Silas. Je sais que Drake a dit qu'il rentrerait tard, et je sais aussi qu'il t'appellera pour te prévenir quand il sera sur le chemin du retour. Par conséquent, jusqu'à ce que tu reçoives cet appel, tu dois te détendre et ne pas aggraver ta blessure. Drake comprendra que tu aies un peu de retard sur le dîner, vu les circonstances.

Evangeline se mordit la lèvre, refusant de rappeler à Silas que Drake n'était pas au courant de sa blessure. À moins qu'elle n'ait déjà été dénoncée par un de ses hommes. Une possibilité qu'elle ne pouvait exclure.

Mais lorsque Drake finit par appeler, elle se rendit compte que non, il n'était pas au courant, et qu'il était encore en colère à cause de sa transgression ce matin-là.

Chapitre 22

LE TÉLÉPHONE SONNA, RÉVEILLANT EVANGELINE, toujours installée sur le canapé. Merde! Comment avait-elle pu s'endormir? Elle avait prévu de commencer à préparer le dîner dès que Silas serait parti, même s'il lui avait dit de se reposer jusqu'au moment où Drake l'appellerait.

Elle attrapa son téléphone, contente que Silas l'ait mis à portée de sa main. Elle grogna presque lorsqu'elle fit basculer ses jambes du canapé pour se lever et se diriger vers la cuisine pendant qu'elle parlait à Drake.

—Allô? dit-elle, à bout de souffle.

—Je suis à la maison dans vingt minutes, dit-il sèchement.

—D-d'accord, répondit-elle, agrippant le téléphone plus fermement.

Tout en parlant, elle fouilla dans les sacs et chercha les poêles adaptées, puis elle fit chauffer le gril sur la cuisinière professionnelle.

—Le dîner pourra attendre quelques minutes, j'imagine, dit-il.

—Oui, bien sûr, s'empressa-t-elle de répondre. Il peut être prêt quand tu seras disposé à manger.

—Bien. Alors voilà ce que je veux que tu fasses : va dans le salon et déshabille-toi. Quand j'arrive, je veux que tu sois debout à l'extrémité du canapé, le ventre contre l'accoudoir, les jambes légèrement écartées. Et quand je te le dirai, tu devras te pencher en avant et poser tes mains sur le canapé de façon à être penchée au-dessus de l'accoudoir.

Elle hésita, visiblement perplexe.

—D'accord, souffla-t-elle.

—Ta punition, Ange, précisa-t-il, remarquant de toute évidence sa confusion. Ne crois pas que j'ai oublié ce qui s'est passé ce matin.

Elle faillit faire tomber le téléphone mais parvint à se ressaisir avant qu'il ne se brise sur le sol.

—Fais en sorte d'être prête et d'avoir pris en compte chacune de mes instructions, ou je serai très en colère, dit-il d'une voix caressante.

—Je ne te décevrai pas, Drake, dit-elle à voix basse.

Il hésita cette fois, puis répondit :

—Je sais, Ange. Ça, je le sais.

Il raccrocha, et elle garda les yeux rivés sur le téléphone.

Elle ferma les yeux, refusant de se concentrer sur la promesse de cette punition. Il fallait absolument qu'elle prépare le dîner, ou il saurait qu'elle ne l'avait pas encore fait. Cette journée avait décidément été catastrophique.

Elle songea brièvement à suivre le conseil de Silas et à tout raconter à Drake sitôt qu'il rentrerait, puis elle fronça les sourcils. Elle s'en voulait d'être si lâche! Elle essayait de se tirer d'affaire à la première occasion, alors que tout était sa faute.

Non, elle allait bel et bien entamer la préparation du dîner, puis elle irait dans le salon et ferait ce que Drake lui avait demandé. Elle ne se dégonflerait pas la toute première fois qu'elle rencontrait un obstacle, ou du moins la première fois où elle lui avait désobéi. Étrangement, elle se dit que cela le décevrait encore plus que sa désobéissance même.

Tout fut prêt et sur le feu avec cinq minutes d'avance. Une odeur alléchante flottait dans la cuisine.

Il ne restait plus qu'à faire les steaks, et elle ne les mettrait à cuire que lorsqu'ils seraient sur le point de passer à table.

Sachant qu'il lui restait moins de cinq minutes avant l'arrivée de Drake, elle courut dans le salon, ignorant la douleur dans son genou. Si elle n'avait pas passé tout l'après-midi à faire la sieste sur le canapé et qu'elle s'était bougée, elle n'aurait pas mal. Mais après ces quelques d'heures d'inactivité, ses mouvements brusques risquaient de réveiller la douleur.

Elle se déshabilla en vitesse puis plia soigneusement ses habits, qu'elle posa sur la table basse. Elle ne voulait pas donner l'impression qu'elle s'était dépêchée, même si c'était exactement ce qu'elle avait fait.

Elle glissa ses chaussures sous la petite table puis posa son soutien-gorge et sa culotte sur son jean déchiré et son haut.

Quand elle fut toute nue, elle alla se poster au bout du canapé et s'appuya contre l'accoudoir, avant de passer ses mains sur le cuir et de se courber en avant pour voir si elle serait à l'aise quand il lui demanderait de se pencher.

Bon, ce n'était pas si mal.

Elle se redressa et se mit consciencieusement dans la position qu'il avait décrite, puis elle ferma les yeux. Les quelques minutes qui précédèrent son arrivée lui parurent une éternité.

Drake attendit impatiemment que les portes de l'ascenseur s'ouvrent et sortit en vitesse, ne prenant pas même le temps de mettre sa veste sur le portemanteau. Il l'enleva en entrant et la jeta par terre.

Il eut le souffle coupé quand il vit Evangeline debout comme il le lui avait ordonné au bout du canapé, sa peau nue brillant dans la faible lumière. Seule une lampe était allumée dans le coin opposé du salon, conférant à la pièce une atmosphère intime.

Il alla se poster derrière elle, incapable de résister à la tentation. Il fit passer ses cheveux par-dessus l'une de ses épaules et pressa ses lèvres sur la courbe de son cou. Elle frissonna à son contact et eut la chair de poule.

— Tu es si réactive…, murmura-t-il. Si belle…

Il l'entendit soupirer.

— Ne bouge pas, ordonna-t-il.

Puis il quitta la pièce pour aller chercher la cravache dans la chambre. Ce serait la première expérience d'Evangeline avec autre chose que sa main et les quelques claques qu'il lui avait assenées sur les fesses, raison pour laquelle il ne serait pas plus brutal. Pas avant d'être certain qu'elle était prête.

Quand il revint, elle était toujours là, aussi immobile qu'une statue, sa peau pâle resplendissant dans la lumière surnaturelle. C'était une déesse, et elle était toute à lui.

Il fit glisser le bout de la cravache le long de sa colonne vertébrale, la faisant frissonner de plus belle. Il poursuivit son exploration, la laissant s'habituer à la sensation du cuir avant qu'il ne marque son magnifique cul.

Il avança sur le côté afin de distinguer l'expression de son visage.

—Je vais te donner six coups, déclara-t-il d'une voix neutre. Juste pour te rappeler qu'à l'avenir, tu ne dois pas me désobéir. Mais tu es avertie, Ange, si cela se reproduit, je ne ferai pas preuve d'une telle clémence.

Elle transféra son poids sur un pied, mouvement presque imperceptible, mais il était si attentif que cela ne lui échappa pas. Il était sur le point d'administrer le premier coup, toujours à côté d'elle, car il voulait observer sa réaction. Ce moment où la douleur initiale se transformait en plaisir. Il voulait voir ses yeux s'embrumer du plaisir qu'il lui procurait.

Mais un éclair de douleur et de détresse passa dans les yeux d'Evangeline avant de disparaître. Était-ce le fruit de son imagination? Non. Il l'avait clairement vu. Il fronça les sourcils, car il n'avait rien fait de plus qu'effleurer sa peau avec son fouet.

Il laissa retomber sa main le long de son corps sans la quitter des yeux.

— Qu'est-ce qui ne va pas ? s'enquit-il. Evangeline, regarde-moi.

Elle tourna lentement la tête pour lui faire face ; dans ses yeux brillaient les larmes qu'elle retenait et cela le prit aux tripes.

— Tout va bien, Drake. Je ne te désobéirai plus, dit-elle doucement. Je suis désolée. J'avais tort. J'ai fait l'enfant capricieuse et j'ai été une garce. Tu ne méritais pas ça de ma part.

Puis elle rééquilibra de nouveau son poids, et il remarqua qu'elle s'appuyait sur une seule jambe au lieu d'avoir les deux pieds solidement plantés sur le sol. Elle grimaça, la douleur passant de nouveau dans ses yeux avant qu'elle ne se ressaisisse et tourne la tête pour regarder droit devant elle. Elle se pencha en avant pour poser ses mains sur le canapé comme il le lui avait indiqué plus tôt, mais tout ce que Drake voyait, tout ce dont il se souvenait, était la douleur dans ses yeux. Une douleur qu'il n'avait pas causée.

Il parcourut son corps du regard à la recherche d'une source perceptible d'inconfort. Puis il plissa les yeux en voyant ce que le canapé avait bel et bien caché : un pansement à son genou.

Il se mit aussitôt à genoux, la faisant pivoter sur le côté pour qu'elle soit face à lui, et il vit clairement le bandage.

— C'est quoi ça ? murmura-t-il à voix basse pour qu'elle n'ait pas l'impression que sa colère était dirigée contre elle.

Il se leva rapidement et la souleva, la serrant contre son torse, puis il fit le tour du canapé pour l'y poser avec douceur. Là, il lui souleva délicatement les jambes, prenant garde à ne pas lui faire mal, et les posa en travers de ses cuisses pour examiner son genou de plus près.

—Que s'est-il passé? demanda-t-il.

Elle soupira.

—Ce n'est rien, Drake. Je te jure. J'ai été stupide et maladroite. Zander et moi sommes allés faire les courses puis il a insisté pour que je m'achète des lunettes de soleil et on s'est arrêtés dans une boutique où il en a acheté deux paires hors de prix.

Elle frémit et ferma les yeux, et il se rendit compte que le coût desdites lunettes de soleil la contrariait davantage que sa blessure au genou.

—Quand je suis sortie, j'ai trébuché. Je ne sais pas exactement ce qui s'est passé, mais j'ai trébuché et me suis retrouvée à plat ventre sur le trottoir. Zander a voulu t'appeler aussitôt, mais je l'ai supplié de ne pas le faire. Alors il a appelé Justice pour qu'il vienne nous chercher. Seulement, Justice *et* Silas sont arrivés, et Silas a insisté pour m'emmener chez le médecin.

Drake plissa les yeux en écoutant son récit.

—Et pourquoi as-tu pensé qu'il n'était pas important de me prévenir?

—Tu étais occupé, murmura-t-elle, avec un désarroi évident. Ton mot disait que tu serais accaparé par des rendez-vous importants toute la journée et que tu rentrerais tard pour dîner. Je ne voulais pas te déranger pour si peu. Ton médecin m'a recousue en quelques minutes et m'a donné de quoi anesthésier la plaie.

— Il a dû te faire des points ? demanda-t-il, les dents serrées.

Effrayée, nerveuse, Evangeline ouvrit grand les yeux ; mais Drake était trop déterminé à mettre tout ce bazar au clair pour apaiser sa crainte qu'il ne soit en colère contre elle. Bon sang. Il aurait dû être avec elle. Tout du long.

— Pas beaucoup, dit-elle, sur la défensive. Je ne sais même pas pourquoi il a pris cette peine. J'ai déjà connu bien pire, et mettre un pansement aurait largement suffi.

— Ç'aurait peut-être été suffisant avant, dit-il, essayant de reprendre le contrôle de ses émotions. Avant que tu m'appartiennes, s'entend. Mais ça ne l'est plus. Tu m'appartiens désormais, et je ferai toujours en sorte qu'on prenne soin de toi. Ton confort et ta sécurité sont essentiels. Tu n'aurais pas dû aller chez le médecin avec un étranger à tes côtés pour te réconforter. J'aurais dû être là pour te soutenir, te porter jusqu'à notre appartement, et m'assurer de ton confort absolu. C'est mon rôle, Evangeline.

Il la transperça d'un regard pénétrant.

— Maintenant, dis-moi. C'est quoi ton rôle ?

Elle eut l'air confus et son front se creusa.

— Je ne comprends pas ce que tu me demandes, Drake, dit-elle, navrée. Ta question me laisse perplexe.

—Mon rôle consiste à prendre soin de toi en permanence, à subvenir à tes besoins, à assurer ta sécurité quand je ne suis pas là. Je dois aussi m'assurer que tu te sens à l'aise. Tu n'as qu'une seule mission, mon ange : obéir.

Pensive, Evangeline dévisagea Drake tandis qu'une myriade d'émotions contradictoires l'assaillait, face à sa façon posée d'énoncer les faits tels qu'il les voyait. Elle ressentait un certain agacement. Mais, surtout, elle éprouvait un profond soulagement. Comme si on lui avait ôté un lourd fardeau des épaules.

Était-il possible que ce soit aussi facile ? Que ce bel homme dominateur la chérisse, la dorlote, la gâte, s'occupe d'elle, et qu'en retour sa seule mission soit d'obéir ? C'était presque inconcevable. Comme si elle était dans un rêve sans fin et que, si elle ouvrait les yeux, tout puisse disparaître en un clin d'œil ; elle se cramponna donc à ce rêve, fermant les yeux de toutes ses forces pour maintenir la réalité à distance.

Drake se pencha et retira très prudemment le pansement, puis, après une brève inspection, il pressa ses lèvres sur la plaie avec déférence. Cela la stupéfiait, qu'il puisse passer en un instant du mâle autoritaire et puissant sur le point de punir sa soumise à un être si affectueux et tendre qui la déshabillait du regard.

—À partir de maintenant, s'il t'arrive quoi que ce soit, je veux le savoir immédiatement. Ça m'est égal que tu penses que c'est insignifiant. Je veux le savoir à l'instant où ça arrive, compris ?

Elle déglutit puis parvint sans savoir comment à verbaliser son assentiment malgré le nœud qui lui serrait la gorge.

Puis il la surprit de nouveau : il la fit glisser sur ses genoux pour l'enlacer. Il pressa fermement ses lèvres sur son front puis se leva, la soulevant dans ses bras. Il la porta jusque dans la cuisine et la posa sur l'îlot central.

—Ce soir, je cuisine pour ma princesse blessée, dit-il avec une lueur malicieuse dans les yeux.

Effarée, elle protesta aussitôt.

—Hors de question que je laisse quelques points m'empêcher de préparer le dîner. Et puis, tout est presque prêt à part les steaks, et il faut seulement les faire griller de chaque côté pendant quelques minutes.

Il lui pinça affectueusement le nez puis l'embrassa longuement et tendrement sur la bouche.

—Alors il ne me reste pas grand-chose à faire, si ? Tu restes assise ici et je serai ton commis. Tu me diras quoi faire et comment, et je servirai le dîner en un rien de temps.

Evangeline le regarda avec fascination pendant qu'il préparait le dîner, s'interrompant de temps en temps pour lui demander s'il s'y prenait comme il fallait. Et tandis qu'elle l'observait et se repassait les événements de la soirée, quand il avait laissé tomber sa punition pour s'assurer qu'elle allait bien, elle eut un genre de révélation.

Drake *aimait* prendre soin d'elle. Il semblait même y prendre beaucoup de plaisir. Elle comptait pour lui, et il prenait son rôle très au sérieux. Elle se demanda si quelqu'un s'était déjà vraiment soucié de lui et si c'était pour cela qu'il était si déterminé à lui offrir ce dont il avait lui-même manqué.

Cela ne fit que raffermir la résolution d'Evangeline, non seulement de l'accepter sans réserve, mais aussi de faire tout ce qui était en son pouvoir pour s'occuper de lui et le protéger. Peut-être que personne ne s'était jamais préoccupé de son bonheur, mais Evangeline était naturellement altruiste. Drake saurait sans l'ombre d'un doute qu'au moins une personne tenait à lui de tout son cœur et voulait s'assurer qu'il soit heureux. Et si elle pouvait faire toutes ces choses en lui faisant plaisir et en se conformant à ses règles, alors elle le ferait sans hésiter.

— Drake ?

Il se retourna comme s'il avait senti que l'heure était grave.

— Je suis désolée, souffla-t-elle. Pour aujourd'hui. Ce matin. Je me suis comportée comme une garce et tu ne méritais pas ça. J'ai honte d'avoir agi de la sorte, je l'ai fait sans réfléchir et cela t'a heurté. Je m'en veux terriblement. Peux-tu me pardonner ? Je ferai mon possible pour ne plus jamais te donner de raison d'être mécontent de moi. Je ne veux que ton plaisir. C'est important pour moi. Plus important que tu ne l'imagines.

Le visage de Drake se détendit et, après avoir retourné les steaks, il la rejoignit et l'enlaça tendrement.

— Tu n'es *pas* une garce, Ange. Loin de là. Et je pense que nous devrions oublier ce qui s'est passé et tourner la page. Mais mon ange, je veux que tu me promettes une chose : tu ne dois jamais me laisser te mettre dans une situation où tu pourrais ressentir le moindre inconfort. Tu aurais dû me parler de ton accident dès qu'il a eu lieu, ou à défaut, me le dire avant que je fasse usage de ma cravache. Heureusement que je l'ai découvert avant de t'administrer la punition, sinon je ne me serais jamais pardonné de t'avoir causé une douleur inutile.

Sa voix était empreinte de remords. Le cœur d'Evangeline fondit à ces paroles. Drake semblait horrifié à l'idée de l'avoir fait souffrir.

— Et je suis touché que tu m'avoues avec tant de sincérité que je compte pour toi et que tu es prête à tout pour me faire plaisir. Je veux que tu sois heureuse. Je veux que tu resplendisses. Pour moi. Toujours pour moi.

Elle se détendit et l'embrassa, avant de s'écarter avec un sourire mutin.

— Alors pas de punition pour moi ce soir, hein ?

Il retourna à la cuisinière et souleva un steak pour qu'elle l'inspecte.

— Juste une minute ou deux de plus, conseilla-t-elle.

Puis il la regarda d'un air maussade.

— Non, Ange. On peut dire que tu as déjà eu ton lot d'émotions pour la journée. Je ne me suis jamais considéré comme un homme patient, mais ces derniers temps, je me rends compte que je suis prêt à me modérer si le jeu en vaut la chandelle. Maintenant, tu comprends mieux les règles du jeu, et je ne serai pas aussi indulgent à l'avenir. Toute désobéissance sera punie. Mais je n'irai jamais trop loin, et ne te ferai pas souffrir intentionnellement.

Evangeline se mit à frémir sous l'effet d'un curieux mélange de déception et de curiosité. Elle n'avait pas peur que Drake lui fasse mal. Physiquement. Il était trop discipliné et maître de lui en toutes choses. Evangeline fantasmait sur les effets que cette punition aurait sur elle. Elle se souvenait de la sensation exquise de la brûlure la nuit où il l'avait fessée. Mais elle refusait de décevoir Drake une fois de plus simplement parce qu'elle avait envie d'être punie. Elle avait besoin de lui apporter entière satisfaction.

— Et si je voulais que tu te serves de la cravache ? demanda-t-elle d'une voix rauque avant de pouvoir modérer ses propos. Pas comme punition. Ça te ferait plaisir, Drake ? Parce que j'y songe et je pense que…

— Que penses-tu, Ange ?

— Que ça me ferait très plaisir, avoua-t-elle.

Il était en train de retirer les steaks du gril pour les mettre dans un plat et s'immobilisa à son aveu. Puis il éteignit le feu sous les autres poêles et se tourna vers elle en la déshabillant du regard.

— Je ne suis peut-être pas obligée de rester debout pour ça, ajouta-t-elle avant de perdre son cran. Un homme aussi expérimenté que toi connaît certainement mille façons de fouetter une femme, sans que j'aie à m'appuyer sur mon genou.

— Ce que je crois, dit-il doucement, c'est que nous devrions d'abord manger. Puis, ensuite, nous pourrons en discuter. De préférence avec toi dans mon lit, attachée et incapable de faire quoi que ce soit si ce n'est accepter le plaisir que je te donnerai.

Elle avala le trop-plein de salive qui s'était accumulé dans sa bouche. Elle était censée manger maintenant ? Et se souvenir du goût des choses ?

Il servit des portions des préparations dans deux assiettes avant de les poser sur la table. Puis il revint et la souleva délicatement pour la porter jusqu'à la table, mais au lieu de la poser sur une chaise, il s'installa avec elle sur les genoux.

Elle comprit qu'il allait lui donner à manger, mais cette fois, elle n'eut aucune appréhension. Elle avait apprécié la première fois qu'il l'avait nourrie de sa main. Une certaine intimité les avait enveloppés et avait attisé son désir.

Il la nourrit – et se nourrit – et la complimenta pour cet excellent dîner.

— Mais c'est toi qui as cuisiné, pas moi ! protesta Evangeline.

— Je n'appelle pas ça cuisiner le repas, mettre deux steaks sur le gril et les retourner quand tu l'indiques, tout en faisant réchauffer les accompagnements que tu avais déjà préparés dans les autres poêles. C'était délicieux et j'apprécie les efforts que tu as faits pour rendre cette soirée unique. Cela me touche beaucoup, Ange. Je regrette seulement que tu te sois blessée au passage.

— Ça valait la peine de s'écorcher le genou, murmura-t-elle. Je veux vraiment te faire plaisir, Drake. Je ne sais pas pourquoi j'éprouve à ce point le besoin de te satisfaire. Je me sens belle et désirée avec toi. Je voudrais tellement pouvoir te rendre ne serait-ce qu'une part de ce que tu me donnes si généreusement.

Il l'embrassa et la serra plus fort contre lui.

— Tu me combles de joie, Evangeline. N'en doute jamais. Bon, et si nous poursuivions cette discussion dans la chambre, où je pourrai m'occuper de mon ange et lui donner ce qu'elle exige d'un homme ?

— Je dirais que c'est la meilleure idée de la journée, murmura-t-elle contre ses lèvres.

Chapitre 23

Drake porta Evangeline jusqu'à la chambre et l'allongea révérencieusement sur le lit. Puis il la déshabilla du regard, se délectant visiblement de ce qu'il voyait.

Pour une fois, elle ne ressentait aucune timidité, aucune gêne. Elle se sentait pleine d'audace. Comme une séductrice expérimentée alors qu'elle n'était encore qu'une novice. Elle ne voulait pas être une participante passive de ce que Drake choisirait de faire, mais en même temps, l'idée qu'il prenne toutes les décisions et ait le contrôle la faisait délicieusement frissonner.

Il fronça les sourcils lorsque ses yeux se posèrent sur son genou et il eut l'air pensif.

— Ça te fait très mal ? demanda-t-il. Réponds honnêtement. Je ne ferai rien qui puisse te faire souffrir davantage ce soir.

— Ça va beaucoup mieux maintenant, dit-elle en toute honnêteté. Je me suis endormie sur le canapé parce que Silas refusait de partir avant que je me repose, et je voulais me lever dès son départ pour préparer le repas, mais je me suis endormie et ne me suis réveillée que lorsque tu m'as appelée. Et comme je suis restée longtemps immobile, mon genou est resté raide et douloureux un moment après que j'ai commencé à m'activer, mais il s'est détendu et n'est plus aussi sensible.

Il pinça les lèvres.

— Et si tu m'avais appelé, j'aurais fait en sorte que tu fasses exactement ce que Silas t'a dit de faire, sauf que tu aurais été dans mes bras et que je t'aurais couverte de baisers pendant que tu te reposais.

Il fallait reconnaître que l'image était assez attrayante.

— Je regrette de ne pas t'avoir appelé, chuchota-t-elle.

Il se pencha et déposa délicatement un baiser sur son genou, avant de relever la tête pour croiser son regard.

— La prochaine fois, tu n'hésiteras pas.

— Non, promit-elle.

Un éclat traversa les yeux de Drake. Il la regardait comme un prédateur, et l'urgence qu'elle devina dans ses yeux lui coupa le souffle et éveilla en elle un désir indescriptible.

— Tu pourrais me réconforter maintenant, suggéra-t-elle d'une voix rauque laissant entendre une invitation.

— Oh oui, mon ange, j'y compte bien. Mais d'abord, je vais fouetter ce petit cul pour qu'il porte ma marque quand je te baiserai.

Elle ne put retenir le gémissement qui s'échappa de ses lèvres tandis qu'elle frissonnait.

L'expression de Drake se fit plus sérieuse.

—Mais je ne ferai rien qui pourrait te faire mal au genou.

—Je sais, Drake, dit-elle, le cœur serré. Je sais que tu ne me feras jamais de mal. J'ai envie de ça. J'ai envie de toi. Et de tout ce que tu as à me donner.

Le visage de Drake s'adoucit et une lueur chaleureuse brûla dans ses yeux noirs.

—Si douce et généreuse…, murmura-t-il. Qu'ai-je fait pour mériter un tel ange ?

Il s'éloigna du lit, et elle ressentit la perte cruelle de sa chaleur, de la caresse de son regard et des mains qui avaient choyé son corps. Il revint un instant plus tard avec une corde et la cravache, et le cœur d'Evangeline s'emballa, sa respiration se fit saccadée.

—Tu es très excitée, fit-il remarquer, visiblement sous le charme.

—Oh oui, dit-elle. Donne-moi tout, Drake. Je te veux, toi.

Il la retourna, en faisant attention à son genou, et plaça ses deux mains dans le bas de son dos ; puis il enroula soigneusement la corde autour de ses poignets, la testant pour s'assurer qu'elle ne la serrait pas trop. Il la quitta de nouveau, le temps de se déshabiller, puis il revint, et la souleva du matelas.

Il s'installa au bord du lit et la positionna sur le ventre en travers de ses cuisses, jambes pendant dans le vide. Il passa ses mains dans son dos, sur ses épaules, ses fesses, puis descendit le long de chaque jambe, chacune de ses caresses l'embrasant tout entière.

De la main, il lui administra une légère claque sur la fesse et elle poussa un petit cri de surprise. Puis il caressa la zone, effaçant la douleur tandis que la douce chaleur du plaisir prenait le dessus.

Puis, comme il l'avait fait plus tôt dans le salon, il lui caressa le dos et les fesses du bout de la cravache, et avant qu'elle puisse s'y préparer, il l'abattit sur l'autre fesse.

Le feu courut sur sa peau, mais rapidement, la douleur disparut, remplacée par la douce chaleur d'un plaisir décadent, interdit.

— Tu en veux plus, Ange ? Tu peux en supporter davantage ?

— Autant que ce que tu voudras me donner, dit-elle, le souffle court. Je suis à toi, Drake. Je t'appartiens. Fais de moi ce que tu désires.

Elle sut que ses mots avaient fait mouche à la chaleur et à la douceur de sa caresse à l'endroit qu'il venait de claquer, et à son soupir de satisfaction.

— Tu m'étais destinée, dit-il. Oui, mon ange adoré, tu m'appartiens et je fais de toi ce que je veux.

Il cingla son autre fesse, la faisant sursauter puis gémir lorsque l'euphorie l'enveloppa tel un nuage. Son genou endolori et les événements de la journée s'évanouirent dans l'obscurité, oubliés, tandis qu'il lui donnait la fessée, chaque coup plus puissant que le précédent.

Il faisait attention à ne pas l'accabler, mais faisait monter l'intensité progressivement, allant de la légèreté à la dureté, et la douleur s'amplifia, tout comme le plaisir, indescriptible.

—Tu es si belle, putain! lâcha Drake d'un ton bourru en passant sa main sur sa chair palpitante. Ton cul porte ma marque, le sceau de ma possession. Dis-moi, Ange, tu en veux encore? Ou tu veux que je baise ton joli cul? Ou peut-être préférerais-tu que je prenne ce sexe qui m'appartient aussi?

Elle gémit, ivre de plaisir.

—Je veux tout, chuchota-t-elle. Tout ce que tu as, tout ce que tu peux me donner, Drake. S'il te plaît… J'ai tellement besoin de toi.

Les mots avaient à peine quitté ses lèvres qu'il l'enfourcha, souleva ses fesses vers le haut, lui écartant les lèvres des deux pouces, puis s'enfonça violemment et profondément dans son intimité. Elle faillit jouir sur-le-champ. Elle ferma les yeux, contractée autour de lui, essayant de tenir son orgasme à distance tandis qu'il la chevauchait fougueusement. Il était presque brutal dans sa possession, la pilonnant sans relâche.

Il fit des va-et-vient en elle, encore et encore, ses hanches claquant contre ses fesses, sans cesser de caresser la chair brûlante de son postérieur qui portait la marque de la cravache.

—Drake! s'écria-t-elle éperdument. J'y suis presque. Je vais jouir!

Il se retira, lui tirant un gémissement à cause du départ abrupt de son érection de sa chair enflée et ultrasensible. La sensation de douleur mêlée au plaisir était grisante, et elle ferma les yeux et se mordit la lèvre pour différer son orgasme.

Puis elle sursauta quand la cravache s'abattit sur sa croupe, vite et fort, mitraillant chaque centimètre de ses fesses endolories.

La flagellant sans marquer de pause, Drake lui murmura d'une voix rauque :

— Je vais te détacher les mains pour que tu puisses te toucher pendant que je te prends par-derrière, mais ne te mets pas sur les genoux et ne mets aucun poids sur tes points. Compris ?

— Oui, acquiesça-t-elle, à la limite du désespoir.

Les coups de cravache cessèrent et il lui détacha les poignets à la hâte, les massa délicatement pour les sortir de leur engourdissement, puis il saisit sa main gauche et la glissa entre le matelas et elle jusqu'à ce que ses doigts trouvent son clitoris palpitant.

Drake prit le tube de lubrifiant et en préleva un peu sur ses doigts. Puis il lui écarta les fesses. Elle se prépara à la pénétration en se caressant, et ce n'était pas trop tôt car il s'enfonça dans son cul aussi profondément que dans son sexe.

Elle se mit à trembler, et ses doigts glissèrent sur son point sensible tandis que Drake l'emmenait de plus en plus loin dans le plaisir. Juste avant l'extase, il se retira, la laissant au bord de l'orgasme, et elle poussa un cri de frustration.

Il rit doucement et attisa de plus belle le désir d'Evangeline en lui donnant un nouveau coup de cravache qui lui coupa le souffle. Sa poitrine se souleva et elle inspira fébrilement tandis que la douleur s'estompait, laissant place à l'euphorie. Elle ferma les yeux, d'autres coups s'abattant sur son fessier, et elle entra dans un monde brumeux qui se troubla autour d'elle, où seul le bonheur existait.

Les mains de Drake lui écartèrent les fesses sans ména-gement et il la pénétra de nouveau, mais elle était trop étourdie par le plaisir pour se caresser encore.

— Touche-toi, mon ange, ordonna Drake. Je te veux avec moi et je suis sur le point de jouir sur ton beau petit cul rougi.

Elle se caressa paresseusement, ivre de plaisir. S'adaptant à son rythme, Drake renonça à ses violents coups de reins et la pénétra lentement.

Alors qu'elle avait joui dans l'urgence la première fois, cette fois-ci, elle se hissa progressivement vers l'extase, et quand Drake planta plus fermement ses doigts dans ses hanches et qu'elle sentit son membre gonfler davantage, elle intensifia sa caresse pour qu'ils atteignent la jouissance ensemble. Toujours ensemble.

L'orgasme la subjugua, de puissants spasmes parcoururent son corps, enflammant toutes ses terminaisons nerveuses. Elle fourmillait de la tête aux pieds, à fleur de peau, réceptive à la moindre des caresses de Drake.

Et quand il se pencha pour écraser ses lèvres contre sa colonne vertébrale et lui lécher le dos jusqu'à la nuque, la pièce tourbillonna autour d'elle, et elle plongea dans le bonheur le plus exquis qu'elle ait jamais connu de toute sa vie.

L'orgasme de Drake inonda son corps d'une douce chaleur, la réchauffant tout entière. Puis il releva la tête et se retira ; le sperme se répandit par saccades sur le dos d'Evangeline, la faisant frissonner de plus belle.

Pendant un long moment, il resta debout entre ses cuisses écartées, puis il tira en douceur le bras d'Evangeline qui était en dessous de son corps et le caressa longuement avant de déposer un baiser sur son épaule.

—Je reviens tout de suite pour prendre soin de mon ange, dit-il d'une voix rauque.

Puis, un instant plus tard, il passa un gant de toilette chaud sur son dos et ses fesses pour la nettoyer. Il s'occupa de la chair rendue sensible par les fessées. Quand il eut fini, il la fit délicatement rouler sur le dos, en faisant attention à son genou, et elle se tourna vers lui. Il était comblé, cela se lisait dans ses yeux.

—Tu as eu une longue journée, tu as besoin de te reposer maintenant. Je ne demande qu'à te tenir contre moi pendant que tu dors.

Chapitre 24

Evangeline se réveilla et se pelotonna dans les couvertures. Ses fesses douloureuses lui rappelèrent leurs délicieux ébats de la veille. Elle n'avait aucune envie de se lever et d'émerger de son cocon ; elle resta donc allongée, savourant chaque instant de la nuit précédente.

Elle avait l'impression d'être dans le plus merveilleux des rêves, et ne voulait pas se réveiller. Puis, se souvenant du traditionnel mot accompagné d'un cadeau hors de prix qu'elle avait trouvé à son réveil chaque matin depuis qu'elle avait emménagé avec Drake, elle se retourna à contrecœur, espérant…

Mais ses espoirs furent bientôt anéantis. Un petit paquet cadeau était posé à côté d'une feuille pliée en deux. Toute femme aurait trouvé cela incroyablement romantique, mais chaque fois que Drake lui laissait un cadeau, il lui semblait que cela réduisait leur relation à une transaction commerciale.

Comme s'il la payait pour pouvoir coucher avec elle, alors que le plus beau cadeau qu'il pourrait lui faire serait d'être à ses côtés quand elle se réveillait.

Elle grimaça et s'assit, les bras enroulés autour de ses jambes repliées, le regard rivé sur la petite boîte rectangulaire.

À quoi bon différer le moment d'ouvrir son cadeau ? Drake lui avait certainement laissé ses instructions pour la journée dans le mot.

Elle commença par ouvrir la boîte avec une certaine appréhension. Elle n'était pas habituée à recevoir des cadeaux d'une telle valeur. Elle lâcha l'écrin comme s'il l'avait brûlée et contempla avec horreur ce qui avait dû coûter des dizaines de milliers de dollars.

C'était un ras-de-cou en saphirs et diamants qui brillait de mille feux à la lumière. Les pierres les plus imposantes étaient au centre du bijou, et les plus petites étaient incrustées sur les bords. C'était un collier magnifique, mais elle ne pouvait imaginer le porter.

Drake n'avait-il donc rien appris sur elle ? Se rendait-il compte qu'elle ne savait que faire de ces cadeaux hors de prix ? Ne lui avait-elle pas suffisamment assuré qu'il était tout ce qu'elle désirait ? C'était de lui qu'elle avait besoin, non de présents coûteux tous les matins.

Les mains tremblantes, elle reconnut son écriture familière et parcourut sa lettre.

Bonjour, mon ange. J'espère que ton genou va mieux.
J'espère que le collier te plaît. Il semble bien pâle en
comparaison de ta beauté et de tes sublimes yeux bleus,
mais je pense qu'il les soulignera joliment. Fais attention
à toi et préviens-moi si tu quittes l'appartement, et
souviens-toi que tu ne dois le faire qu'avec un de mes
hommes à tes côtés.

Cela n'aurait pas dû l'agacer. Elle pensait qu'elle avait surmonté cela la veille quand elle avait compris certaines choses sur Drake, notamment son besoin de prendre soin d'elle et de la protéger. Mais à présent, loin de la magie du moment, cela l'agaçait qu'il ressente le besoin de limiter si drastiquement sa liberté. Était-il vraiment nécessaire de déployer tout ce décorum chaque fois qu'elle voulait quitter l'immeuble ?

Puis elle se souvint qu'elle avait promis de se conformer aux règles.

Elle avait été clairement informée des attentes de Drake et elle avait signé volontiers, acceptant ses exigences et consciente des avantages et des inconvénients que cela impliquait.

Allons, cela ne durerait pas toujours… À quel moment cette situation prendrait-elle fin ? Quand Drake se lasserait-il d'elle ? Se procurerait une autre marionnette ?

Cette pensée l'attrista alors même qu'elle se reprochait de vouloir le beurre et l'argent du beurre. Il fallait qu'elle arrête de trop réfléchir. Qu'elle vive l'instant présent pour une fois. Qu'elle cesse d'être obnubilée par la peur du lendemain.

Pendant cette période incroyable de sa vie, elle allait faire ce qu'elle voulait et faire passer ses besoins avant ceux des autres. Elle refusait de passer l'intégralité de sa relation avec Drake à se sentir coupable parce que, comme il l'avait déclaré au début, elle profitait du voyage. Quand, dans sa vie, avait-elle cédé à l'impulsion ? Quand avait-elle fait fi de toute prudence et foncé tête baissée dans quoi que ce soit ? Jamais !

Il y avait des choses qu'elle avait envie de faire. Rendre visite à ses amies. Ou simplement profiter d'une journée dehors. Mais très franchement, ce dont elle avait le plus besoin, c'était de se mettre à l'abri de l'excès de testostérone auquel l'exposait la fréquentation de Drake et de son entourage. Si elle devait passer une journée de plus avec l'un des hommes de Drake rôdant autour d'elle, elle pourrait se mettre à hurler.

Soudain, l'idée de passer la journée seule sans quitter l'appartement de Drake sembla bien plus séduisante.

Elle se leva et prit son temps sous la douche, puis elle se rappela qu'elle devait mettre de la pommade sur son genou. Il était trop tard pour petit-déjeuner, elle réfléchit donc à ses possibilités pour le déjeuner.

Elle était tentée de commander à manger, même si elle avait largement de quoi se préparer un repas en un rien de temps. Se faire livrer avait toujours été un luxe pour elle, auquel elle cédait rarement – seulement pour les grandes occasions. Plus elle y pensait, plus elle avait envie de manger chinois ou thaï. Et pourquoi pas ? Elle avait du liquide sur elle. Les sbires de Drake n'étaient pas dans le coin pour dégainer une carte bleue.

Mais ne devrait-elle pas économiser cet argent? Elle ne pouvait rien tenir pour acquis, et si Drake se lassait soudain d'elle et la quittait, elle aurait besoin du moindre sou pour subvenir à ses besoins jusqu'à ce qu'elle retrouve un travail et un logement. Parce qu'elle était déjà certaine d'une chose: si Drake mettait un terme à leur relation, il était hors de question qu'elle retourne dans son ancien appartement en sachant qu'il avait payé le loyer pour deux ans.

Chassant ces pensées déplaisantes, elle alla dans la cuisine et prit son téléphone pour repérer les restaurants des alentours qui pourraient la livrer à l'appartement de Drake.

Après quelques minutes frustrantes qui lui firent prendre conscience qu'elle connaissait très mal ce quartier, elle faillit abandonner son projet. Puis elle eut une idée. Le portier ou le concierge devaient bien être en mesure de l'aider.

Heureuse de ne pas être contrainte d'abandonner son déjeuner de rêve à présent qu'elle se l'était si bien imaginé, elle acheva de s'habiller et prit l'ascenseur jusqu'au hall d'entrée.

Quand elle en sortit, elle regarda timidement autour d'elle, ne sachant pas trop où elle trouverait le concierge. Les rares fois où on lui avait fait traverser le hall en vitesse, elle avait tout juste pris la peine d'observer ce qui l'entourait.

Elle fut sauvée quand le portier vint à sa rencontre, un sourire accueillant aux lèvres.

—Mademoiselle Hawthorn, puis-je faire quelque chose pour vous?

— Oui, répondit-elle avec gratitude. Ça va vous sembler stupide.

Elle rougit, mais le portier se contenta de sourire et de lui adresser un regard aimable.

— Je vous assure que rien de ce que vous pourrez me demander ne sera stupide. Alors, comment puis-je vous aider ?

— Eh bien, euh… pouvez-vous me dire où je peux trouver le concierge ? Voyez-vous, je voudrais me faire livrer de la nourriture chinoise ou peut-être thaï, mais je ne connais pas très bien cette partie de la ville et je ne sais pas quels restaurants proposent un service de livraison à domicile. Pensez-vous que le concierge pourra m'aider ?

Le portier eut l'air horrifié.

— Bien entendu ! Mais, mademoiselle Hawthorn, à l'avenir, vous n'avez pas besoin de vous en charger vous-même. Je peux vous fournir plusieurs menus ainsi que le service de livraison que M. Donovan utilise le plus souvent. Avec ou sans menu, tout ce que vous avez à faire, c'est nous appeler, le concierge ou moi, pour nous informer de vos souhaits. Nous nous en occuperons immédiatement et nous nous chargerons personnellement de la livraison.

— Oh ! dit-elle, prenant conscience que, dans son ignorance, elle avait de toute évidence commis une maladresse.

— Savez-vous ce que vous voulez ? Je connais un excellent restaurant qui propose à la fois des plats thaï et chinois à quelques rues d'ici. Je peux demander qu'on vous livre ce que vous voulez en quelques minutes.

Elle énuméra une commande fournie, plusieurs entrées et accompagnements car elle voulait tout goûter. Le portier se contenta de hocher la tête puis il expliqua à Evangeline qu'elle devait remonter à l'appartement et qu'il lui livrerait les plats vingt minutes plus tard.

— Mais attendez. Il faut que je sache combien ça coûte, protesta-t-elle en sortant les billets de vingt dollars de sa poche.

Une fois encore, le portier eut l'air horrifié et tendit promptement la main pour protester.

— Je ne peux pas prendre votre argent, mademoiselle Hawthorn. M. Donovan serait contrarié. On m'a donné l'instruction d'accéder à toutes vos demandes. Il s'en occupera, ne vous inquiétez pas, je vous prie.

Evangeline soupira. Évidemment. Pourquoi ne l'avait-elle pas anticipé ? Cependant, ne voulant pas contrarier davantage le portier, elle sourit et rangea l'argent dans sa poche.

— Merci, monsieur. Et je vous en prie, appelez-moi Evangeline. Ça fait si formel, « mademoiselle Hawthorn » et, comme vous le devinez certainement, je ne suis pas le genre de fille qu'on a besoin d'appeler « mademoiselle » quoi que ce soit.

L'homme sourit, visiblement ravi par la demande d'Evangeline.

— Dans ce cas, appelez-moi Edward, car « monsieur » n'est pas un titre auquel je suis habitué non plus.

— Edward, alors, répondit-elle avec un grand sourire.

— Et Evangeline, n'hésitez pas à me solliciter si je peux vous être utile. Je ne voudrais pas que M. Donovan pense que je n'ai pas fait correctement mon travail, et il a été clair sur le fait que nous devions nous occuper de vous et que vous deviez être notre priorité.

—Je le ferai, Edward. Je ne voudrais pas que M. Donovan pense que nous avons commis un péché impardonnable, dit-elle avec un sourire taquin.

Edward se détendit, les yeux pétillants.

—Vous êtes une bouffée d'air frais, Evangeline. Je pense que vous et moi allons très bien nous entendre.

—Cela me plairait beaucoup, dit-elle sincèrement. On n'a jamais trop d'amis.

Une fois la surprise passée, il sembla ravi à l'idée qu'elle puisse le considérer comme un ami. Il fallait dire qu'il pourvoyait aux besoins des plus riches et ne devait pas être habitué à ce genre de marque de respect. Puis elle se sentit immédiatement coupable de faire une généralisation si radicale. Comme si toutes les personnes fortunées étaient grossières et méprisantes. Drake n'était ni l'un ni l'autre, même si elle se doutait qu'il n'appelait pas Edward par son prénom et ne le considérait pas comme un ami.

—Allez, remontez que je puisse m'occuper de votre commande, dit-il en lui faisant signe de déguerpir. Je ne peux pas me permettre de vous laisser mourir de faim alors que je suis de service.

Voilà donc à quoi ressemble la vie d'une princesse choyée, songea-t-elle en reprenant l'ascenseur pour monter dans l'appartement.

Il était troublant de constater avec quelle rapidité sa vie entière avait été chamboulée, à quel point elle avait changé en si peu de temps.

D'autres femmes ne perdraient pas leur temps à stresser à ce sujet et s'estimeraient heureuses. Elles se délecteraient certainement de ce mode de vie et s'adapteraient sans problème. Cependant, la fierté d'Evangeline et le fait qu'elle ne comprenait pas ce que Drake voyait de toute évidence quand il la regardait la poussaient à rester prudente. Si elle ne faisait pas attention, elle allait passer pour une ingrate, et elle n'avait aucune envie que Drake, ou qui que ce soit d'autre, la considère ainsi. Sa mère ne l'avait pas élevée comme ça et elle serait très déçue si elle découvrait un jour qu'Evangeline se comportait de cette façon.

Pendant qu'elle attendait qu'on lui monte son repas, son téléphone sonna, avec une sonnerie différente. Sourcils froncés, elle le prit : c'était Drake. Il avait dû s'attribuer une sonnerie spéciale depuis la dernière fois qu'il l'avait appelée, pour qu'elle sache qui l'appelait avant même qu'elle ne regarde l'écran. Elle sourit, c'était adorable qu'il ait fait une chose si attentionnée.

—Allô ? dit-elle avec une excitation qu'elle était incapable de masquer.

—Comment va mon ange aujourd'hui ? demanda-t-il d'une voix bourrue. Tu n'en fais pas trop, si ?

—Je vais bien, lui dit-elle honnêtement. Je le sens à peine.

Il y eut un court silence, puis :

—Je vais encore rentrer tard ce soir. Je suis désolé, mais c'est inévitable. J'ai une réunion tardive qui ne peut être déplacée. J'espérais être à la maison à temps pour t'emmener dîner ce soir, mais tu ferais mieux de ne pas m'attendre, parce que je ne sais pas à quelle heure je rentrerai. Si tu veux quand même manger dehors, je demanderai à un de mes hommes de venir te chercher et de t'emmener où tu veux, ou si tu préfères, tu peux rester à la maison. Comme tu veux.

Le regret sincère dans sa voix confirma à Evangeline que Drake avait prévu que leur soirée se déroule différemment, et cela la réconforta de savoir qu'il était déçu de ne pas pouvoir la voir dès qu'il le voulait.

—J'ai commandé à manger pour ce midi, donc je ne pense pas que j'aurai très faim ce soir, mais si c'est le cas, je me ferai quelque chose ici. Je pense que je préfère rester à la maison, dit-elle doucement.

Il y eut une pause, comme si Drake analysait sa réponse.

—Quelque chose ne va pas ? demanda-t-il.

—Non, dit-elle, presque dans un murmure. Tout va bien, Drake. Ne t'inquiète pas pour moi alors que tu as du travail. On se voit à ton retour.

Elle raccrocha sans lui laisser le temps de l'interroger davantage, ce qu'il aurait fait, puis elle coupa la sonnerie. Elle ne voulait pas aborder avec lui les sentiments contradictoires qu'elle ne comprenait pas elle-même, car comment Drake pourrait-il comprendre ?

Quelques instants plus tard, elle reçut un SMS de Drake qui la laissa dubitative.

Silas passera dans quelques minutes pour te donner une carte bancaire et deux cartes de crédit, toutes à ton nom. Il te donnera également une importante somme d'argent en espèces, au cas où tu en aurais besoin. Active toutes les cartes et je veux que tu t'en serves pour ce que tu veux. Tout ce que tu veux, Ange.

À présent, elle se demandait si le portier n'avait pas immédiatement appelé Drake pour l'informer qu'elle avait essayé de payer son déjeuner. Elle grimaça, parce qu'elle ne voulait pas et n'avait pas besoin d'une carte bancaire et de *deux* cartes de crédit, et encore moins du liquide que Silas allait lui apporter. Mais encore une fois, penser qu'elle se comportait comme peu reconnaissante mit le holà à ses plaintes. Elle pouvait les accepter de bonne grâce, mais cela ne voulait pas dire qu'elle devait se lâcher et vider les comptes lors d'une virée shopping inutile. Elle se servirait simplement des cartes ou du liquide pour acheter à manger les soirs où Drake voudrait qu'elle fasse la cuisine.

Elle déambula dans l'appartement pour aller voir les pièces dans lesquelles elle n'était pas encore allée. Quand elle entra dans ce qui semblait être le bureau de Drake, elle se figea et battit immédiatement en retraite : elle avait l'impression d'entrer dans une zone interdite.

Il y avait quatre chambres au total, même si elle n'avait vu jusqu'à présent que celle de Drake. Où qu'elle se rende dans le spacieux appartement qui occupait le dernier étage de l'immeuble, elle sentait son empreinte. Même la décoration reflétait sa virilité. Pas de froufrous ni d'élégance coquette. Seulement de la masculinité pure. Une forte présence alpha qui l'entourait et l'immergeait en lui, même en son absence.

C'était rassurant et cela lui donnait le sentiment d'être en sécurité même quand il n'était pas là. Elle prit conscience que c'était son refuge, son sanctuaire. Une barrière entre elle et le dur monde extérieur.

La sonnerie de l'interphone retentit, et elle s'empressa d'aller répondre.

— Mademoiselle Hawthorn, euh… je veux dire, Evangeline, corrigea immédiatement Edward. Votre repas est arrivé, mais un monsieur est ici pour vous voir, et il a proposé de monter le repas. Cela vous convient-il ?

— Est-ce Silas ? s'enquit-elle.

— Oui.

— Alors bien sûr, envoyez-le, et merci encore pour votre patience et votre gentillesse, Edward. J'apprécie.

— Avec plaisir, Evangeline. Si je peux faire quoi que ce soit pour vous, faites-le-moi savoir.

Elle s'écarta de l'interphone et se précipita dans la cuisine, car elle ne voulait pas avoir l'air d'attendre impatiemment l'arrivée de Silas. Lui avait-on assigné cette tâche ou s'était-il porté volontaire? Elle soupira. Cela avait-il vraiment de l'importance?

Soudain, sa poitrine se serra car, depuis qu'elle avait emménagé avec Drake, elle ne s'était pas réveillée une seule fois dans ses bras. Tous les matins, elle se réveillait seule, Drake parti depuis longtemps, laissant derrière lui un mot et un cadeau. Elle rendrait chacun des présents juste pour se réveiller un matin dans ses bras, pour que, quand elle ouvrirait les yeux, il soit la première chose qu'elle voie.

— Evangeline? C'est Silas, dit-il depuis l'entrée.

— Dans la cuisine, indiqua-t-elle.

Il apparut un instant plus tard, plusieurs sacs à la main, l'air amusé.

— Tu comptes nourrir toute une armée?

Elle sourit, plus détendue.

— J'avais faim et tout avait l'air bon, alors j'ai décidé de commander un assortiment pour goûter plusieurs saveurs.

Il posa les sacs puis plongea la main dans sa poche, d'où il tira une liasse de billets et trois cartes en plastique.

— Drake m'a demandé de te déposer ça.

— Ouais, souffla-t-elle en évitant de regarder le liquide et les cartes qu'il déposait sur l'îlot central.

Au lieu d'empocher l'argent, elle déballa aussitôt les sacs d'où s'échappait un arôme qui mettait l'eau à la bouche et lui fit gargouiller le ventre.

— Tu as déjà mangé? demanda-t-elle.

Il eut l'air perplexe.

—Non.

—Eh bien, comme tu peux le voir, j'ai largement assez pour deux. Veux-tu te joindre à moi pour le déjeuner ? Ou tu as d'autres missions urgentes ?

Face au silence de Silas, qui ne semblait pas avoir la moindre idée de ce qu'il devait répondre à son invitation, elle grogna mentalement. Parce que, mince, elle n'arrêtait pas de dire tout ce qui lui passait par la tête alors que, clairement, Silas avait autre chose à faire. Tous les hommes de Drake avaient des responsabilités importantes, et elle ne voulait pas que Silas se sente obligé de manger avec elle de peur de la vexer.

—Ce n'est pas grave s'il faut que tu y ailles, s'empressa-t-elle d'ajouter. Je ne m'en formaliserai pas. Je ne voudrais pas que tu loupes quelque chose d'important simplement pour me tenir compagnie.

—Pas du tout, dit-il avec le plus grand sérieux. Il se trouve que j'adore la cuisine asiatique, alors si tu veux bien partager, je serai honoré de déjeuner avec toi.

Elle lui adressa un sourire radieux puis sortit deux assiettes du placard ainsi que les ustensiles et couverts de service du tiroir. Ils s'assirent sur des tabourets autour de l'îlot central, et déballèrent tous les récipients et les sacs contenant les entrées.

—Ah, une femme comme je les aime ! dit Silas avec un soupir exagéré. Tout ce que je préfère. Brochettes de poulet teriyaki, crabe Rangoon, rouleaux de printemps, et ce ne sont que les entrées. J'ai hâte de voir ce que tu as commandé comme plats.

—Porc sauté aux nouilles, poulet général Tao épicé avec riz frit, bœuf à la mongole, bœuf kung pao, poulet à l'orange et nouilles sautées, épicées bien entendu. Oh, et du pad see ew. Comme tu peux le voir, ce n'est pas que du chinois. Il y a aussi des plats thaïlandais, pour qu'on ait le meilleur des deux pays.

—Je vais prendre un peu de tout, déclara Silas.

Evangeline éclata de rire.

—Moi aussi. C'est pour ça que j'ai commandé cet assortiment. Dans le doute, il faut tout prendre.

—Je suis de ton avis.

Ils remplirent leurs assiettes à ras bord puis commencèrent à manger avec plaisir. Silas semblait apprécier chaque bouchée autant qu'Evangeline. C'était le paradis. Cela faisait des mois qu'elle ne s'était pas accordé le plaisir d'un traiteur asiatique, et elle se sentit absurdement gâtée, alors que, quelques semaines auparavant, elle se serait sentie profondément coupable de se laisser aller à une telle extravagance.

—Ces rouleaux de printemps sont les meilleurs du monde, déclara Evangeline en gémissant presque de plaisir. Je crois que je n'en ai jamais mangé d'aussi bons. Je dois absolument enregistrer le téléphone de ce restaurant dans mes favoris. Je crois bien que je vais passer commande au moins une fois par semaine.

—Tu as l'air de considérer que c'est un luxe, fit remarquer Silas en l'observant attentivement.

Elle baissa la tête et rougit, embarrassée.

—Toutes mes excuses, dit Silas. Je ne voulais pas te mettre mal à l'aise.

Elle secoua la tête.

—Je suis trop sensible. Mais tu as raison. C'était un luxe que je ne pouvais pas souvent m'offrir. Je faisais des heures supplémentaires pour gagner le plus d'argent possible afin de venir en aide à mes parents. Je ne mettais de côté que le strict nécessaire pour payer le loyer, les charges et les courses. Je ne pouvais pas me permettre de manger ailleurs que chez moi, même si ce n'était qu'un plat chez un traiteur asiatique. Je ne pouvais m'autoriser ça alors que mes parents ont tellement besoin d'aide. J'achetais les produits les moins chers au supermarché et cuisinais parce que manger au restaurant signifiait sacrifier une partie de l'argent que je destinais à mes parents. Alors oui. On peut dire que c'est presque le paradis et je compte m'empiffrer à me rendre malade, mais là tout de suite, je m'en fiche.

Silas était visiblement en colère et sa mâchoire se crispa. Elle eut l'impression qu'il prenait sur lui pour ne pas libérer un torrent d'obscénités, chose étonnante pour lui qui parlait si bien et n'était pas aussi brut de décoffrage que certains des hommes de Drake.

Au bout d'un moment, quand il eut manifestement repris son sang-froid, la tension se dissipa.

—Si tu es partante, je vote pour qu'on déjeune ensemble une fois par semaine. J'apporterai ce dont tu auras envie, et nous mangerons ensemble. Ça te va?

Elle lui adressa un sourire rayonnant, inconsciente de l'effet qu'il avait sur cet homme pourtant renfermé et endurci.

Quelque chose s'adoucit en lui alors qu'il se pensait incapable d'éprouver ce genre d'émotions. Il avait vu juste quand il avait dit à Evangeline qu'elle était unique. Le fait qu'elle n'en soit pas consciente ne la rendait que plus authentique. À quoi aurait ressemblé son enfance s'il avait eu quelqu'un comme Evangeline pour illuminer les ténèbres de son désespoir sans fin ?

—J'aimerais beaucoup, dit-elle avec un enthousiasme non dissimulé.

—Marché conclu. Préviens-moi quand tu es libre, que Drake ne t'a rien prévu, et que tu veux rester à la maison. Je viendrai avec le repas.

Elle fronça les sourcils.

—Mais tu ne peux pas tout laisser tomber sur un coup de tête pour venir déjeuner avec moi comme ça.

—Vraiment ? demanda-t-il avec le plus grand sérieux. Je décide de mon programme et à moins que Drake ne me demande de régler un problème urgent, le reste peut attendre.

Waouh. Plus elle découvrait le monde de Drake, plus elle se rendait compte que ses « hommes », bien qu'ils disent travailler pour lui, étaient davantage comme des associés, des frères en un sens, que des subordonnés qui recevaient des ordres du « patron ». Visiblement, ils décidaient de leur propre emploi du temps et allaient et venaient à leur guise à moins que, comme Silas l'avait fait remarquer, Drake ne leur confie une tâche urgente. Et elle ne voulait pas savoir en quoi consistaient ces urgences.

—D'accord, marché conclu, répondit-elle avant de froncer les sourcils. Ton numéro est enregistré dans mon téléphone ? Je sais à peine comment fonctionne ce truc.

Il tendit la main au-dessus de la table pour prendre son portable. Après l'avoir bidouillé pendant quelques secondes à peine, il se pencha pour qu'elle puisse voir l'écran où s'affichaient ses contacts.

—Voici le numéro de Drake, dit-il en désignant le nom de Drake et le numéro associé.

—C'est quoi, tous ces autres numéros ? demanda-t-elle, stupéfaite de voir autant de numéros dans ses contacts.

—Après Drake, c'est Maddox.

Il fronça les sourcils et appuya sur une série de boutons, retirant l'écran de son champ de vision un instant, avant de tendre de nouveau le téléphone pour lui montrer.

—J'ai pris la liberté de mettre mon numéro juste en dessous de celui de Drake. Si jamais tu as un problème et que tu n'arrives pas à joindre Drake, appelle-moi.

Elle haussa un sourcil sans mot dire, ne voulant pas le froisser. Elle était touchée qu'il prenne sa protection tellement à cœur.

—Après moi, il y a Maddox, Justice, Thane, Jax, Hartley, Zander, et Jonas. Je vois que tes parents ne sont pas dans tes contacts, ni tes amies. Tu devrais probablement les enregistrer. Je peux le faire pour toi si tu me donnes leurs noms et leurs numéros.

Evangeline fronça les sourcils.

—Qui est Jonas ? Je ne crois pas l'avoir déjà rencontré.

Silas sourit.

—Tu le rencontreras. Sans aucun doute. Drake va faire en sorte que tu connaisses tous les hommes assignés à ta protection.

—Il faut vraiment que Zander soit dans mes contacts ? demanda-t-elle, sans prendre la peine de dissimuler l'exaspération dans sa voix.

Silas la surprit en posant sa main sur la sienne pour la serrer doucement.

—Zander n'est pas le connard qu'il semble être. D'accord, vous n'êtes pas partis du bon pied tous les deux, mais c'est quelqu'un de bien, il serait prêt à tout pour nous, et pour toi aussi maintenant. Jamais il ne laisserait personne te faire du mal. Il est brut de décoffrage et aussi subtil qu'un sanglier, mais il existe peu d'hommes plus loyaux que lui. Il ne sait pas encore quoi penser de toi, alors tu le mets mal à l'aise, et ce n'est pas une sensation qu'il apprécie ni qu'il connaît très bien.

—Moi, je le mets mal à l'aise ? s'étonna-t-elle, incrédule. Il pourrait m'écraser comme un vulgaire insecte avec son petit doigt !

Les yeux de Silas se firent rieurs, ce qui lui fit un choc : il était toujours si réservé, grave. Sérieux. Comme s'il avait rarement l'occasion de rire.

—Aucun des hommes de Drake ne sait vraiment quoi penser de toi. Tu ne ressembles en rien à ce qu'ils ont connu auparavant, ils ne t'ont donc pas encore vraiment comprise, ce qui leur déplaît car ils ont l'impression d'être désavantagés. Je crois que tu les intimides.

Elle secoua la tête, incrédule, puis éclata de rire à l'idée que ces durs à cuire, ces hommes qu'il ne fallait pas chercher, soient intimidés par *elle*. C'était vraiment tordant, et elle ne pouvait plus s'arrêter de rire. Elle eut encore du mal à respirer quand elle réussit à contrôler sa crise de rire.

—Tu penses que je plaisante, dit Silas, la mine grave. Mais c'est la vérité. D'ailleurs, nous sommes tous convaincus que Drake ne t'a pas encore vraiment comprise, et c'est plutôt marrant parce qu'il est capable de lire en tout le monde comme dans un livre ouvert. Mais depuis que tu as pénétré dans son club, il n'est plus lui-même.

Evangeline fronça les sourcils.

—Je ne sais pas trop comment le prendre. Je ne sais pas si c'est une bonne ou une mauvaise chose.

Silas sourit alors qu'ils continuaient de manger, le téléphone posé sur le comptoir.

—Ça fait longtemps que je connais Drake, Evangeline, et crois-moi. C'est une très bonne chose. Tu lui fais du bien. Tu es la meilleure chose qui lui soit jamais arrivée.

Elle se figea, encaissant l'impact que cette déclaration eut sur elle. Son cœur s'emballa et son pouls se mit à battre de façon erratique alors que la félicité s'insinuait dans les recoins les plus reculés de son âme.

Ils mangèrent en silence un moment avant que Silas reporte son attention sur le téléphone d'Evangeline.

—S'il se passe quoi que ce soit, si tu rencontres une situation qui te met mal à l'aise ou que tu es chagrinée, menacée ou blessée, tu dois immédiatement appeler Drake. S'il n'est pas joignable, tu m'appelles. J'ai mon téléphone sur moi vingt-quatre heures sur vingt-quatre, sept jours sur sept, il est donc peu probable que tu n'arrives pas à me joindre. Mais, si jamais tu n'arrives pas à me contacter, tu continues la liste dans l'ordre et tu appelles tous les hommes de Drake jusqu'à en avoir un. Tu ne veux pas avoir affaire à Drake s'il se passe quelque chose et que tu n'as prévenu personne, alors je veux que tu le promettes, Evangeline. Quoi qu'il se passe, même si tu penses que ce n'est pas important, tu dois prendre ton téléphone et appeler, d'accord ?

Elle écarquilla les yeux, mais avala sa bouchée et répondit :

—Oui. J'ai compris. Promis.

—Bien. Est-ce que tu as besoin d'aide pour enregistrer tes autres contacts ?

Elle fit la grimace.

—Au risque de passer pour le stéréotype de la blonde écervelée, je suis complètement inculte niveau technologie, donc oui, s'il te plaît, si ça ne te dérange pas, tu pourrais entrer le numéro de mes parents et de mes amies ? Il n'y a que cinq numéros à entrer, donc ça ne devrait pas te prendre trop de temps.

—Je n'ai rien à faire, Evangeline, alors arrête de t'excuser.

—Merci, dit-elle chaleureusement. Je t'aime beaucoup, Silas. Tu t'es montré doux et bienveillant avec moi. Je ne suis pas prête d'oublier les deux fois où tu as « volé à mon secours ».

On aurait dit qu'elle venait de l'accuser d'être un meurtrier, à en juger par son expression. Il faillit s'étouffer et la regarda d'un air stupéfait.

— Bon sang, marmonna-t-il. Je ne suis ni doux ni bienveillant, et personne n'a jamais pensé ni dit ça de moi. Je ne suis pas un homme bien, Evangeline. Je ne vais pas te mentir. Tu te trompes sur mon compte. Tu es bien trop candide. C'est un bon moyen d'être blessé ou de se faire tuer, dit-il avant de secouer la tête. Non, je ne suis pas un homme bien du tout, mais toi, tu n'as rien à craindre de moi. Je le jure sur ma vie. Même si tu n'étais pas la copine de Drake, tu aurais ma protection inconditionnelle, raison pour laquelle je veux être la deuxième personne que tu appelles, si tu n'arrives pas à joindre Drake et que tu as des ennuis.

— Tu as tort, Silas, dit-elle obstinément. Je ne sais pas quel genre de conneries tu as subi ni qui t'a donné le sentiment d'être inférieur, mais qui que ce soit, c'était un gros con sans intérêt et si je découvre un jour qui t'a donné cette image de toi-même je lui botterai le cul et demanderai à Zander de finir le boulot puisqu'il adorerait certainement faire ce genre de chose.

Silas eut l'air choqué et perplexe, et l'incompréhension se lut sur son visage. Puis, à sa grande surprise, il renversa la tête en arrière et éclata de rire. Elle ne le croyait pas capable de se laisser aller à rire ainsi. Elle l'observa, émerveillée, constatant que son rire le transformait complètement de l'homme discret, élégant, maître de lui et bien élevé avec plus d'ombres que de couleurs dans ses yeux en un homme qui paraissait beaucoup plus jeune. Les lignes et sillons de son visage disparurent, et ses yeux rieurs se mirent à briller. Elle ne put que l'admirer avec fascination, stupéfiée par cette métamorphose.

— Tu es un trésor inestimable, Evangeline, dit-il, les yeux encore brillants. Et je plains l'imbécile qui essaiera de s'en prendre à un de tes proches. Tu as peut-être l'air d'un chaton, mais au fond de toi, tu es une lionne féroce.

Il attrapa son téléphone sans cesser de rire.

— Donne-moi les noms et les numéros des contacts que tu veux que j'enregistre avant de préparer une attaque et je ne sais quoi d'autre, et que Drake et moi soyons contraints de te faire sortir de prison.

Elle sourit, bêtement satisfaite d'avoir été capable de faire sortir Silas de sa coquille. Et puis, elle n'avait pas menti. Elle appréciait Silas. Il y avait chez lui quelque chose qui lui rappelait Drake. Elle supposait que Silas avait connu une enfance très difficile, et elle avait le cœur gros pour le petit garçon qu'il avait été. L'affection, le fait que quelqu'un le défende, que quelqu'un l'apprécie, semblaient être des concepts étrangers pour lui, comme s'il n'en avait jamais fait l'expérience. Et cela révoltait Evangeline.

Elle lui donna d'abord les noms et le numéro de ses parents, puis les numéros de portable de Steph, Lana, et Nikki, ainsi que le numéro du téléphone de leur appartement.

—C'est tout ? demanda Silas.

Elle hocha la tête, un peu complexée.

—Je ne connais pas grand monde ici, et Steph, Lana et Nikki sont mes seules amies. Je n'avais pas vraiment le temps de sortir et de rencontrer des gens ou de me faire de nouveaux amis, car je travaillais autant que je pouvais.

Elle regretta d'avoir ouvert sa grande bouche, car le sourire disparut des lèvres et des yeux de Silas. Il pinça les lèvres et eut l'air furax.

À sa grande surprise, il n'exprima pas son mécontentement mais tendit la main pour prendre les siennes et les serrer affectueusement.

—Eh bien, à présent, tu nous as, nous. Nous tous. Avec tous nos petits défauts. Tu appartiens à Drake, oui, mais tu nous appartiens aussi. Drake est ce qui se rapproche le plus d'un frère pour moi, et les autres aussi. Et comme tu es sa compagne, tu as droit toi aussi à notre loyauté, notre protection et notre amitié. Tu as des amis à présent, Evangeline. Ne pense jamais le contraire. C'est pourquoi je veux que tu m'appelles si jamais tu as besoin de quoi que ce soit. Je serais ravi de pouvoir te rendre service.

—Ne va pas me faire pleurer, dit-elle en feignant la férocité. Parce que ce n'est pas joli à voir. Certaines femmes sont expertes dans l'art de verser une larme ou deux et de renifler délicatement, de manière féminine. Moi, je suis une pleureuse laide. Mon visage devient tout rouge, mes yeux gonflent, et mon nez se met à couler comme un robinet. Crois-moi, tu ne veux pas voir ça.

Silas ne répondit pas à sa tentative humoristique. Son expression se fit plus sombre, et une infinie tristesse traversa son regard, puis disparut avant qu'elle puisse être sûre de ce qu'elle avait vu.

—Je détesterais que tu aies une raison de pleurer, dit-il d'une voix triste. Tu mérites de connaître le bonheur, Evangeline. Et j'espère que Drake remuera ciel et terre pour te rendre heureuse. Car s'il ne le fait pas, c'est un sacré idiot.

Chapitre 25

Il était tard le soir, et même si Drake lui avait clairement dit qu'il ne savait pas quand il rentrerait, elle ne pensait pas qu'il rentrerait si tard. À 21 heures, elle se pelotonna sur le canapé, complètement nue, car elle voulait l'attendre, quelle que soit l'heure de son retour. Même s'il ne lui avait pas donné d'instructions sur ce qu'elle devait faire, elle voulait qu'il la trouve dans le salon en rentrant. Qu'il sache qu'il comptait pour elle et qu'elle voulait lui faire plaisir, voir dans ses yeux cette chaleur dont elle ne pouvait plus se passer.

Elle s'était assoupie. Quand elle ouvrit les yeux, à moitié endormie, Drake se tenait devant le canapé, ses yeux de braise parcourant sa peau nue.

Elle lui sourit, les yeux encore ensommeillés, et le visage de Drake s'attendrit quand il se pencha pour l'embrasser longuement, tendrement.

—Tu n'étais pas obligée de m'attendre, Ange, mais je suis heureux que tu l'aies fait.

—Je t'attendrai toujours, Drake, dit-elle d'une voix sérieuse. Je voulais que tu rentres à la maison et que tu me voies en train de t'attendre. Je suis désolée de m'être endormie.

Il posa un doigt en travers de ses lèvres.

—Chut, ma chérie. Il est presque 23 heures. Inutile de t'excuser ; je n'ai pas appelé cette fois car j'avais peur de te réveiller.

Elle se redressa plutôt que de rester allongée sur le canapé.

—Comment s'est passée ta journée ? Tu donnais l'impression d'être très occupé et tu as l'air fatigué, Drake. Tu ne te reposes pas assez.

Il sourit.

—Je suis touché que tu t'inquiètes pour moi et que tu veuilles prendre soin de moi. Personne ne s'est jamais occupé de moi ainsi.

Il eut un faible sourire dans lequel elle devinait un besoin de tendresse infini. Cet homme avait beau aimer s'occuper d'elle, il était évident qu'il avait besoin qu'on s'occupe de lui, qu'il admette ou non un jour ce qu'il considérait lui-même comme un défaut.

Il faudrait qu'il s'y fasse, parce qu'elle n'avait pas l'intention de prendre sans donner en retour. Elle faisait du bonheur de Drake une affaire personnelle, sans qu'elle sache depuis quand exactement. Mais s'il avait à cœur de la choyer et de la couvrir d'attentions, elle s'attachait à lui rendre la pareille.

Elle fronça les sourcils.

—Maintenant, tu as quelqu'un qui veut et va s'occuper de toi de toutes les manières possibles. Je veux te rendre heureux, Drake, et pas seulement parce que je te cède le pouvoir et me soumets à toi. J'ai bien l'intention que tu te sentes aussi aimé que je me sens aimée grâce à toi.

Sa déclaration franche sembla l'ébranler, comme s'il n'avait jamais connu de situation similaire et ignorait comment réagir. Mais ses yeux disaient tout. On y lisait le plaisir et la satisfaction. Il la contempla comme si elle était la chose la plus précieuse au monde.

Il tendit la main pour l'aider à se lever et l'attira contre lui pour l'enlacer. Il prit son visage entre ses mains et l'embrassa longuement, prenant son temps, goûtant sa bouche, sa langue, ses lèvres.

—J'ai quelque chose pour toi, dit-il d'une voix rauque.

La chaleur lumineuse qui l'avait enveloppée, noyée dans l'échange silencieux entre eux et la lueur d'émerveillement dans ses yeux, s'évapora aussitôt. La crainte et la déception remplacèrent l'excitation de son retour à la maison, et elle se crispa instantanément.

Drake fronça les sourcils en voyant sa réaction, mais ne dit rien. Au lieu de ça, il tira une petite boîte de sa poche et la plaça dans sa main.

—Ouvre-la, dit-il.

Les doigts d'Evangeline tremblaient. Drake pourrait prendre ça pour de l'excitation ou de l'impatience, mais ce n'était ni l'un ni l'autre. Elle ne voulait pas ouvrir cette satanée boîte. Cela déprécierait le lien qui les unissait l'un à l'autre, et la soirée prendrait une tout autre tournure.

Elle ne voulait pas voir ce qu'il y avait à l'intérieur. Tout ce qu'elle voulait, c'était lui, qu'il l'emmène au lit pour qu'elle puisse prendre soin de lui, pour une fois, après sa longue journée de travail. Était-ce si difficile à comprendre ? Drake Donovan n'avait-il jamais été aimé pour ce qu'il était, et pas pour ce qu'il possédait et sa manière cavalière d'offrir des bijoux tous les jours ?

Néanmoins, elle ouvrit docilement la boîte et y découvrit un collier assorti aux énormes boucles d'oreilles qu'il lui avait déjà offertes. Exactement ce qu'elle craignait. Elle ne pensait pas qu'il irait aussi loin. Mais elle aurait dû se douter qu'il ne reculerait devant rien.

Elle retint son souffle en contemplant le collier. Le diamant était énorme. Plus gros que les deux boucles d'oreilles réunies ! C'était un pendentif en forme de goutte de la taille de son pouce !

Elle finit par craquer et elle s'emporta, trop déçue pour le cacher.

— Il faut que ça cesse, Drake ! Tous les jours, tu m'offres des cadeaux scandaleusement chers, et c'est le deuxième de la journée. Je ne veux pas tes cadeaux. Je te veux, toi. Tu ne peux pas comprendre ça ? Tu commences pourtant à me connaître…

Les larmes aux yeux, elle tremblait de rage et de déception.

— Je n'en veux pas ! s'emporta-t-elle. Je ne sais pas quoi faire de ces bijoux.

L'expression de Drake trahissait sa fureur, mais elle était trop en colère pour se rendre compte qu'elle dépassait les bornes.

Il jura violemment, se détournant un instant, dos à elle, les poings serrés le long de son corps. Puis il fit volte-face, les yeux noirs de rage.

— Pourquoi faut-il que tu fasses une scène chaque fois que je t'offre quelque chose ? cracha-t-il. Ce n'est pas seulement les bijoux. Tu es allée acheter des vêtements avec l'enthousiasme d'un condamné à mort. Tu protestes à tout bout de champ quand je t'achète quelque chose. Tu connaissais les règles quand tu as accepté d'être avec moi, alors tu ne peux pas plaider l'ignorance. Penses-tu seulement à ce que ça me fait ? Ce n'est pas seulement le rejet d'un objet physique. C'est moi que tu rejettes, moi et mon désir de te choyer et de te prouver que tu es unique.

Elle se replia sur elle-même ; jamais elle ne s'était sentie aussi honteuse qu'en cet instant. Jamais elle n'avait envisagé qu'il considérerait ça comme un rejet : elle ne voulait que lui. Pas des diamants, bijoux, vêtements de luxe, cartes de crédit et fonds illimités. Elle avait absolument tout gâché en laissant son manque de confiance en elle prendre le dessus et ne comprenait pas pourquoi Drake l'avait choisie, *elle*. Il lui disait qu'elle était unique, mais elle ne l'était pas ! Sauf… qu'il pensait qu'elle l'était et qu'elle ne le croyait pas. Elle lui avait manqué de respect en n'ayant pas confiance en lui.

Elle alla aussitôt vers lui, réduisant à néant la distance qui les séparait pour étreindre son corps puissant, faisant fi de sa rigidité et du fait qu'il reste de marbre.

— Oh Drake, je suis tellement désolée ! dit-elle, le cœur brisé, navrée de l'avoir blessé. Je ne voulais pas te donner cette impression. Seulement, tu ne comprends pas à quel point c'est dur pour une fille comme moi…

Elle se tut et ferma les yeux, mais Drake eut le temps d'y apercevoir la lueur de désespoir qui y brillait comme un phare.

Malgré sa colère, il lui attrapa le menton, caressant sa joue avec son pouce, car il avait manifestement tiré des conclusions hâtives.

— Ange, ouvre les yeux et regarde-moi, dit-il fermement.

Quand elle s'exécuta enfin, il vit les larmes dans ses yeux brillants.

— Qu'est-ce que tu veux dire par « une fille comme moi » ? De quel genre de fille tu parles ?

Elle rougit, prête à refermer les yeux, mais il lui donna une petite tape sur la joue avec son pouce pour l'avertir, exigeant toute son attention.

— Je n'ai jamais rien eu, répondit-elle à voix basse. Excepté l'amour de mes parents. L'amour de mes amis. Leur soutien. J'ai travaillé pour tout le reste, et je sais que ce n'est pas grand-chose, mais c'est à moi. Je l'ai gagné à la sueur de mon front, et j'en suis fière. Une fille comme moi doit travailler pour obtenir ce qu'elle veut parce que peu d'hommes se battent pour une fille ennuyeuse et effacée qui n'a pas besoin et ne veut pas de ces *choses*. J'ai juste l'impression que tu me couvres de cadeaux et que je ne te donne *rien* en retour.

Elle était au bord des larmes, et il sentait son désarroi irradier d'elle par vagues.

— Les cadeaux sont magnifiques ! Ils me sont très précieux. Je les aime tous sans exception. Je suis morte de peur de les porter, de peur de les perdre. Mais en même temps, chaque cadeau me rappelle tout ce que tu m'offres et le peu que je te donne en retour.

À présent, elle pleurait à chaudes larmes.

— Je n'avais rien d'autre que mon amour-propre, dit-elle d'une voix étranglée par l'émotion. Ça n'a pas de valeur, l'amour-propre. Et là, je me sens comme une moins-que-rien et je déteste ça. Je me sens impuissante, et il n'y a rien de pire que de se sentir, que d'*être*, impuissante. Tu as tellement de fierté, Drake. Tu dois comprendre ce que j'essaie de dire.

Drake ne supportait pas le fait qu'elle le supplie. Le désespoir dans sa voix le blessait au plus profond de son âme.

Son emportement passionné touchait une corde sensible en lui. Il se rendit compte que dans toutes les relations, ou plutôt les brèves liaisons, qu'il avait eues, pas une fois une femme n'avait été d'accord avec ce qu'il choisissait de lui donner. En réalité, il était souvent arrivé qu'une femme fasse la moue en disant que les boucles d'oreilles étaient magnifiques, mais que sans la parure complète, l'effet n'était pas aussi époustouflant.

Jamais une femme ne lui avait parlé de cette chose qu'il connaissait si bien. La fierté. L'amour-propre. Ne pas accepter n'importe quoi de n'importe qui et mériter le peu qu'on possédait. Et pourtant, il l'avait réduite à ça en la couvrant de somptueux présents, comme s'il pouvait acheter son affection, son sourire, son bonheur, alors qu'en réalité, quand il y repensait, les sourires les plus radieux qu'il lui avait vus apparaissaient quand elle le voyait après une longue journée au travail. Combien elle semblait heureuse quand il décidait de rester à la maison et la laissait cuisiner. Rien de ce qu'il lui avait acheté ne l'avait comblée autant que le simple fait d'être avec lui. Comment était-ce possible ? Cela le déroutait totalement et, pour la première fois de sa vie, il ne savait pas comment se comporter avec une femme, et se sentait impuissant.

— Tu as tort quand tu dis que tu n'as rien à me donner, fit-il remarquer d'un ton bourru, toujours aux prises avec les révélations qui tournoyaient dans son esprit. Mais je comprends, Ange. Je ne comprends que trop bien.

Soudain, la distance entre eux était trop importante. Pas seulement la distance physique, mais aussi émotionnelle. Il avait commis tant d'erreurs avec elle. Il savait qu'elle n'avait rien à voir avec les autres femmes, mais il l'avait pourtant traitée de la même façon. En la couvrant de cadeaux au lieu de lui offrir ce qui comptait vraiment pour elle. Même en sachant qu'il possédait un inestimable trésor et qu'elle était unique et rare, il n'avait pas fait l'effort d'apprendre vraiment à la connaître.

Il tendit les bras, retenant son souffle, espérant qu'elle ne le rejetterait pas.

—Viens par là, Ange. Je refuse d'avoir cette conversation alors que tu dors debout et que tout ce que je veux, c'est te tenir dans mes bras.

Il poussa un long soupir de soulagement quand, après une légère hésitation, elle se blottit contre lui. Il passa ses bras autour d'elle et la tint simplement contre lui pendant longtemps, les yeux fermés, le visage enfoui dans ses cheveux au parfum si doux.

Puis il la guida vers le canapé et s'assit, la tirant sur ses genoux, avant de passer de nouveau ses bras autour d'elle. Son corps menu se nichait parfaitement contre le sien. Comme si elle avait été faite pour lui et seulement lui. Comme deux pièces d'un puzzle.

Si parfaite. Douce, chaude. Si aimante et généreuse. C'était une lumière éblouissante dans les plus sombres recoins de son âme ternie. Un cadeau de bienvenue, un trésor, chaque fois qu'il passait sa porte.

—En premier lieu, je veux aborder le problème de l'égalité et de ce que tu peux faire pour avoir l'impression de me rendre la pareille. Même si tu ne me donnais rien d'autre que toi, je passerais ma vie à essayer de rattraper mon retard, car rien de ce que je pourrais t'offrir ne serait plus précieux. Tu vaux plus que tout l'or du monde.

Il la sentit sourire contre son torse, et il caressa sa chevelure, le menton posé sur sa tête, s'émerveillant de la satisfaction que ce simple geste lui faisait éprouver.

—Tu es une excellente cuisinière et tu dis toi-même que tu adores cuisiner. Au départ, l'idée que tu cuisines pour moi quand je rentre ne me plaisait pas trop parce que, comme je te l'ai dit le premier soir, je ne veux pas que tu sois une esclave domestique.

Elle s'écarta de son torse pour pouvoir le regarder, l'air malicieux.

—Juste une esclave sexuelle, le taquina-t-elle.

Il se détendit, le soulagement inondant ses veines car elle ne semblait plus être en colère.

Il lui donna une claque taquine sur les fesses mais y laissa sa main, prenant la douce rondeur de son postérieur au creux de sa paume.

—Tout juste, dit-il sans aucun remords. Mais je t'ai pris quelque chose que je n'aurais pas dû te prendre. Je t'ai donné l'impression que tu ne contribuais pas à notre relation. Tu aimes cuisiner pour moi et apprécies que je prenne plaisir à manger ce que tu as préparé. Bon sang, j'ai adoré ces cupcakes divins pour lesquels tous les gars t'ont mangé dans la main. Si on m'avait dit, il y a un mois, que les hommes qui travaillent pour moi se bousculeraient pour manger un cupcake, je me serai écroulé de rire.

Elle rougit mais la joie se lisait dans son regard, et un grand sourire éclaira son visage. À l'instant même, il marqua une pause pour pencher la tête et lui mordiller le coin de la lèvre. Elle frissonna contre lui et il se crispa. Elle était si réceptive… Il l'avait pensé un nombre incalculable de fois depuis qu'il l'avait entraînée dans sa vie.

Elle s'animait pour lui. Pour *lui*. Seulement lui. Bon sang, elle avait été en contact avec ses hommes, ses frères, tous des mecs que la plupart des nanas n'auraient pu se retenir de toucher, et pourtant Evangeline leur avait souri, s'était montrée affectueuse avec eux, ce qui les avait laissés perplexes, mais jamais ses actions n'avaient été sensuelles. Ce n'était pas une séductrice. Elle était bien trop honnête, et bien trop innocente pour savoir comment s'y prendre. Si elle vous appréciait, elle était gentille avec vous et vous faisait savoir qu'elle vous aimait bien. C'était aussi simple que ça. Et apparemment, elle avait décidé qu'elle appréciait tous ses frères. Les hommes feraient tout pour avoir une femme qui s'embrase à l'instant où ils la regardent. Ou la touchent, l'embrassent, lui murmurent les mots qu'il faut. Il avait une femme de cet acabit juste là, sur ses genoux, dans ses bras. Dans son lit toutes les nuits, elle lui offrait sa soumission totale avec une douceur infinie, et s'il ne faisait pas attention, il allait tout faire foirer et la perdre.

Il secoua presque la tête. *Compromis*. Pas un mot de son vocabulaire. Mais quand il s'agissait d'Evangeline, il apprenait de nouveaux mots et leur définition.

—J'adore ta cuisine, dit-il. Les meilleurs repas que j'ai mangés de ma vie.

C'était vrai. Il en faisait peut-être beaucoup pour garder Evangeline, mais ce n'était pas un menteur. Il ne mentirait pas même pour la réconforter ou l'apaiser. Elle accordait une importance considérable à l'amour-propre. Mais cet amour-propre serait vain s'il se basait sur les mensonges qu'il lui servait.

Ses yeux brillèrent de plaisir, et tout son visage s'illumina d'un éclat qui rivalisait avec le soleil, ses joues rosissant à vue d'œil. Elle le regardait comme s'il venait de la sauver d'un immeuble en flammes. Il ne fallait pas grand-chose pour lui faire plaisir, et il avait dépensé des milliers de dollars pour elle alors qu'apparemment, tout ce qu'elle voulait, c'était… *lui*.

Il ne comprenait pas, mais la preuve était là, dans son regard. Elle voulait Drake Donovan, l'homme. Pas la fortune, le pouvoir, le statut ou le prestige d'être à son bras et sous sa protection.

Son argent la consternait. Les cadeaux qu'il lui avait offerts l'horrifiaient. Silas avait informé Drake qu'elle était loin d'être ravie de prendre le liquide et les cartes de crédit qu'il lui avait envoyés. Elle avait été plus excitée par le traiteur asiatique que par une carte de crédit sans plafond. Et il était prêt à parier qu'elle n'avait pas touché au liquide, ni même compté les billets.

Comment rendre heureuse une femme qui ne semblait rien vouloir ?

Elle ne veut que toi.

Et ça, il pouvait le lui donner. Si c'était tout ce qu'il fallait pour la rendre heureuse, pour qu'elle le reste, et pour s'assurer qu'elle ne le quitterait jamais, alors il lui donnerait exactement ce qu'elle voulait.

—Une fois par semaine, le même jour à moins d'un contretemps, tu cuisineras pour moi. J'organiserai mon planning pour ne pas rentrer après 18 heures. Sauf cas de force majeure – autrement dit, il faudrait que je sois mort pour ne pas être là. C'est tout ce que je peux promettre, dit-il avec sérieux. Tu es ce que j'ai de plus précieux. Tu m'as accordé ta confiance et avec cette confiance, tu t'es donnée à moi et tu m'as donné pour mission de te rendre heureuse. Je prends mes responsabilités très au sérieux, c'est pourquoi je vais continuer à te gâter. Tu ne lèveras jamais le petit doigt sauf ces fameux soirs où tu cuisineras pour moi, et tu ne feras pas la vaisselle. Je paye du personnel de maison pour ça. Et ce que tu peux faire pour moi, c'est accepter tout ce que je choisis de te donner et savoir que je te l'offre non pas pour te priver de ton amour-propre ou pour faire étalage de ma richesse, mais parce que cela me rend heureux, moi. Et ce qui me rendra encore plus heureux, c'est, comme je te l'ai dit le soir où je t'ai ramenée chez moi pour la première fois, que tu penses à des manières créatives d'exprimer ta gratitude. Pas en trouvant un moyen de me rembourser, et certainement pas en te disant que tu ne seras pas capable de le faire. Parce que ça me mettrait très en colère.

Elle le surprit en se jetant contre lui pour le serrer contre elle. Elle enfouit son visage dans son cou, et le doux murmure de sa respiration courut sur la peau de Drake, embrasant ses terminaisons nerveuses.

—Je suis désolée, dit-elle d'une voix étouffée.

Il l'écarta de lui et la regarda durement.

—Mais de quoi es-tu désolée?

Il savait que son exaspération était perceptible, mais c'était la femme la plus rageante et la plus complexe qu'il connaisse.

—J'ai été une garce ingrate, articula-t-elle péniblement. Et égoïste. Je n'ai pas pensé à ce que tu pouvais ressentir.

J'étais trop préoccupée par mes propres incertitudes et chaque fois qu'un nouveau cadeau arrivait, je cédais à la panique. Tu as raison. Sur toute la ligne, et je suis vraiment désolée, Drake.

Il lui caressa la joue. Elle avait la peau douce comme celle d'un bébé, ce qui créait un contraste saisissant avec les traits durs de Drake.

— Sois certaine que je trouverai des façons très créatives de t'exprimer ma reconnaissance, ajouta-t-elle dans un murmure rauque.

Il pressa un doigt contre ses lèvres et la gronda du regard.

— Tu ne parleras pas ainsi de toi-même. Jamais. Je ne devrais même pas avoir cette conversation avec toi, puisque Silas t'a tenu le même discours, mot pour mot. Et si tu crois que je ne le laisserai pas te donner la fessée si tu débites encore ce genre de conneries sur toi-même, tu te fourres le doigt dans l'œil.

Elle écarquilla les yeux et resta bouche bée.

— Il ne plaisantait pas ? piailla-t-elle.

— Silas a vraiment l'air de plaisanter ? demanda-t-il sèchement.

— Pas tellement, marmonna-t-elle.

Puis elle leva la tête vers lui, avec dans les yeux une lueur qui le fit bander aussitôt.

— Pourquoi ce regard ? demanda-t-il avec méfiance.

— Eh bien… J'ai promis de faire preuve d'inventivité pour te remercier.

L'innocence qui se lisait sur son visage était feinte.

—Oh, mais oui, n'est-ce pas? Et à quel point es-tu inventive, Ange?

Elle lui adressa un sourire timide et le regarda d'un air coquin. Puis elle tendit les bras et les enroula autour de son cou. Ses joues s'empourprèrent.

—Je ne veux pas te décevoir, Drake. Jamais. Et tu sais que je n'ai pas d'expérience à part avec toi.

Il fut ravi de l'entendre dire qu'il était sa seule expérience, et qu'elle se garde bien de mentionner ce salaud d'Eddie. Il n'appréciait pas sa déclaration disant qu'elle ne voulait pas le décevoir, mais il ne l'interrompit pas, car elle avait visiblement du mal à exprimer ce qu'elle voulait lui dire.

—Ce que j'aimerais, c'est que tu m'apprennes à te faire plaisir. À toi seulement. Tu as dit que l'autre soir était pour toi, mais en réalité, tout tournait autour de moi. Ce soir…

Elle inspira fébrilement.

—Ce soir, je veux vraiment qu'il ne soit question que de toi. Je veux que tu aies le contrôle absolu et que tu me montres comment te donner du plaisir de toutes les manières possibles. Je veux que tu me fasses faire tout ce dont tu as envie. Et je ne veux pas que tu te retiennes par crainte de me faire mal ou de m'effrayer.

Elle marqua une pause et le regarda dans les yeux comme si elle jaugeait sa réaction.

—Je te veux. Juste toi. Rien d'autre. Juste toi, ton contrôle, ta domination, l'homme que tu es, l'homme que je connais. Je n'essaie pas de changer les règles, je te le jure.

Je ne veux pas le contrôle ce soir. Je veux seulement que tu sois égoïste pour une fois et que tu *prennes* ce que tu veux de moi, comme tu le veux, comme tu en as besoin, comme tu l'aimes. Je regrette seulement de ne pas en savoir plus et d'être obligée de te demander comment te donner tout ce que je veux te donner.

Elle acheva dans un murmure, un soupçon de regret dans la voix.

Il était bouleversé, lui, l'homme inébranlable. Mais sa demande sincère le touchait en plein cœur, faisant remonter à la surface des souvenirs qu'il croyait enfouis à jamais.

Il prit son visage entre ses mains, et se perdit dans les profondeurs de son regard.

—Je suis *heureux* que tu n'aies pas d'expérience pour savoir tout ce qu'il y a à savoir pour me donner du plaisir. Il n'y a rien de plus beau qu'une femme qui demande à son homme de la guider et de lui apprendre comment lui faire plaisir. J'ai l'impression grisante d'être le seul homme à avoir pénétré dans ton monde, Ange. Tu n'imagines pas ce que ça fait.

Elle sourit, les yeux brillants.

—Alors, tu le feras? Tu me guideras ce soir? Brutalement, violemment, longuement, tendrement. Ça n'a pas d'importance, Drake. Parce que te faire plaisir m'en procure autant et plus encore. Tellement plus.

Bon sang, elle avait réussi à l'émouvoir en un temps record. Il était complètement dépassé et il le savait. Il était incapable de se retrancher plus longtemps derrière sa carapace.

Pour la première fois de sa vie, il avait envie de se dévoiler à quelqu'un. Il espérait seulement que quand elle verrait le monstre qu'il était en réalité, il ne perdrait pas le précieux cadeau qui le dévisageait comme s'il était tout pour elle.

Il contempla son joli sourire, se remémorant chaque mot qu'elle lui avait dit. Savait-elle à quel point ses désirs pouvaient être sombres ? Comprenait-elle les travers qui l'excitaient sexuellement parlant ? Curieusement, il pensait que non. Elle était bien trop innocente pour ça…

Il ne doutait absolument pas de sa sincérité, ni du fait que là, tout de suite, elle lui donnerait tout ce qu'il voudrait. Ferait pour lui tout ce qu'il voulait. Mais comprendrait-elle, ou verrait-elle ses sordides fantasmes comme une trahison de sa promesse de la protéger et de toujours s'occuper d'elle ?

—Sois certaine de ce que tu m'offres, Ange, dit-il d'une voix grave.

—Je suis sûre, répondit-elle sans hésiter.

—Alors je veux que tu te rappelles une chose quand je prendrai ce que je veux de toi ce soir. Tu m'as accordé ta confiance, et tu auras besoin non seulement de te souvenir de ça, mais d'avoir foi en cette confiance – et en moi.

Elle n'eut pas l'air de s'effaroucher. Il y eut une étincelle de curiosité dans ses yeux et un frisson la parcourut, comme si elle imaginait ce à quoi il pensait. Ce qu'il voulait – ce qu'il *exigerait* d'elle ce soir.

Il la tira tout contre lui. Jusqu'à ce que plus rien ne les sépare et que ses bras soient enroulés autour de sa peau satinée.

Il laissa ses mains errer dans son dos, saisir ses fesses et les pincer.

—Tu me fais confiance? demanda-t-il, lui laissant une dernière porte de sortie. Suffisamment pour ne pas remettre en question ce que je te demanderai de faire ce soir? Pour suivre et écouter mes instructions quelles qu'elles soient?

Elle pencha la tête en arrière, une détermination farouche dans ses beaux yeux. Elle noua ses bras autour de son cou, sans jamais le quitter du regard.

—Mon cadeau pour toi, c'est moi, dit-elle d'une voix douce et poignante qui était une caresse en elle-même. Je suis à toi, Drake. Je sais que tu ne me feras jamais de mal. Je ne peux pas te promettre de n'avoir peur à aucun moment ce soir, mais il faut que tu saches que ce n'est pas de toi que j'ai peur. Jamais. La seule chose dont j'ai peur, c'est l'inconnu. Mais surtout, ma plus grande peur est de te décevoir.

—Alors va te préparer, dit-il d'une voix rauque. Prends un bon bain. Nous ne sommes pas pressés, et il me faut un peu de temps pour préparer ce qu'il faut pour la nuit où tu exauceras tous mes vœux. Sache, mon ange, que je te rendrai la pareille. Moi aussi, je compte trouver des manières très créatives d'exprimer ma gratitude.

Les yeux toujours plongés dans les siens, il passa son doigt sur sa joue soyeuse.

—Après ton bain, sèche-toi puis va t'allonger sur le lit. Ne retire pas les draps et les couvertures. Je veux que tu t'allonges au milieu, les cheveux éparpillés sur les oreillers, les cuisses écartées, les mains au-dessus de la tête, et les doigts enroulés autour des barreaux de la tête de lit.

Elle sourit, puis soupira et secoua la tête avec regret.

— Et voilà, la soirée qui est censée être réservée à ton plaisir donne étrangement l'impression que c'est moi qui suis gâtée comme une princesse.

Il l'observa gravement.

— N'en doute pas, Ange. Tu *es* ma princesse. Mais ce soir, je ne vais faire que regarder, et c'est beaucoup pour moi, je t'assure. Souviens-toi seulement de ta promesse de me faire confiance et sache que jamais je ne t'exposerai à la douleur. Ma nuit sera parfaite.

Chapitre 26

Pendant qu'elle se prélassait dans son bain, Evangeline réfléchit à l'étrangeté des derniers mots de Drake à son égard avant qu'il ne la pousse dans la chambre et disparaisse, la laissant suivre ses instructions.

Elle avait du mal à imaginer un scénario dans lequel il ne ferait que regarder, comme il l'avait dit avant d'ajouter solennellement que jamais il ne l'exposerait à la douleur.

Les deux affirmations étaient étranges. D'accord, elle n'avait pas beaucoup d'expérience sexuelle, et encore moins dans les pratiques perverses, de domination, ou de fétichisme. Elle n'était même pas sûre de leurs appellations ni des différences entre travers et fétichisme, ni même s'il y en avait.

Enfin, elle n'allait pas gâcher ce qui promettait d'être une soirée excitante en surinterprétant les paroles énigmatiques de Drake. Elle préférait se remémorer sa réaction quand elle avait déclaré être prête à tout pour lui faire plaisir et lui rendre ne serait-ce qu'une infime partie de tout ce qu'il lui avait donné.

Drake avait été enchanté par sa déclaration. On ne pouvait se méprendre sur son émerveillement, sa surprise et, oui, même sa joie face à sa sincérité. Et il avait admis ce qu'elle avait compris seule : qu'il n'avait jamais compté pour personne, que personne n'avait jamais pris soin de lui et fait passer ses désirs avant tout. Ne l'avait-on jamais aimé pour ce qu'il était ? Est-ce que la majorité des femmes s'étaient servies de lui pour lui pomper tout l'argent qu'elles pouvaient lui extorquer ?

Et sa famille ? Il n'en avait jamais parlé et il semblait ahuri qu'Evangeline soit si proche de ses parents. D'ailleurs, elle le suspectait d'avoir ressenti de la colère envers eux du fait qu'elle ait sacrifié tant de choses pour subvenir à leurs besoins, jusqu'à ce qu'il soit le témoin direct de leur amour pour elle et de leur inquiétude. Il leur avait lui-même parlé et après cela, son soupçon de colère contenue quand elle parlait de sa famille avait tout bonnement disparu.

— Oh, Drake ! murmura-t-elle, le cœur lourd. Comme tu as dû te sentir seul, dans un monde où personne ne se souciait de toi. Ce doit être terrible de n'être aimé que pour son argent et son pouvoir. Quelqu'un a-t-il déjà vu le vrai visage de Drake Donovan ? Quelqu'un a-t-il déjà aimé le vrai Drake Donovan ?

Si c'était la dernière chose qu'elle devait faire, elle allait lui prouver que l'argent n'était rien pour elle. D'ailleurs, elle aurait préféré qu'il n'en ait pas du tout, car ainsi il n'aurait jamais de doutes sur ses motivations. Même s'il ne possédait pas un sou, elle ne voudrait personne d'autre que lui, voudrait désespérément se soumettre à lui et lui faire plaisir.

Mais le croirait-il jamais? N'y aurait-il pas toujours quelque chose en lui qui lui soufflerait qu'elle était comme les autres?

Elle regarda négligemment l'horloge sur le meuble à côté du lavabo et se rendit compte que trente bonnes minutes s'étaient écoulées pendant qu'elle réfléchissait au mystère Drake Donovan. Il lui avait dit de prendre son temps, mais il n'avait pas été plus précis. Elle avait précisé que cette nuit lui appartenait, et n'avait aucune envie de le faire attendre, d'autant qu'il fallait encore qu'elle se sèche les cheveux et s'installe sur le lit conformément à ses directives.

Chassant toutes les questions et spéculations insensées qui avaient occupé son temps passé dans la baignoire, elle se leva, l'eau ruisselant sur son corps. Elle sortit et enroula d'abord une serviette autour de sa tête, puis en prit une autre pour se sécher le corps.

Après s'être séché les cheveux au maximum avec la serviette, elle s'assit sur le tabouret de la coiffeuse et se mit à démêler sa longue chevelure. Elle sépara les mèches pour les brosser, avant de les sécher au sèche-cheveux.

Elle voulait être magnifique, et ses cheveux, quand ils venaient d'être lavés, séchés, et brossés, étaient l'un de ses meilleurs atouts. Elle les brossa jusqu'à ce qu'ils brillent et soient extrêmement soyeux, donnant l'impression qu'ils avaient été balayés par le vent, tombant en cascade dans son dos.

Après s'être une dernière fois tamponné le corps pour s'assurer qu'elle n'était plus mouillée, elle retourna dans la chambre, soulagée que Drake n'ait pas fait son entrée.

Elle grimpa sur le matelas et s'installa au milieu du lit avec un soupir, la tête nichée dans les oreillers. Puis elle se souvint de ses autres directives.

Elle écarta les cuisses pour qu'on aperçoive à peine son vagin, puis elle leva les bras pour attraper les barreaux de la tête de lit.

Même si elle n'était pas attachée, le sentiment d'être soumise, captive, une prisonnière dans l'expectative, lui procura un plaisir qui se déversa dans son corps tout entier. Ses tétons durcirent, pointèrent, et elle sentit qu'elle se mettait à mouiller, l'intimité gorgée de désir.

« *Je ne vais faire que regarder.* »

Les mots de Drake lui revinrent en mémoire, semant en elle un trouble exquis. S'il ne lui avait pas ordonné de mettre ses mains au-dessus de la tête et de se tenir aux barreaux, elle aurait supposé qu'il voulait la regarder se masturber.

Et si elle avait été mal à l'aise la première fois qu'il lui avait dit de se caresser, quand ils étaient sur le point de pratiquer la sodomie, elle était au-delà de ça à présent et était impatiente d'exécuter ses ordres s'il avait envie de la regarder se donner du plaisir.

Elle tourna languissamment la tête quand la porte de la chambre s'ouvrit, et sourit quand Drake apparut dans l'encadrement. Mais son sourire se figea quand elle vit qu'il n'était pas seul. Derrière lui entra un très bel homme élégamment vêtu qui devait avoir l'âge de Drake.

Un frisson de panique remonta le long de sa colonne vertébrale, et sa peur devait se lire sur son visage car Drake fit signe à l'homme de rester en retrait tandis qu'il s'approchait du lit. C'est alors qu'elle vit la corde dans ses mains.

Il s'assit sur le bord du lit et passa lentement sa main sur le corps d'Evangeline, un sourire rassurant sur les lèvres, les yeux brillants de désir.

—Fais-moi confiance, murmura-t-il.

À ces mots et à la tendresse de son expression, l'appréhension d'Evangeline se dissipa en un instant.

—Oh, je te fais confiance, murmura-t-elle, faisant transparaître toute la passion et l'émotion qu'elle ressentait dans son sourire.

Il prit l'une de ses mains et enroula la corde autour de son poignet, l'attachant fermement au barreau qu'elle avait tenu quelques instants auparavant. Puis il en fit autant avec l'autre pour que ses deux mains soient liées, la rendant impuissante à cacher sa nudité à l'inconnu.

Puis Drake se pencha et l'embrassa sur le front.

—Je ne te ferai pas de mal, Ange, et je ne laisserai jamais personne te faire du mal. Mon souhait pour ce soir est de regarder un autre homme te donner du plaisir. Il est parfaitement conscient de mes limites et de ce que je permets ou ne permets pas.

Elle se passa nerveusement la langue sur les lèvres et, étonnamment, sa peur s'évapora, remplacée par le doux frémissement du désir. C'était comme goûter un fruit défendu. L'idée qu'un autre homme lui donne du plaisir – couche avec elle – sur l'ordre de Drake était délicieusement décadente. Puis une autre pensée prit le dessus et elle céda soudain à un accès de culpabilité.

Son regard soucieux croisa celui de Drake et elle le fixa, impuissante, une myriade de questions tourbillonnant dans sa tête. De tous les scénarios qu'elle avait imaginés, celui-ci ne lui avait jamais effleuré l'esprit. Drake était si jalousement possessif. Elle n'arrivait pas à comprendre qu'il soit prêt à partager ce qu'il avait de plus précieux avec un autre homme.

Le regard de Drake s'attendrit tandis qu'il caressait ses seins, les soupesant et les câlinant, touchant ses tétons pour les faire durcir.

— Tu ne me trahis pas, mon ange chéri. Je ne veux pas que tu le penses, ni que tu te refuses à ressentir du plaisir parce que ce n'est pas moi qui te le donne.

Elle haussa les sourcils, franchement perplexe, mais de toute évidence, Drake considérait que l'affaire était close. Il se leva et se retourna, pour s'adresser de manière formelle à l'homme derrière lui.

— Elle s'appelle Evangeline et elle m'appartient. C'est un trésor inestimable et j'attends de toi que tu la traites comme tel. Tu te montreras doux et prévenant avec elle jusqu'à ce qu'elle soit à l'aise avec toi. Ce n'est qu'à partir de là que tu feras ce que je t'ai demandé de faire.

Puis il se retourna vers Evangeline.

—Ange, je te présente Manuel, un homme que je considère comme un ami en qui j'ai toute confiance. Il te donnera du plaisir. Je veux que tu lui obéisses : ses ordres sont les miens. Ce soir, je regarde un autre homme baiser ce qui est à moi.

Les mots obscènes de Drake la firent frémir, il ne les avait certainement pas utilisés par hasard, il savait qu'elle y était sensible.

Puis Drake recula et se dirigea vers le fauteuil situé au coin du lit, d'où il aurait une vue idéale sur elle en train de coucher avec un autre.

Elle était perdue, curieuse, tiraillée et follement excitée à la fois. Elle avait le souffle court, et sentait le feu de sa peau empourprée.

Manuel s'approcha du lit et l'admira. Le désir se refléta dans ses yeux bleus brillants.

—Je suis honoré, dit-il d'une voix rauque. Jamais je n'ai vu plus belle chose que cet ange allongé devant moi, attaché au lit, les cheveux éparpillés sur les oreillers comme de la soie.

Oh, cet homme était doué. Ces simples mots suffisaient à la séduire.

—Touche-la, dit Drake. Caresse sa peau magnifique.

Manuel glissa un genou sur le lit et plaça sa paume sur le ventre d'Evangeline ; elle eut instantanément la chair de poule.

—Je ne te ferai pas mal, la rassura doucement Manuel.

—Je sais, souffla-t-elle. Drake ne vous laisserait jamais faire.

Manuel sourit.

—Drake a de la chance. Ta confiance en lui est un don dont la plupart des hommes osent à peine rêver.

Le regard d'Evangeline se posa sur Drake, et elle y décela de l'approbation. Il était confortablement installé dans le fauteuil, l'air détendu. Toute crainte de l'énerver en réagissant sexuellement à l'homme qu'il avait choisi s'évapora. Il avait l'air heureux. Comme s'il était fier d'elle. Et si cela lui faisait plaisir, si c'était ce qu'il voulait, alors elle le lui donnerait sans réserve.

Comme s'il lisait dans ses pensées, il plongea son regard dans le sien.

—Ton plaisir me fait plaisir, Evangeline. Tu voulais me donner ce que je voulais ce soir, et ce que je désire le plus est de te regarder pendant qu'un autre homme te possède. Quand tu seras suffisamment à l'aise avec Manuel, il prendra le contrôle et je ne serai plus qu'un spectateur. Mais ce spectacle va me combler de joie. Voir mon amante ligotée à mon lit, baisée et dominée par un autre homme, c'est d'un érotisme rare…

Elle gémit lorsque les mains de Manuel suivirent le même chemin que celles de Drake sur ses seins. Son toucher était différent. Même les yeux bandés, elle aurait été capable de les distinguer.

—Tu peux l'embrasser, la lécher, te servir de ta bouche partout sauf sur ses lèvres, dit Drake à Manuel. Sa bouche est à moi et rien qu'à moi. Personne d'autre que moi ne goûtera à cette douceur.

— Je me consolerai en savourant la douceur de sa chatte, répondit Manuel. Je t'assure, ce ne sera pas une épreuve. Et ces tétons, murmura-t-il en abaissant ses lèvres sur les seins d'Evangeline.

Son regard trouva de nouveau celui de Drake lorsqu'elle se cambra sous la bouche de Manuel, qui se refermait sur son téton gonflé. Elle soupira tandis qu'il aspirait sa chair, léchant la pointe dressée avant de la mordiller légèrement.

Elle fut déçue de voir Manuel interrompre sa caresse et se redresser. Puis elle se rendit compte qu'il se déshabillait et son pouls s'emballa. Elle regarda Drake au lieu de Manuel tandis que ce dernier retirait ses derniers vêtements.

— Regarde-le, Ange, ordonna Drake. Regarde l'homme qui va te baiser, te prendre sauvagement.

Elle déglutit et s'exécuta. Le corps sublime de Manuel avait de quoi la faire frémir de désir. Il enroula sa main autour de son érection et la fit aller et venir, son pénis gonflant et durcissant jusqu'à être complètement rigide, tendu vers le haut.

— Tourne-la pour qu'elle soit en travers du lit, les jambes sur le côté pour que tu puisses goûter – et baiser – sa chatte. Elle aime quand c'est dur et brutal, Manuel. Mais je veux que tu t'occupes d'elle et que tu la chauffes jusqu'à ce qu'elle t'accepte et soit prête à t'accueillir entièrement.

Des mains étrangères exécutèrent les ordres de Drake, et Manuel la positionna selon ses souhaits avant de se poster entre ses jambes écartées, les yeux brillant d'admiration alors qu'il contemplait son corps.

Il se mit à genoux, écarta les lèvres de son sexe, et enfouit son visage contre son intimité. Le désir envahit Evangeline et ses hanches se cambrèrent. Ses bras se soulevèrent, même si elle avait les mains attachées, et soudain elle sentit des mains très familières se refermer sur ses poignets et les aplatir sur le matelas, les maintenant fermement en place.

La sensation d'un homme entre ses jambes et de Drake la tenant fermement pour l'immobiliser l'excita au plus haut point, et un gémissement lui échappa. Drake pencha la tête et l'embrassa sur la bouche, à l'envers.

—Laisse-le te donner du plaisir, Ange. Pendant que je le regarde prendre ce qui est à moi.

Manuel la léchait, la suçait et dévorait méticuleusement son intimité. Le plaisir était accablant mais elle n'était pas concentrée sur Manuel. Elle ne baissa pas les yeux pour regarder sa tête brune entre ses cuisses. Elle gardait les yeux rivés sur ceux de Drake et enroula ses doigts autour de ses mains, observant sa réaction face à cet homme – un inconnu pour elle – qui voulait seulement satisfaire Drake.

Des mains puissantes lui écartèrent les cuisses et la main de Manuel lui attrapa le menton pour le tirer vers le bas.

—Regarde-moi, Evangeline, dit-il, les yeux brillants.

Il la pénétra fougueusement avant même d'avoir terminé sa phrase. Elle agrippa les mains de Drake encore plus fort et il en libéra une pour lui caresser les cheveux, lui offrant son soutien en silence.

Manuel se dressa au-dessus d'elle, son corps couvrant le sien, écrasant ses seins sous son torse tandis que ses hanches roulaient sur les siennes, la pénétrant profondément. Mais le regard d'Evangeline ne cessait de revenir sur Drake, absorbant toute la chaleur et le désir dans ses yeux noirs.

— Tu es si belle, putain ! grogna Manuel en la pilonnant sauvagement. Dis-moi, Evangeline, tu aimes quand c'est encore plus brutal ?

Tout en parlant, il plongea sa main dans ses cheveux et tira la tête d'Evangeline vers le haut pour qu'elle soit obligée de le regarder. Il pencha la tête, et, l'espace d'un instant, elle crut qu'il allait désobéir à l'ordre de Drake et l'embrasser sur la bouche. Mais il lui lécha et lui mordilla le cou, l'oreille, avant de faire glisser ses lèvres dans la courbe de son cou, lui murmurant des mots doux.

— Je peux tout supporter pour Drake, répondit Evangeline.

— Je me demande s'il est conscient de la chance qu'il a, dit Manuel.

— N'en doute jamais, grogna Drake.

— Aide-moi à la retourner, demanda Manuel à Drake. Je veux son cul.

— Pas avant que je l'aie préparée, avertit Drake.

— Je ne ferais jamais de mal à une femme, encore moins à la tienne, protesta Manuel.

Drake pencha la tête.

— Bien entendu. Je ne voulais pas te faire affront. Evangeline m'est très précieuse et je refuse qu'elle souffre de quelque façon que ce soit.

Les deux hommes la retournèrent en s'assurant qu'elle était à l'aise. Drake lui détacha les mains et la positionna de telle sorte qu'elle puisse librement se toucher. Manuel plaça un oreiller sous ses genoux puis s'écarta pour que Drake puisse appliquer du lubrifiant tandis que Manuel enduisait le préservatif qu'il portait.

Drake alla se poster à la tête du lit, s'y adossant paresseusement pour avoir une vue directe sur Evangeline et Manuel.

—Tu me diras si c'est trop douloureux, dit Drake d'un ton sérieux, le regard pénétrant.

—Je ne te décevrai pas, Drake, promit-elle d'une voix rauque.

Il fronça les sourcils.

—Tu ne pourrais me décevoir que si tu endures la douleur parce que tu penses me faire plaisir. Je veux que tu promettes.

—Je te le promets, dit-elle sincèrement.

Drake leva les yeux vers Manuel, qui s'était mis en position sur les genoux derrière Evangeline et lui caressait les fesses.

—Fais rougir ce cul avant de la baiser.

—Avec plaisir, murmura Manuel.

Evangeline gémit doucement, fermant les yeux, impatiente. Que ressentirait-elle quand la main d'un autre homme la fesserait? Elle n'avait fait cette expérience qu'avec Drake. Était-ce bon seulement parce que c'était lui?

Elle eut bientôt sa réponse quand la main de Manuel s'abattit sur sa fesse et que le feu s'éveilla, s'effaçant rapidement au profit du plaisir. Elle ouvrit les yeux pour découvrir le regard brûlant de Drake.

— Mon ange aime la douleur.

— Ce n'est que du plaisir, dit-elle dans un souffle.

Manuel changeait de fesse, ne frappant jamais le même endroit, ne négligeant pas un centimètre carré de son cul jusqu'à le rendre douloureux, fourmillant de décharges électriques. Elle s'agita et s'efforça de ne pas se caresser trop fort, sachant qu'elle ne devait pas encore aller trop loin.

Elle marqua une pause quand il cessa, puis il plaça ses deux paumes sur ses fesses pour les écarter largement, sa verge à l'entrée de son orifice. Il s'arrêta quand le bout pénétra à peine ses fesses, et elle commença à se toucher pour de bon en prévision de sa pénétration.

— Baise-la fort, ordonna Drake. Pas de pitié.

Oh bordel.

Elle se mit à trembler violemment, déjà dangereusement proche de l'orgasme.

Manuel avança jusqu'à ce que son gland soit entièrement en elle, et avant qu'elle ne puisse reprendre sa respiration, il donna un coup de reins, la pénétrant jusqu'à la garde. Elle cria et s'arc-bouta brusquement, incapable de se contrôler.

Manuel lui attrapa les hanches des deux mains pour la maintenir en place, mais elle lutta, pas contre lui, mais contre les sensations qui déferlaient en elle.

—Bon sang, marmonna Manuel en la poussant en avant, la prenant au piège entre son corps et le lit, la clouant au matelas sans cesser de la sodomiser.

Il était violent, animal, la prenait, la possédait, faisant tout ce que Drake lui avait demandé de faire. La main d'Evangeline, coincée entre elle-même et le lit, bougeait frénétiquement, à la recherche de l'orgasme qui était en train d'échapper à son contrôle.

Puis, à sa grande surprise, Manuel les fit rouler sur le côté, sa queue toujours enfoncée en elle, et il chassa sa main pour la remplacer de ses doigts et caresser son clitoris. Il poursuivit ses va-et-vient et le regard d'Evangeline trouva celui de Drake, désireuse qu'elle était de partager ce moment avec lui. Tout pour lui. Rien que pour lui.

Le désir flamboya dans les yeux de Drake et Evangeline remarqua la bosse dans son pantalon et, à cet instant, elle voulut qu'il la prenne aussi brutalement que Manuel.

—Jouis, Ange, dit Drake brusquement. Ne fais pas attendre Manuel.

Elle poussa un gémissement rauque et sa tête bascula en arrière alors que la bouche de Manuel trouvait son cou et y plantait ses dents avec assez de force pour y laisser une marque.

Puis elle s'abandonna et atteignit l'extase, allant de plus en plus loin jusqu'à ce que Drake disparaisse de son champ de vision, le monde se troublant autour d'elle. Elle était à bout de souffle quand Manuel se retira et se pencha pour déposer un baiser sur son front.

—Merci pour ce merveilleux cadeau, Evangeline, chuchota Manuel. Je n'oublierai jamais ma nuit avec un ange.

—Tu peux disposer maintenant, dit Drake.

Evangeline remarqua vaguement le poids de Manuel quittant le lit, et elle entendit les froissements de ses vêtements lorsqu'il se rhabilla, puis la porte se fermer doucement tandis qu'il s'en allait. Elle lança un coup d'œil en direction de Drake : il s'était levé et était en train de retirer ses vêtements à la hâte.

Puis il rampa sur le lit, la retourna, et fut sur elle et en elle avant même qu'elle puisse reprendre son souffle.

Sa bouche s'écrasa sur la sienne, sa langue plongeant aussi profondément dans sa bouche que son pénis dans son sexe. Le désir le consumait tout entier.

Il était énorme en elle, son membre plus raide que jamais. C'était une course à la jouissance et pour la première fois, il se fichait bien qu'elle jouisse en même temps que lui. C'était sa nuit, et elle le lui avait bien fait comprendre. Elle passa donc ses bras autour de ses solides épaules et lui caressa doucement le dos, passant ses doigts sur ses muscles puissants tandis qu'il sentait monter en lui un orgasme d'une puissance sidérante. Elle lui donna tout ce qu'elle avait.

Drake explosa en elle en quelques secondes puis s'affala sur elle, et elle continua de lui caresser le dos. Il enfouit son nez contre son cou, ses lèvres explorant sa peau délicate tandis qu'il l'embrassait puis la mordillait.

—À moi, grogna-t-il. Si belle et toute à moi.

Chapitre 27

Evangeline était allongée sur le côté, blottie contre l'épaule de Drake, un bras tendu en travers de son torse nu et une jambe passée par-dessus la sienne. Elle était rassasiée, tout son corps était détendu. Il était tentant de sombrer langoureusement dans le sommeil, le corps chaud de Drake à ses côtés, mais les émotions continuaient à tourbillonner dans son esprit.

Peut-être avait-elle encore besoin d'être rassurée, même si Drake lui avait clairement fait comprendre que ce qui s'était passé ne lui posait aucun problème. Il avait tout orchestré, il ne pouvait donc raisonnablement éprouver de la jalousie. Enfin, ce n'était pas comme si elle était familière du mode de vie qu'il avait et savourait… Alors comment ne pas être profondément tiraillée ?

— Drake ? demanda-t-elle timidement.

Il souleva la main du bras contre lequel elle était allongée et passa ses doigts dans les cheveux d'Evangeline dans un geste lent et sensuel.

—À quoi penses-tu, Ange? demanda-t-il avec tendresse.

Elle enfouit son visage contre son torse, soudain timide.

—T'ai-je déçu ce soir? Tu m'en veux d'avoir aimé coucher avec Manuel? D'avoir joui avec lui?

Il se tourna de manière qu'ils soient face à face, puis il enroula son autre bras autour d'elle pour la tirer contre lui.

—Ange, regarde-moi, dit-il doucement.

À contrecœur et avec appréhension, elle leva lentement le menton jusqu'à croiser son regard. Elle fut soulagée de lire une affection infinie dans ses yeux.

—Tu ne m'as pas du tout déçu. C'était extrêmement excitant pour moi de regarder un autre homme te prendre. C'est moi qui contrôlais le plaisir qu'il te donnait.

Elle écarquilla les yeux, visiblement déroutée. Cela semblait incongru, avec tout ce qu'elle savait sur Drake, qu'il laisse un autre homme la toucher, et même coucher avec elle.

—Tu es la femme la plus belle et la plus désinhibée que j'ai jamais eue, et tu m'as offert quelque chose d'unique ce soir. Surtout, tu m'as accordé ta confiance sans réserve et tu as tenu bon jusqu'au bout. Tu étais d'abord concentrée sur moi, pas sur l'homme qui te baisait. Tu m'as fait don de toi. Que tu en sois consciente ou non, il a fallu que tu m'accordes une confiance immense pour céder sans réfléchir à tous mes désirs. Peu de femmes offriraient à un homme une chose si précieuse.

—Waouh! s'exclama-t-elle. J'imagine que je ne l'avais jamais vu comme ça.

—Tu es un cadeau, mon ange. Toi, et tout ce qui fait de toi ce que tu es. Le plus beau cadeau qu'on m'ait jamais fait.

Elle pencha la tête sur le côté, étudiant son air sérieux.

—Pourquoi ça t'excite ? demanda-t-elle avec une curiosité sincère. Je veux dire, regarder, observer un autre homme me prendre et me posséder à ta façon.

—D'abord, dit-il gravement, je suis le *seul* à te posséder. Ne l'oublie jamais. Manuel était là sur mon invitation et je lui ai donné des instructions précises sur ce qu'il pouvait ou ne pouvait pas faire. Manuel s'est senti honoré d'avoir le droit de t'étreindre. Quel homme ne le serait pas ? Et pourquoi cela m'excite ?

Il haussa les épaules, et fit glisser sa main jusqu'à sa taille pour lui saisir les fesses.

—D'où viennent les fantasmes ? C'est inexplicable. Dans mon cas, ça m'excite de faire tout ce que je veux avec ce que je possède. Ton corps, ton sexe, ton cul, ta bouche, chaque partie de ton âme même, sont à moi et à moi seul, et je fais ce que je veux de ce trésor.

» Oui, un autre homme t'a baisée, mais c'est tout ce qu'il a fait. Il t'a baisée. Il t'a donné du plaisir, ce qui m'a donné du plaisir. Mais tu ne lui appartiens pas, il ne te possède pas. Tu ne seras jamais à lui. Tu m'appartiens tout entière et cela m'excite de regarder un autre homme te plier à ma volonté, parce que cela me plaît d'avoir le privilège, l'*honneur*, de renoncer au pouvoir que j'ai sur toi, temporairement.

—Est-ce une chose que tu fais souvent ? demanda-t-elle à voix basse.

Drake la dévisagea, yeux plissés, à la recherche d'un indice ou d'un mobile derrière sa question apparemment innocente. Il ne décela rien d'autre que de la curiosité dans son regard.

—Je crois que la question est de savoir si c'est quelque chose que *toi*, tu voudrais faire souvent.

Elle avait la mine grave, ses yeux transpiraient la sincérité.

—Je ne veux que ton plaisir, Drake. Je veux te rendre heureux. Et si me donner à un autre homme pendant que tu regardes te rend heureux, alors évidemment, je suis prête à recommencer.

Elle déglutit et, avant même qu'il puisse répondre, elle poursuivit.

—Je n'ai regardé que toi, murmura-t-elle. Même quand il m'a ordonné de le regarder. Je t'ai regardé *toi*, parce que je voulais voir *ton* plaisir, *ta* jouissance. Je ne veux que toi, Drake. Personne d'autre. Oui, j'ai ressenti du plaisir, mais tu sais pourquoi ?

Le front de Drake se creusa et il la dévisagea, sidéré par son aveu, touché par son honnêteté sans faille. Elle était complètement vulnérable, et il savait, il *savait* que cette vulnérabilité était l'une des pires sensations qui soient. Il ne voulait pas qu'elle se sente si fragile avec lui.

—J'ai aimé être avec un autre homme parce que je te faisais plaisir à toi, que tu as aimé le regarder prendre ce qui t'appartient. C'était ça, ma source de plaisir. Je me souviens à peine du plaisir *physique* qu'il m'a donné. Il était là. J'ai joui. C'était bon. Je ne le nie pas. Mais je n'étais pas focalisée sur mon plaisir. Il ne m'a pas fait mal. J'ai apprécié l'aspect physique. Mais émotionnellement, j'étais concentrée sur toi. Et parce que tu me regardais avec tant de tendresse, de fierté et d'approbation, la personne que tu as choisie pour coucher avec moi importait peu. Parce que tu es le seul qui compte à mes yeux.

Il était incapable de répondre, de dire quoi que ce soit, tant il était ahuri par l'impact qu'avaient ses mots sur lui. À quel point ils le touchaient. Il assimila sa déclaration enflammée, son expression, la sincérité qui brillait dans ses yeux, et il eut soudain l'impression que son cœur allait exploser dans sa poitrine.

—Drake? murmura-t-elle avec hésitation, les yeux débordants d'inquiétude. J'ai dit quelque chose qu'il ne fallait pas? Tu es fâché?

Le cœur battant à tout rompre, il la retourna brusquement, lui écarta les cuisses, et dès qu'elle fut sur le dos, il s'inséra en elle, lui arrachant un cri de surprise. À la surprise succédèrent bientôt dans ses yeux la passion et le désir.

Il se retira plus doucement qu'il ne l'avait pénétrée, conscient qu'elle devait être à fleur de peau après avoir accueilli en elle deux hommes en l'espace de quelques heures, puis il donna un nouveau coup de reins pour s'enfoncer dans ses profondeurs soyeuses.

Il la regarda férocement tout en faisant aller et venir ses hanches, à un rythme tranquille, bien qu'il soit consumé par le désir. Tout au fond de lui, là où il n'avait jamais rien ressenti, où il n'avait jamais laissé personne s'approcher suffisamment pour l'atteindre.

—Non. Putain, non, dit-il vigoureusement. Ange, comment fais-tu pour me bouleverser comme ça? Tu m'affectes tant que je ne peux plus respirer, putain. Fâché contre toi? Ça non. Tu penses que tu as fait quelque chose de mal? Rien de ce que tu as fait n'est mal. Tu es tout ce qui est bien et parfait et bon dans mon monde. Ne pense jamais que tu as fait ou dit quelque chose qu'il ne fallait pas. Jusqu'au jour où tu me mentiras, je n'aurai jamais de raison d'être en colère contre toi.

Déjà sur le point de basculer et de se perdre dans sa féminité, il la pénétra pleinement et resta profondément enfoui en elle, son torse se soulevant sous le coup de l'émotion. C'était comme si elle avait rouvert une vieille plaie. Comme si, pour la première fois depuis son enfance, où il avait appris à se couper des autres et à ne rien ressentir, il renouait avec ses émotions. Ce n'était pas une sensation agréable. Il se sentait bien trop à nu et vulnérable. Ce même sentiment qu'il voulait épargner à Evangeline quelques instants auparavant.

—Je ne te mentirai jamais, Drake, dit-elle avec sincérité. Je t'ai accordé ma confiance, et j'aimerais que tu m'accordes la tienne. Je peux comprendre si c'est trop tôt, si ce n'est pas quelque chose que tu peux me donner tout de suite. Mais un jour, j'espère la gagner, car je ne veux rien d'autre que ta confiance. Ton argent et ton pouvoir ne me font ni chaud ni froid. Tout ce dont j'ai besoin, c'est d'une confiance absolue.

La panique se propagea dans la poitrine de Drake, le réduisant au silence. Rares étaient les gens auxquels il faisait confiance. Moins de dix, ses frères. Il n'avait jamais fait confiance à une de ses conquêtes. L'expérience lui avait appris que les femmes qui l'approchaient ne s'intéressaient pas à lui, mais seulement à ce qu'il pouvait leur offrir. Mais merde. Il fallait qu'il lui dise *quelque chose*. Il ne pouvait pas rester allongé là à la regarder comme un imbécile.

Il la sentait presque glisser entre ses doigts comme de l'eau. Impossible de la retenir. Les femmes, *surtout* une femme comme elle, qui exprimait tout ce qu'elle ressentait, se rendaient vulnérables en dévoilant leur cœur et leur âme.

Elle, qui était la personne la plus honnête et la plus sincère qu'il ait jamais connue, ne resterait pas avec un homme si elle n'avait pas le sentiment qu'il lui rendrait tout ce qu'elle lui offrait sans réserve.

Mais elle semblait comprendre la guerre qui faisait rage en lui. Elle sourit tendrement, ses yeux affectueux et compréhensifs lorsqu'elle posa un doigt en travers de ses lèvres.

—Je ne m'attends pas à ce que tu me fasses confiance ou que tu aies foi en moi tout de suite, dit-elle d'une voix douce –d'une voix d'ange. La confiance doit se *mériter* et cela n'arrive pas du jour au lendemain. Cela viendra avec le temps. Moi, j'ai confiance en toi et je crois en toi. Sans conditions. Sans réserve. Sans retour possible. Et j'espère qu'un jour tu pourras m'offrir la même chose. Je ne veux pas que tu me promettes ça simplement pour me faire plaisir. Tes mots seraient vides de sens. Mais jusqu'à ce que tu ressentes ces choses, j'attendrai. Je ne bouge pas. Sauf si tu décides de te passer de moi.

Ses yeux se voilèrent de tristesse lorsqu'elle prononça ces dernières paroles, puis elle se reprit et lui adressa un sourire lumineux.

Se passer d'elle? Sa déclaration lui donnait matière à réflexion pour des mois, voire des années, mais se passer d'elle?

Certes, peut-être que dans ses liaisons passées – il ne les qualifierait pas de *relations*, car cela reviendrait à déprécier le lien qui l'unissait à Evangeline – une telle déclaration de la part de sa maîtresse aurait été probable. Et même inévitable. Parce qu'il ne gardait jamais la même femme plus d'un jour, deux tout au plus. Mais même si cela ne faisait que peu de temps qu'il connaissait Evangeline, il n'imaginait pas pouvoir se passer d'elle. Et cela lui fichait la trouille.

Il enfouit son visage dans les cheveux d'Evangeline, submergé par sa nature généreuse et aimante et la conscience qu'il n'était qu'un salaud égoïste.

—Je ne te mérite pas, dit-il, exprimant d'un ton bourru ce qu'il n'avait jamais dit à une autre femme.

Une chose à laquelle il n'avait jamais cru jusqu'à présent. Mais il savait, que son cœur et son esprit soient d'accord ou non, qu'Evangeline méritait bien mieux que ce qu'il avait à lui offrir. Même si l'imaginer appartenir à un autre homme le rendait fou de rage.

Les yeux fermés, il huma le parfum de ses cheveux, enfouissant son nez dans la chevelure satinée.

—Je ne mérite pas de fouler le même sol que toi. Mais je te jure que je ne t'abandonnerai pas. Je ne *peux* pas t'abandonner. Tu mérites un homme qui pourra t'offrir toutes les choses que tu lui donnes et plus encore. Plus que je ne peux te donner, Ange. Tu mérites bien plus que tout ce que je pourrais jamais te donner.

—Eh bien, c'est une bonne chose que tu aies décidé de ne pas m'abandonner, dit-elle avec légèreté. Je suis à toi, Drake. Aussi longtemps que tu voudras de moi, je suis à toi.

Il imagina son sourire. Celui qui avait le don d'illuminer la pièce dans laquelle elle se trouvait. Il savait sans la voir quelle était son expression exacte à ce moment précis, et cela ne fit qu'accentuer son impression d'être le dernier des salauds.

Elle se plongea dans son regard avant de prendre son visage entre ses mains. Il y avait une telle compréhension dans ses yeux que sa carapace commença à se fissurer ; il savait qu'il ne pouvait la laisser voler en éclats. Comment une femme innocente pouvait-elle faire autant de ravages dans son existence bien rangée ? Elle avait anéanti la monotonie de son quotidien et déterré sa conscience. Drake avait toujours été impitoyable. Il n'était pas arrivé jusque-là en étant indulgent, soucieux de bien faire, ni en se conformant à d'autres règles que les siennes. Et pourtant, ce petit bout de femme bouleversait la vie qu'il avait menée jusqu'alors. La vie qu'il s'était créée par pure nécessité.

Il ferait mieux de se débarrasser d'elle avant qu'il ne soit trop tard. De prendre la bonne décision et de la tenir à l'écart de sa vie. De la laisser partir avant qu'il ne finisse par les détruire tous les deux. L'homme froid et sans pitié qu'il avait été n'avait pas disparu – pas encore. Et heureusement, car tant qu'il restait un salaud égoïste et sans cœur, il était hors de question qu'Evangeline lui échappe.

Tant pis si cela faisait de lui un enfoiré. Il la protégerait de la réalité du monde dans lequel il vivait et s'assurerait que son autre vie – celle dont elle n'avait pas connaissance – ne l'affecte d'aucune façon que ce soit.

Il avait appris très jeune que rien n'est jamais acquis et que les promesses sont rarement tenues, mais il allait prendre une grande résolution. C'était quelque chose qu'il n'avait pas l'habitude de faire, car s'il détestait l'idée de ne pas tenir les promesses faites aux autres, il lui paraissait impensable de renoncer à une résolution pour soi.

Il ne ferait aucun mal à Evangeline, et ne lui mentirait jamais. Elle méritait cette marque de respect, et c'était davantage que ce qu'il offrait aux autres. Il ferait tout son possible pour la protéger et la garder loin de la vérité, mais il ne pouvait se résoudre à lui mentir alors qu'elle lui accordait une confiance aveugle.

Faire confiance aux autres n'était pas dans sa nature, mais pour elle, il était prêt à essayer. Il pouvait apprendre. Elle lui avait déjà tant appris. Que le bien existait dans un monde qui n'avait pas fait grand-chose pour le lui prouver. Elle ne lui avait donné aucune raison de douter d'elle ou de ses motivations, et ce simple fait était bien plus méritoire que ce qu'il lui offrait actuellement. L'argent pouvait tout acheter, mais son ange n'était pas à vendre. Elle ne pouvait être achetée. Ce qu'elle désirait par-dessus tout était quelque chose qu'il n'était pas certain de pouvoir lui donner.

Il faisait confiance à ses hommes, autant qu'il était capable de faire confiance à quelqu'un, mais il n'était pas assez sot pour croire qu'ils ne le trahiraient jamais. Pouvait-il offrir à Evangeline ce qu'il ne pouvait pas même accorder aux hommes qu'il considérait comme ses frères? Il n'avait pas encore de réponse, mais il pouvait essayer.

Il se retira lentement de l'intimité veloutée d'Evangeline, et ils poussèrent tous deux un gémissement après être restés si profondément et longuement liés sans bouger.

La chair de la jeune femme était enflée et étroite, se contractant autour de sa verge hypersensible comme si elle voulait l'empêcher de partir.

—Je te fais mal?

—Non. Oui. Je ne sais pas. Ne t'arrête pas.

Elle avait la voix rauque et tendue et posa ses mains sur ses épaules, où elle planta ses ongles, le marquant comme il l'avait marquée par le passé. La vision de sa marque sur sa peau le catapulta dans l'extase.

Il se mit à la pilonner, à un rythme effréné, et pourtant elle le pressait encore. Elle se cambra, venant à la rencontre de chacun de ses coups de reins, agonie et extase se mêlant sur son visage.

—Jouis, Ange, dit-il alors même qu'il sentait se répandre en elle la première giclée de sperme.

Elle cria, ses ongles se faisant plus incisifs, se plantant encore plus profondément, lui arrachant la peau, et il savoura la morsure violente de la douleur.

Il la poussa de plus en plus fort, de plus en plus vite, jusqu'à ce que le son de la chair rencontrant la chair soit assourdissant. Elle cria son nom et explosa, enroulant ses bras et ses jambes si fermement autour de lui qu'il ne put rien faire de plus que de s'enfoncer aussi profondément que possible en elle pour ressentir chaque pulsation de son jet de décharge dans son corps.

Il s'abaissa, plongeant ses bras sous le corps d'Evangeline pour la serrer aussi fort qu'elle le serrait dans ses bras. Puis il s'affaissa, laissant son poids la couvrir comme une couverture, sa queue encore enfouie dans sa douceur, chaque petite réplique sismique faisant trembler son corps tout entier.

Il posa son front contre la tempe d'Evangeline et frémit en sentant son souffle chaud sur sa nuque. Il ne s'était jamais senti aussi détendu de toute sa vie, même s'il se sentait coupable de s'être adonné à ce libertinage égoïste alors qu'elle lui avait tout donné. Il y avait une chose qu'il gardait pour lui, c'était son âme.

Puis Evangeline tourna légèrement la tête, juste assez pour que ses lèvres effleurent la naissance de ses cheveux, et elle l'embrassa. Un petit baiser exquis qui fit délicieusement frissonner Drake. Son corps encore enroulé fermement autour de lui se recroquevilla lorsqu'elle le serra contre elle, s'il était possible qu'il reste encore de l'espace entre eux.

—Merci de m'avoir offert ton plaisir ce soir, chuchota-t-elle. Je voulais tant faire quelque chose juste pour toi. Pour te montrer que tu comptes pour moi, Drake. Si tu as l'impression de ne compter pour personne, souviens-toi de cette nuit et sache que tu es très important pour moi.

La gorge serrée, Drake ne put lui répondre. Il put seulement la serrer contre lui, souhaitant que rien ne s'immisce entre eux à cet instant. Ni ses peurs, ni sa culpabilité, ni ses remords. Car rien ne pourrait jamais lui faire regretter cette journée. Pendant cette merveilleuse nuit, le temps s'était arrêté, et il avait vu le paradis pour la première fois de sa vie. Enveloppé par les ailes d'un ange, il avait ressenti un profond apaisement.

Chapitre 28

Une lueur particulière auréola Evangeline pendant les semaines qui suivirent la nuit du fantasme de Drake et les déclarations auxquelles cet épisode avait donné lieu.

La seule ombre au tableau pour Evangeline était le fait d'être séparée de ses amies. Au début, elle avait tout simplement été trop occupée avec Drake, soucieuse qu'elle était d'exécuter ses ordres. Elle savourait cette nouvelle aventure et n'avait pas vu le temps passer. Elle n'avait eu aucun contact avec ses amies depuis longtemps, et se rendit compte qu'aucune d'entre elles n'avait pris la peine de l'appeler. Cette prise de conscience ne lui plaisait pas du tout. Si elles étaient ses amies, pourquoi ne voudraient-elles pas son bonheur ? Comment pourraient-elles savoir si elle était heureuse sans même prendre la peine de l'appeler ou de lui envoyer un message ?

Le débat revenait toujours à Evangeline et à sa culpabilité, et la culpabilité était puissante : elle ne pouvait pas reprocher à ses amies de ne pas l'avoir rappelée, elle non plus n'avait rien fait pour reprendre contact avec elles.

Cette déconnexion se fit ressentir plus vivement quand Drake annonça qu'il devait quitter la ville pour affaires et serait absent une nuit. Evangeline avait pensé qu'il voudrait qu'elle l'accompagne, comme il l'avait dit au début de leur relation quand il avait défini les règles, mais il lui dit qu'il ne voulait pas qu'elle s'ennuie à mourir : il avait un nombre incalculable de réunions et n'aurait pas un instant à passer avec elle. Il irait en avion, partirait à midi le premier jour et rentrerait tôt le lendemain matin. Il l'encouragea à s'amuser en stipulant qu'un de ses hommes devait l'accompagner où qu'elle aille.

Fébrile, elle avait appelé Lana, Nikki, et Steph, pour prendre des nouvelles et combler le fossé entre elles, mais ses appels étaient restés sans réponse et ses messages n'avaient pas été lus. Par conséquent, elle décida de rester à l'appartement de Drake et de ne pas sortir, car le cœur n'y était pas. Elle avait peur d'avoir perdu ses amies d'enfance, celles qui avaient grandi avec elle dans sa petite bourgade du Mississippi.

Cette nuit-là, elle dormit seule pour la première fois depuis que Drake et elle étaient ensemble. Elle n'aimait pas ça. Elle n'arriva pas à trouver le sommeil, s'accrochant à l'espoir qu'il rentrerait plus tôt que prévu. Le matin de son retour, elle réfléchit à une demi-douzaine de manières de rattraper le temps perdu dès qu'il rentrerait.

Dans la réalité, seulement quelques minutes après le retour de Drake et pour sa plus grande déception, la mère d'Evangeline choisit ce moment, entre tous, pour appeler. Evangeline s'excusa d'un regard auprès de Drake, mais il se contenta de sourire et l'assit sur ses genoux pendant qu'elle discutait avec sa mère – et son père. Puis il entreprit de lui mordiller le cou et d'autres parties du corps jusqu'à ce qu'elle soit à deux doigts de jeter le téléphone à travers la pièce pour se retourner et l'attaquer.

Drake pouffa quand il entendit la mère d'Evangeline demander comment allait son «jeune homme» et s'il la traitait bien, puis, à la surprise de la jeune femme, il lui prit le téléphone et discuta avec ses parents pendant presque une demi-heure.

Elle regarda, ravie, Drake leur parler sur un ton affectueux, détendu, même souriant parfois. Le bonheur lui enserra la poitrine et elle se pelotonna contre lui tandis qu'il poursuivait la conversation, leur assurant qu'il s'occupait très bien de leur fille, mais qu'elle s'occupait encore mieux de lui.

Tout dans sa relation avec Drake semblait parfaitement normal. Elle n'était plus aux prises avec les questionnements et les peurs qui l'avaient tourmentée. Ces dernières semaines avaient été magiques et elle avait l'impression de vivre au beau milieu d'un rêve. Elle se reprocha de se préparer au pire et d'envisager le fait que leur relation puisse prendre fin.

Il était temps de cesser d'avoir peur de ce que l'avenir lui réservait et de se lancer dans l'instant présent, de profiter de chaque minute passée avec Drake. Qui savait s'ils ne finiraient pas dans une relation à long terme?

Drake lui avait prouvé à de nombreuses reprises qu'elle n'avait pas eu tort de lui accorder sa confiance et sa loyauté. Il avait considéré qu'elle lui en faisait cadeau, avait pris ça très au sérieux. Il avait fait en sorte de mériter ces dons et l'avait chérie en retour.

Elle ne se demandait plus si elle était assez bien ni ce qu'un homme comme lui pouvait trouver à une femme comme elle. Il était heureux. Elle était heureuse. Le reste importait peu. Qu'importait le regard qu'elle portait sur elle-même? Drake voyait quelqu'un de complètement différent, et il ne manquait pas une occasion de le lui prouver.

Elle avait l'impression d'être un papillon émergeant d'un cocon après une longue hibernation, et de s'affranchir enfin de ses doutes; c'était exaltant.

Evangeline était désormais sûre d'elle. Elle était de toute beauté et méritait Drake Donovan.

Un sourire niais se dessina sur son visage et elle était si absorbée dans ses pensées qu'elle ne remarqua pas que Drake avait raccroché le téléphone, jusqu'à ce que, du bout des lèvres, il remonte le long de son cou pour lui mordiller l'oreille.

—Tu as l'air heureuse, mon ange, chuchota-t-il. J'espère que mon retour a quelque chose à voir avec ça.

Elle se retourna et jeta ses bras autour de son cou, puis couvrit son visage de baisers.

—Oh, Drake, je *suis* heureuse! Tu m'as terriblement manqué.

Il lui sourit tendrement.

—Je ne suis parti qu'une journée, mon ange.

—C'était un jour de trop.

Il sourit.

—Tes parents sont sympathiques.

Le changement soudain de conversation la figea, puis elle lui rendit son sourire.

—Tu les aimes bien.

—Oui, dit-il. Ce sont des gens bien.

Se souvenant qu'il était peu probable que Drake ait eu beaucoup d'expérience avec des gens bien, elle le dévisagea avec la même gravité.

—Ce sont les meilleurs, dit-elle d'une voix rauque. Je ferais tout pour eux.

—Ils ont beaucoup de chance, dans ce cas.

Elle passa sa main sur la joue poilue de Drake.

—Je ferais n'importe quoi pour toi aussi, Drake. J'espère que tu ne l'oublies pas.

Il prit sa main et la passa sur ses lèvres pour lui embrasser les paumes.

—Oh, tu l'as prouvé plus d'une fois, Ange. Je ne suis pas près de l'oublier.

Il agrémenta son affirmation d'un clin d'œil et d'un soupir.

—Quelque chose ne va pas? demanda-t-elle avec inquiétude, son euphorie se dissipant face à l'expression sombre de Drake.

Drake regarda Evangeline, abhorrant ce qu'il était sur le point de faire. La décevoir. Ou plutôt mentir par omission.

Alors qu'il s'était promis de ne jamais lui mentir. Et s'il ne gérait pas l'affaire juste comme il le fallait, non seulement il lui mentirait, mais il pouvait également la blesser si elle comprenait mal ses raisons.

Sachant que plus il gardait le silence et plus il traînait, pire cela semblerait et pourrait lui exploser à la figure, il l'embrassa et s'autorisa à afficher un regret sincère. Il la tira sur le canapé pour qu'ils soient assis côte à côte.

—Je sais que demain soir, tu dois préparer un dîner pour nous deux, mais j'ai un rendez-vous d'affaires très important. Je recevrai mes associés ici. Malheureusement, c'est inévitable, et je te promets que je ne manquerais pas l'un de nos dîners sauf cas de force majeure. C'est l'une des rares fois où il est nécessaire qu'on se retrouve dans un lieu où on est certains d'être tranquilles.

Elle accueillit sa déclaration avec perplexité, et il remarqua bien la déception dans ses yeux, et ses efforts pour masquer sa réaction en reprenant vite ses esprits.

—Je comprends, dit-elle, un léger tremblement dans la voix trahissant son émotion. Peut-être qu'on peut remettre ça à plus tard dans la semaine.

Bon sang, il détestait ce qui venait ensuite. Comment s'assurer qu'elle ne serait pas présente pendant sa réunion sans qu'il soit évident qu'il ne voulait pas qu'elle soit là? Il avait brisé une de ses promesses, un serment qu'il s'était fait, chose impensable, en mentant à Evangeline. Jamais, en aucun cas, il ne briserait l'autre promesse qu'il avait faite, à savoir qu'elle ne serait jamais affectée par la vie sombre qu'il menait en parallèle.

— Je sais que tu n'es pas sortie hier soir, alors je me disais que tu aurais peut-être envie de sortir en ville demain soir. Dis-moi ce que tu veux faire et je m'en occuperai, Ange. Fais ce que tu veux. Très franchement, la réunion va être d'un ennui mortel, et je n'attends pas de toi que tu supportes des étrangers et ce dérangement dans ton propre foyer. Et je ne te demanderai pas non plus de satisfaire six connards arrogants qui vont jouer à celui qui a la plus grosse pendant les négociations.

Il n'eut pas à feindre sa colère ni sa gêne, car il ressentait les deux. S'il n'y avait pas tant en jeu sur cette putain d'affaire, il leur dirait à tous d'aller se faire voir. Il n'ouvrait jamais sa résidence à ses affaires. C'était son seul refuge. Et c'était aussi celui d'Evangeline désormais. Il s'en voulait de mettre son ange à la porte pour la soirée et de dérouler le tapis rouge à des hommes dont il ne voudrait pas qu'ils approchent de sa nana à moins d'un kilomètre.

Elle se mordit la lèvre inférieure, visiblement perdue dans ses pensées. Il aurait aimé pouvoir lire en elle. Quatre-vingt-dix-neuf pour cent du temps, elle était totalement transparente, ses yeux étaient les fenêtres de son âme, mais là, il s'agissait de ce dernier pour cent restant où il n'avait aucune idée de ce qu'elle pensait ou ressentait.

Il dut se retenir de prononcer son nom à cause de l'interrogation qui transparaîtrait sans aucun doute dans sa voix s'il le faisait. Parce qu'il savait qu'il aurait l'air incertain, et il devait maîtriser la situation à la perfection. C'était seulement une réunion d'affaires, et il lui offrait la ville sur un plateau d'argent pour la nuit. Il ne fallait pas qu'il donne l'impression d'avoir une raison de craindre ce qu'elle pensait.

—Demain soir, c'est la soirée de repos des filles, dit-elle doucement. J'aimerais… Il faut que je les voie. Nous n'avons pas parlé. Pas depuis le soir où Steph est venue ici. Je… nous avons trop laissé traîner. Il faut que je leur parle. J'ai essayé de les appeler pendant que tu n'étais pas là. Je pensais qu'on irait manger un bout, qu'on rattraperait le temps perdu. Mais je n'ai jamais eu de nouvelles.

Drake pinça les lèvres. Merde. Ça ne le branchait pas qu'elle retrouve ses amies. Pas s'il y avait la possibilité qu'elles lui mettent tout un tas de conneries en tête. En même temps, cela lui offrait la parfaite porte de sortie. Elle serait heureuse et il la tiendrait effectivement loin de ses affaires.

—Tu devrais y aller, dans ce cas, dit-il avec douceur.

Elle écarquilla les yeux de surprise.

—Ça ne te dérange pas ?

Il la tira dans le creux de son bras pour qu'elle soit fermement lovée contre lui.

—Il est évident que le fait d'être séparée d'elles te rend malheureuse, dit-il.

Il caressa sa joue puis saisit son menton, faisant passer son pouce sur sa peau satinée.

—Je veux que tu sois heureuse, Ange. Si voir tes amies fait ton bonheur, alors je demanderai à un de mes hommes de t'y emmener demain soir.

—Dois-je prévoir de dormir chez elles? demanda-t-elle en retenant son souffle.

Il fronça les sourcils.

—Hors de question. Je demanderai à Maddox de te ramener pour 23 heures, et si ma réunion devait se prolonger, je le lui dirais, mais tu reviens après. Une nuit loin de toi était bien assez. Il est hors de question que j'en passe une autre sans toi si vite après être parti.

Elle sourit puis lui adressa un sourire malicieux.

—Alors dis-moi, il faut que tu appelles Maddox tout de suite? Ou ça peut attendre un peu?

Il haussa un sourcil, la regardant avec méfiance.

—Cela dépend de ce que tu as en tête, petite coquine.

Elle se mit à califourchon sur ses genoux, passa ses bras autour de son cou, avant de glisser jusqu'au sol pour se mettre à genoux entre ses cuisses, ses mains voletant sur sa braguette.

—Oh, je ne sais pas. Le temps que je puisse te souhaiter la bienvenue comme il se doit?

Elle se lécha les lèvres et commença à ouvrir sa braguette.

Les yeux de Drake pétillèrent et ses paupières se firent lourdes.

—Eh bien, dans ce cas, prends ton temps, Ange. Je t'assure, Maddox attendra. Moi, en revanche, je ne peux pas. Alors je t'en prie, souhaite la bienvenue à ton homme comme il se doit.

Chapitre 29

À la grande surprise d'Evangeline, et pour son plus grand plaisir, le lendemain matin, elle se réveilla enveloppée dans le corps puissant et chaud de Drake, la tête nichée sur son épaule. Il l'encerclait, les bras passés fermement autour d'elle de manière possessive et une jambe sur la sienne. Elle n'aurait pas pu bouger si elle l'avait voulu, et c'était assurément la dernière chose qu'elle voulait.

Elle poussa un soupir de satisfaction ; jamais elle n'avait été plus heureuse qu'en cet instant.

— Bonjour, Ange, murmura-t-il dans ses cheveux.

— Bonjour, dit-elle, souriant contre son épaule.

— Tu souris.

Elle hocha la tête.

— Pour une raison en particulier ?

— C'est la première fois que je me réveille dans tes bras, dit-elle d'une voix rêveuse. C'est… agréable.

Il passa sa main dans son dos puis la posa sur ses fesses.

—Je n'ai pas aimé être séparé de toi ne serait-ce qu'une nuit et j'étais réticent à l'idée de quitter notre lit si tôt ce matin.

—Je suis contente. Je ne pouvais rêver plus beau réveil.

Il soupira.

—Malheureusement, je ne peux pas m'attarder autant que je le souhaiterais. Je préférerais passer la journée à la maison, à te faire l'amour et à te garder nue jusqu'à ce que tu doives te préparer pour aller voir tes amies. Mais j'ai des choses à faire. Chaque jour que je ne passe pas au bureau me fait prendre un retard considérable.

—Ce n'est pas grave, Drake. C'était suffisant. Tu as déjà illuminé ma journée, et j'ai hâte de te retrouver plus tard ce soir quand tu auras conclu tes affaires.

Il l'embrassa, prenant son temps pour explorer sa bouche et ses lèvres. Puis il roula sur le côté pour sortir du lit.

—Ah, tu es si tentante, Ange. Si je ne me lève pas tout de suite, je vais effectivement me dire «et puis merde» et rester au lit avec toi toute la journée.

Elle le récompensa d'un sourire radieux puis le chassa d'un geste de la main.

—Vas-y, ou tu vas être en retard. Tu pourras te rattraper ce soir.

Une lueur délicieuse pétilla dans les yeux de Drake alors qu'il contemplait son corps, à découvert depuis qu'il avait tiré les couvertures en sortant du lit.

—Oh, je vais me rattraper et plus encore.

La promesse qui pointait dans sa voix la fit frissonner et elle l'admira lorsqu'il tourna les talons et se rendit dans la salle de bains, nu. Elle resta au lit pendant longtemps après son départ, ne voulant pas quitter la chaleur de son corps encore imprégnée dans le matelas.

Elle finit par rassembler son courage et prit son téléphone sur la table de chevet pour chercher le numéro de Lana. Elle commencerait par elle et alternerait. Quelqu'un finirait bien par répondre. Les journées de congé commençaient lentement en général à cause de la nocturne de la veille, elle était donc certaine que l'une d'elles, si ce n'étaient les trois, serait à la maison.

Après une profonde inspiration, elle appuya sur « appeler » et attendit de voir si Lana allait répondre.

À sa grande surprise, Lana décrocha à la deuxième sonnerie.

—Allô ?

L'enthousiasme d'Evangeline chuta, et elle s'en voulut de laisser sa paranoïa prendre de telles proportions. Lana avait une petite voix, comme si elle était en train de dormir, donc elle n'avait certainement pas vu qui appelait. Eh bien, Evangeline allait profiter de cette opportunité.

—Lana, salut ! C'est Evangeline. J'ai essayé de vous appeler, les filles.

Il y eut une hésitation, puis le silence s'installa.

—Vangie ?

—Oui, c'est moi. Je te réveille ?

Evangeline supplia Lana de ne pas prendre l'échappatoire qu'elle lui offrait et elle serra le poing en un geste de victoire quand Lana dit « non ».

—Comment vas-tu ? demanda Evangeline. Comment allez-vous, toutes ? Vous me manquez tellement. Drake a une réunion importante ce soir, et je me disais qu'on pourrait se retrouver puisque c'est votre soir de repos.

—Vangie, accorde-moi une seconde, d'accord ?

Le front d'Evangeline se creusa, puis elle entendit des bruits étouffés, Lana qui sortait manifestement du lit puis le bruit d'une porte qu'on ferme. Un robinet qui coule ? S'était-elle enfermée dans la salle de bains ?

Elle finit par comprendre que Lana ne voulait pas que Steph et Nikki sachent qu'elle lui parlait. Elle ressentit une profonde tristesse. Elle ferma les yeux, au bord des larmes. Pourquoi devait-elle choisir entre Drake et ses meilleures amies ? N'étaient-elles pas capables de se réjouir de son bonheur ?

—Euh… écoute, Vangie. Je ne veux pas que tu le prennes mal, mais Steph est vraiment vexée de la façon dont les choses se sont passées. Je ne crois pas que ce soit une bonne idée qu'on se voie tout de suite. Laisse passer encore quelques semaines. Laisse-la se calmer.

—Pourquoi ne peut-elle pas être heureuse pour moi ? Vous devriez vous réjouir de mon bonheur, non ?

Lana soupira une nouvelle fois.

— Je te dis seulement ce qui est. Tu connais Steph. Elle est rancunière, mais elle finira par passer à autre chose. Laisse-lui du temps.

— Nikki et toi pourriez me retrouver quelque part ce soir ? demanda Evangeline, voulant à tout prix récupérer quelque chose de tout ce fiasco.

— La question ne se pose même pas, dit Lana avec une pointe d'impatience dans la voix. On doit travailler ce soir. De l'ouverture à la fermeture.

Evangeline fronça les sourcils.

— Mais c'est votre jour de repos. Ça a toujours été votre jour de repos.

— Plus maintenant, répondit amèrement Lana. Pas depuis que tu es partie. On manque de personnel et tout le monde fait des heures sup pour compenser en attendant que le directeur embauche une remplaçante. Mais il est un peu trop content de se mettre ce salaire en plus dans la poche. Du coup il ne se presse pas pour recruter qui que ce soit.

Evangeline ferma les yeux, la culpabilité rivalisant avec la tristesse. Lana avait beau dire que c'était Steph qui lui en voulait, il était évident qu'elle n'était pas plus impatiente que les autres de se réconcilier avec elle.

— Je suis désolée de t'avoir dérangée, murmura Evangeline. Je te laisse, tu as du travail ce soir.

Avant que Lana ne puisse répondre, Evangeline fit glisser son doigt sur le bouton pour mettre fin à l'appel. Puis elle tint le téléphone contre sa poitrine, immobile dans le lit, les yeux dans le vide. Elle s'était retenue de pleurer pendant l'appel mais pleurait désormais à chaudes larmes, trempant l'oreiller sur lequel sa tête était posée.

Elle n'aurait jamais imaginé être le genre de femme qui négligerait ses meilleures amies au profit de son homme, et c'était pourtant ce qu'elle avait fait. Elle ne pouvait en vouloir à ses amies de se sentir trahies. Tout avait changé du jour au lendemain.

— Je ne regrette pas, murmura-t-elle farouchement.

Drake en valait la peine. Et si Steph, Lana et Nikki étaient de vraies amies, elles l'auraient soutenue dès le départ. Elles auraient voulu qu'elle soit heureuse plutôt que de la voir rester coincée dans la vie banale qu'elle vivait.

Elle resta au lit, les yeux rivés sur le plafond, à pleurer la perte de ces trois amies. Elle ne pouvait pas leur en vouloir. Evangeline avait agi de manière inattendue, voire irrationnelle. Sa relation avec Drake avait évolué dans le bon sens, mais elle aurait pu très mal tourner.

Si l'une d'entre elles avait cédé à la même tentation, Evangeline l'aurait probablement mise en garde. Elle se serait battue et aurait essayé de faire entendre raison à son amie.

Mais l'amour ne connaissait pas de lois. L'amour valait tous les sacrifices. Elle ne pouvait pas en vouloir à ses amies, mais elle ne regrettait pas d'avoir mis sa vie entre les mains de Drake.

Elle l'aimait.

Et lui aussi tenait à elle. L'aimait-il ? Elle n'était pas sûre. Mais elle savait qu'elle occupait une place déterminante dans sa vie. Pouvait-il l'aimer ? Absolument. Au début, elle ne croyait pas Drake capable de s'attacher à quelqu'un comme elle, mais il avait prouvé par des actes que ses sentiments n'étaient pas feints. Et il ne s'agissait pas seulement de sexe, car il pouvait avoir toutes les femmes qu'il voulait d'un simple regard.

Elle avait vu quelle fascination il exerçait sur les femmes. Elles lui lançaient des œillades lascives, charmeuses, lui faisaient des propositions indécentes. Et pourtant quand il était avec elle, c'était comme si les autres n'existaient pas. Son attention était focalisée sur elle seule.

Elle roula sur le ventre puis se força à se redresser. Elle n'allait pas passer la journée découragée au lit alors qu'elle avait le bonheur de posséder un cadeau si précieux. Drake. Sa vie avait irrémédiablement changé le soir où elle était allée à l'*Impulse*, et en y repensant, elle ne changerait absolument rien à ce qui l'avait amenée jusqu'à cette nuit car sinon, elle n'aurait pas rencontré Drake.

Elle soupira. Ses plans pour la soirée tombaient à l'eau. Il fallait qu'elle trouve un plan B et en informe Drake, qui en informerait Maddox. Mais elle avait beau réfléchir, rien ne la tentait. Elle n'avait pas envie de sortir sans Drake ou les filles.

Si seulement Drake n'avait pas cette fichue réunion ici ce soir.

Elle s'arrêta net alors qu'elle était en train de sortir du lit, réfléchissant à toute vitesse. Elle savait qu'il avait demandé au service de livraison d'apporter le repas pour sa réunion et qu'il y avait six invités. Elle pouvait aisément se substituer au service de livraison et préparer à Drake et à ses associés un repas incroyable.

Plus elle y pensait, plus elle était excitée à cette idée. Il n'était pas nécessaire qu'il se fasse livrer à manger pour sa réunion alors qu'elle pouvait préparer un dîner merveilleux et jouer la parfaite hôtesse pour lui. Elle voulait le rendre fier d'elle, prouver qu'elle était capable de trouver sa place dans son monde et ne pas lui faire honte devant les gens qu'il fréquentait.

Elle donnerait tout et préparerait un repas digne d'un restaurant gastronomique, elle se mettrait sur son trente et un et porterait même les bijoux hors de prix qu'il lui avait achetés et qu'elle avait eu tant de mal à accepter. Une fois qu'elle aurait servi le dîner et se serait assurée du confort et du plaisir de chacun, elle disparaîtrait discrètement pour qu'ils puissent discuter tranquillement de leurs affaires.

Mais il y avait beaucoup à faire et si elle ne s'y mettait pas tout de suite, ce serait raté.

Sa première tâche consistait à planifier le menu, et donc, après s'être douchée et changée, elle s'assit au bar de la cuisine pour préparer une liste de tous les ingrédients nécessaires. Puis elle appela Edward pour qu'il envoie quelqu'un faire les courses.

La tâche accomplie, elle se rendit dans le dressing et passa une heure à réfléchir à ses tenues possibles. Elle ne voulait pas en faire trop ni avoir l'air de se pavaner devant Drake et ses associés, même si c'était exactement ce qu'elle souhaitait : impressionner Drake. Mais elle voulait quelque chose de classe. De beau, élégant, mais sobre.

Elle finit par choisir une robe bustier bleue s'arrêtant au genou qui était parfaite. Elle se rendit compte, tout émoustillée, que le collier ras-de-cou en saphirs et diamants s'accordait parfaitement avec la robe. Elle pouvait porter les boucles d'oreilles en diamant que Drake lui avait achetées et compléter sa tenue avec le bracelet rivière et une paire d'escarpins argentés. Elle relèverait ses cheveux pour mettre en valeur le collier et les boucles d'oreilles, et elle peaufinerait sa coiffure avec quelques anglaises.

Son cerveau s'arrêta net quand elle se souvint de l'obstacle majeur à la réussite de sa surprise. Maddox. Et le fait qu'il était censé l'emmener chez ses amies.

Elle fronça les sourcils. *Réfléchis, bon sang.* Il devait y avoir un moyen.

Une seconde. Lana avait dit qu'elles travaillaient toutes ce soir. De l'ouverture à la fermeture, ce qui voulait dire que l'appartement serait vide, et elle avait toujours une clé. Elle n'avait qu'à préparer autant que possible à l'avance, puis demander à Maddox de la conduire à l'appartement. Il attendrait à la voiture pendant qu'elle monterait, puis elle descendrait par la sortie de secours, parcourrait quelques rues à pied, et appellerait un taxi pour rentrer chez Drake.

— Tu es un génie, Evangeline ! s'écria-t-elle vivement.

Son plan était parfait. Maddox ne se douterait pas qu'elle s'échapperait par la sortie de secours, et elle pourrait revenir largement à temps pour s'habiller et achever les préparatifs avant l'arrivée de Drake et de ses invités.

Satisfaite d'avoir paré à toutes les éventualités, elle disposa sa tenue pour la soirée puis choisit une tenue simple à porter pour partir avec Maddox. Une tenue qui n'entraverait pas sa descente de la sortie de secours depuis le sixième étage.

Le reste de la journée passa lentement, Evangeline consultant sa montre toutes les demi-heures, souhaitant que le temps passe plus vite. Elle soupira de soulagement quand Edward lui apporta en personne les courses qu'elle avait commandées et lui décocha un clin d'œil quand elle le pria de ne pas souffler mot sur sa sortie à quiconque. Elle lui avoua qu'elle préparait une surprise pour Drake, et il sembla ravi d'être mis dans la confidence.

Heureuse d'avoir de quoi faire passer le temps, elle prépara tout ce qu'elle pouvait préparer à l'avance et concocta trois entrées différentes et deux choix de sauce pour accompagner le veau qu'elle mettrait à cuire quand elle rentrerait de chez les filles.

Elle mixa les ingrédients pour les accompagnements puis les glissa dans le réfrigérateur. Satisfaite que le dîner soit presque prêt et ne nécessite qu'une demi-heure de cuisine tout au plus quand elle reviendrait, elle consulta sa montre et poussa un cri. Il était déjà 16 h 30 !

Elle se précipita dans la chambre et se brossa hâtivement les cheveux, les remonta en un chignon flou, puis trouva une paire de chaussures décontractées. Après s'être rapidement regardée dans le miroir – après tout, elle allait seulement chez ses amies – elle retourna précipitamment dans la cuisine pour vérifier que tout était prêt et se repasser une dernière fois le menu pour s'assurer qu'elle n'avait rien oublié.

—Evangeline? Tu es prête à y aller? appela Maddox depuis l'entrée.

L'adrénaline inonda ses veines et elle prit quelques secondes pour calmer ses nerfs avant de répondre :

—Oui. Laisse-moi attraper mon sac et j'arrive.

Elle inspira profondément et rejoignit Maddox.

Bon, quand il faut y aller… Avec un peu de chance, tout se déroulerait à merveille, et Drake serait fier d'elle ce soir.

Chapitre 30

EVANGELINE SE PRÉCIPITA DANS L'IMMEUBLE DE DRAKE, à bout de souffle, et se mit en quête d'Edward. Elle fut soulagée de le trouver dans le hall et quand il la vit, il se dirigea vers elle, l'air avenant.

—Je n'ai pas beaucoup de temps, Edward. Je dois monter à l'appartement si je veux réussir ma surprise. Mais j'ai besoin d'une faveur. Ne dites pas un mot des courses de ce matin, et, quand M. Donovan arrivera, pas un mot non plus sur ma présence. S'il pose la question, dites-lui que je suis partie avec Maddox à 17 heures et que je ne suis pas revenue.

Les yeux d'Edward pétillèrent.

—Votre secret est en sécurité avec moi, Evangeline. Je ne dirai pas un mot. Je le jure.

Elle le serra dans ses bras, ce qui eut pour effet de le faire rougir jusqu'à la racine de ses cheveux.

—Merci, dit-elle avec ferveur. À présent si vous voulez bien m'excuser, je n'ai pas beaucoup de temps.

—Voulez-vous que je vous appelle pour vous faire savoir quand M. Donovan prendra l'ascenseur ? demanda-t-il.

C'était une excellente idée.

—Ce serait parfait. Je n'y avais même pas pensé. Merci infiniment.

—Avec plaisir. Allez, filez pour que votre surprise ne soit pas gâchée.

Elle le dépassa à toute allure pour prendre l'ascenseur. Quelques instants plus tard, elle débarqua dans l'appartement. Elle se rendit aussitôt dans la cuisine et fourra les accompagnements dans le four puis sortit trois poêles pour faire cuire le veau. Il ne faudrait que quelques minutes pour réchauffer les entrées, elle pourrait donc s'en occuper en dernier.

Après s'être assurée qu'elle s'était occupée de tout, elle se précipita dans la chambre pour se changer, se coiffer et se maquiller. Elle prit un soin particulier à parfaire son apparence, regardant sa montre toutes les deux minutes pour s'assurer que le dîner ne risquait pas de brûler.

Enfin satisfaite du résultat, elle se regarda dans le miroir, et écarquilla les yeux, sous le choc.

Elle était magnifique. Irrésistible. Elle avait choisi un effet smoky sensuel pour ses yeux avec un gloss à lèvres pour conserver l'effet théâtral de son regard. Ses cheveux étaient relevés en un chignon délicat avec des boucles lâches flottant paresseusement dans son cou.

Le collier et les boucles d'oreilles étaient magnifiques, tout à fait à la hauteur des femmes élégantes avec lesquelles on s'attendrait à voir Drake. Et la robe lui allait à merveille, soulignant ses courbes. Pour une fois, elle ne se plaignit pas de ce qu'elle considérait comme des imperfections car ce soir, elle se trouvait belle et féminine.

Elle se félicita en constatant que la coupe de sa robe et ses escarpins lui allongeaient les jambes.

Elle attacha le dernier bijou, le bracelet, autour de son poignet, et vaporisa son parfum favori dans son cou et sur ses poignets avant de respirer un bon coup. Drake n'allait pas tarder à arriver avec ses invités et elle voulait être là pour les accueillir en bonne hôtesse.

Elle avait fait en sorte d'avoir un large éventail de bons vins et les alcools les plus onéreux pour accompagner les entrées qu'elle comptait disposer joliment sur des plateaux en argent. Elle allait voir où elles en étaient et quand Edward appellerait pour dire que Drake était arrivé, elle poserait les entrées sur la table basse du salon pour que les hommes puissent se détendre pendant qu'elle terminerait les préparatifs et dresserait la table.

En s'admirant une dernière fois dans le miroir, elle sourit, satisfaite de son apparence et impatiente de lire l'admiration dans les yeux de Drake quand il se rendrait compte qu'elle s'était donné du mal pour recevoir ses invités.

Elle frémissait d'excitation quand elle quitta la chambre et retourna dans la cuisine pour vérifier la cuisson des accompagnements et du veau. Elle huma avec un plaisir évident les délicieux arômes qui emplissaient l'appartement.

Elle entrouvrit le four pour voir les accompagnements mijoter puis elle retourna le veau dans la poêle avant de faire réchauffer les sauces, les remuant par intermittence pour qu'elles ne brûlent pas.

Son cœur s'emballa, l'étourdissant brièvement, quand l'interphone sonna et que la voix d'Edward retentit.

— M. Donovan et six de ses associés sont en train de monter.

— Merci, Edward. J'apprécie vraiment que vous fassiez ça pour moi.

— Pas la peine de me remercier. Je ne fais que mon travail, vos désirs sont des ordres.

Elle prit les trois plateaux d'entrées en équilibre sur ses bras — après tout, elle avait été serveuse dans un bar animé — et les posa rapidement dans le salon. Puis elle se retourna et fit les quelques pas qui la séparaient de l'entrée.

Evangeline lissa sa robe puis alla se tenir en face des portes de l'ascenseur afin de pouvoir les accueillir, mais surtout pour voir l'approbation et la fierté dans les yeux de Drake quand il se rendrait compte des efforts qu'elle avait faits pour être un atout pour lui et, comme elle le lui avait promis, pour lui montrer qu'elle prendrait toujours soin de lui et le protégerait toujours. Et… elle voulait qu'il soit fier d'elle et qu'il ne regrette jamais sa décision de la faire sienne.

Grâce à des années passées à parfaire son personnage impénétrable, Drake était capable de tenir une conversation allant des banalités aux obscénités avec les «associés» qu'il recevait chez lui ce soir-là et qui entraient dans l'ascenseur de son immeuble. Et de donner l'impression qu'il s'intéressait à tout ce qu'ils avaient à raconter.

Il recevait rarement chez lui, optant généralement pour l'un des nombreux ensembles de bureaux et complexes qu'il possédait, une salle privée dans un restaurant sélect, ou, selon l'associé qu'il rencontrait, il pouvait tout simplement le retrouver à l'*Impulse* où ils prenaient la meilleure suite VIP avec vue sur la piste de danse, puisque Drake n'acceptait jamais personne en qui il n'avait pas toute confiance dans son bureau à la boîte de nuit.

Avant Evangeline, c'était simplement qu'il ne voulait pas qu'on empiète sur son domaine privé, mais à présent il avait l'impression de souiller le lieu en amenant de telles ordures *chez Evangeline.*

Mais certaines affaires ne permettaient aucune marge d'erreur. Aucune éventualité d'être entendus, mal compris, ou, dans ce cas précis, d'être vus dans un endroit public ensemble.

Heureusement qu'il avait pensé à faire en sorte qu'Evangeline ne soit pas là, car si Drake pouvait contrôler ses expressions, masquer ses pensées et ne pas laisser transparaître ce qu'il ressentait dans ses yeux, quand il était question de son ange, il n'était pas plus capable de rester indifférent qu'elle de ne pas être honnête et sincère à la fois dans les mots et par la posture. Et la plus grande force de Drake, la raison de son invincibilité, était qu'il n'avait aucune faiblesse que ses ennemis pourraient exploiter.

Jusqu'à présent.

Jusqu'à Evangeline.

Si l'on apprenait qu'Evangeline était sa plus grande et sa *seule* faiblesse, on se servirait d'elle pour le faire tomber, car si auparavant il ne négociait jamais, n'avait jamais eu à le faire, il ferait tout, sacrifierait tout pour la protéger.

Il n'avait pas peur pour lui, mais la panique s'empara de lui à l'idée que quelqu'un pourrait faire du mal à son ange.

— Sympa votre immeuble, Donovan, dit l'un des hommes quand ils atteignirent le dernier étage.

Drake lui adressa un sourire décontracté et répondit d'une voix traînante :

— Il ne faut rien se refuser. C'est comme ça qu'on vit sa vie.

— Ouais, putain, intervint un autre homme.

Les portes de l'ascenseur s'ouvrirent et Drake s'arrêta net, la stupéfaction et l'effroi lui glaçant le sang quand il vit Evangeline debout dans l'entrée, un sourire timide et accueillant aux lèvres, et si belle à pleurer qu'il resta pantois un instant.

Oh putain. Non. Ce n'était pas possible. Qu'est-ce que c'était que ce bordel ? Il allait tuer Maddox. Ce n'était pas possible. Il crut à une hallucination, mais un sifflet admiratif lui confirma la réalité de la vision de son ange devant lui. Et de l'enfer auquel il s'était juré de ne jamais l'exposer.

—Ah, *ça* c'est un beau morceau, dit l'un des hommes. Vous nous avez caché ça, Drake.

—Ça me plairait bien de goûter à *ça*, lâcha crûment un autre tandis que les rires fusaient autour de lui.

—Eh, Donovan. Elle fait partie des festivités de ce soir? Parce que je dois l'avouer, avec des hôtesses pareilles, vous avez l'art de recevoir.

Evangeline rougit, l'embarras et l'inquiétude se devinaient dans ses yeux. L'incertitude et la peur passèrent sur ses traits. Puis elle leva le menton et se ressaisit calmement, avant d'avancer, son sourire accueillant aux lèvres.

—Bonsoir, messieurs. Si vous voulez vous rendre au salon, il y a des entrées et des boissons à votre disposition. Le dîner sera bientôt servi.

—Putain, j'espère que c'est *elle*, le dessert, murmura un autre d'une voix grave.

Le cœur de Drake se serra, et ce qu'il était sur le point de faire l'affligea au plus profond de lui-même. Ce qu'il était *obligé* de faire. Il ne s'était jamais autant détesté qu'à cet instant.

Evangeline avait décidé de jouer l'hôtesse et s'était donné du mal. Pour *lui*. Parce qu'elle voulait désespérément lui faire plaisir, le rendre fier et lui témoigner son attachement.

Elle était si belle qu'il en avait le souffle coupé. Elle portait même les bijoux qu'il lui avait offerts – des présents qu'elle avait eu du mal à accepter car elle ne voulait pas qu'il puisse penser qu'elle voulait autre chose que lui. Elle ne voulait pas des choses matérielles qu'il lui offrait. Elle était impeccablement habillée comme si elle voulait le rendre fier. Se montrer digne de lui alors que c'était lui qui n'était absolument pas digne d'elle.

Et il était sur le point de détruire le cadeau le plus précieux qu'on lui ait jamais donné parce qu'il n'avait pas d'autre *choix*.

—Qu'est-ce que tu fous là, salope ? cracha-t-il. Tu ne comprends pas les ordres qu'on te donne ? Si je voulais que ma dernière pute en date joue à l'hôtesse dans mon appartement, j'en aurais choisi une plus classe qui aurait été assez intelligente pour suivre les instructions.

Evangeline écarquilla les yeux, sidérée. Elle était aussi immobile qu'une statue, avait les larmes aux yeux, le visage rouge de honte.

—Tu sais pas cuisiner, alors tu penses vraiment que je voudrais que tu serves mes associés et que tu me fasses honte alors que j'avais déjà demandé à me faire livrer par l'un des meilleurs restaurants de la ville ?

Les larmes roulèrent sur ses joues, son mascara laissant des traînées noires sur ses joues.

—Putain, tu ne comprends rien aux instructions, répéta-t-il avec un grognement. À genoux, aboya-t-il. Tout de suite !

Elle hésita. Tremblante et chancelante, elle tomba maladroitement sur les genoux, grimaçant quand ils heurtèrent le sol en marbre italien.

Drake avança à grandes enjambées en ouvrant sa braguette pour en tirer son érection molle.

—Suce. T'as intérêt à me faire bander et à avaler chaque goutte de mon sperme.

Elle leva les yeux vers lui. Ils reflétaient la trahison et l'abattement le plus total. Il fourra cruellement sa main dans ses cheveux, tirant sur son élégant chignon jusqu'à ce que ses cheveux tombent sur sa nuque.

—Ouvre ta putain de bouche.

Elle avait les lèvres qui tremblaient, la peur prenant le pas sur l'humiliation. La peur. La seule chose qu'il avait juré de ne jamais lui inspirer.

Il ne fut pas doux. Il ne pouvait pas se le permettre. Dès qu'elle entrouvrit les lèvres, il enfonça sa bite tout au fond de sa gorge, l'étranglant et lui donnant des haut-le-cœur.

—Même pas capable de sucer comme il faut, dit-il avec dégoût.

Il maintint sa tête en l'empoignant sans ménagement, puis se mit à lui baiser la bouche avec une brutalité peu commune.

Sachant qu'il lui était impossible de jouir parce qu'il n'était en aucun cas excité par la brutalité à laquelle il la soumettait, il lança d'une voix dure :

—Avale tout. Si une seule goutte tombe, tu seras punie. Je ferai en sorte que tu ne puisses pas t'asseoir pendant une semaine.

Il se retira un instant et elle murmura en pleurant, assez bas pour que les autres ne l'entendent pas :

—Pourquoi fais-tu cela ?

—Parce que tu m'as désobéi.

Son corps et son expression trahissaient son sentiment d'échec alors qu'elle était agenouillée machinalement, endurant le traitement brutal de Drake. Mais il ne put rester indifférent à ses larmes, et il fut soulagé que les hommes soient derrière lui et ne voient pas le tourment sur son visage. Evangeline elle-même ne le remarqua pas, parce qu'elle était dans un état second.

Il s'en voulait terriblement. Jamais il n'en avait voulu autant à personne. Après lui avoir baisé la bouche assez longtemps pour qu'il soit vraisemblable qu'il ait éjaculé, il lui ordonna d'avaler et de lécher chaque goutte de sperme de sa queue.

Puis il la releva brutalement et la poussa en direction de la cuisine.

—Jette la merde que tu as cuisinée et assure-toi que chaque casserole, poêle et ustensile dont tu t'es servie est propre. Et fous ce que tu as installé dans le salon à la poubelle. À partir de maintenant, tu ne t'approches plus de ma cuisine ni de mes affaires. Ta *seule* utilité est dans la chambre. Et pour information, tu seras sévèrement punie quand je rentrerai pour avoir désobéi à mes ordres.

Il hésita, se détestant de plus en plus à chaque mot abject que crachait sa bouche.

—C'est quoi ton boulot, sale pute? C'est quoi ton seul boulot?

—O-obéir, articula-t-elle d'une voix étranglée.

—Tu as une seule mission et tu es incapable de t'en acquitter, dit-il avec dégoût.

Puis il se retourna vers les hommes qui l'accompagnaient, écœuré de voir qu'ils étaient visiblement excités par l'humiliation qu'il venait d'infliger à Evangeline et le fait qu'il l'avait forcée à le sucer devant eux. Il avait envie de vomir.

—Allons prendre un repas décent quelque part. Je m'excuse pour le désagrément que ma putain nous a causé.

Il s'avança vers l'ascenseur puis se retourna, une expression glaçante sur le visage.

—Quand je reviens, l'appartement a intérêt à être nickel et je te veux dans mon lit, nue et prête à recevoir ta punition. Je n'aurai aucune pitié.

Evangeline demeura immobile, sous le choc, les yeux rivés sur les portes fermées de l'ascenseur pendant de longues minutes après le départ de Drake. Elle aperçut son reflet dans le miroir, ses yeux rougis, son maquillage ruiné.

Belle? Classe? Élégante?

Elle s'était fait des idées et Drake avait réussi à lui faire avaler le plus gros canular de tous les temps, parce qu'il lui avait inspiré des sentiments profonds.

« *Pute. Salope.* »

Les mots qu'il avait utilisés pour la décrire résonnèrent sans relâche dans son esprit jusqu'à ce que la rage la réveille du choc paralysant qui l'enveloppait. Alors qu'elle se dirigeait machinalement vers la cuisine, elle se tordit la cheville et retira ses escarpins pour les lancer à travers le salon sur la petite table et les plateaux de nourriture qu'elle avait préparés avec soin.

Deux bouteilles de vin et deux bouteilles d'alcool, heurtées par les chaussures, s'écrasèrent au sol et elle les entendit se briser avec une certaine satisfaction.

Elle se rua dans la chambre comme une furie, tirant et déchirant sa robe jusqu'à s'en libérer. Les mains tremblantes, elle retira chacun des bijoux que Drake avait achetés pour elle et les jeta sur le lit.

Puis elle s'effondra à genoux sur le sol, seulement vêtue de sa culotte et de son soutien-gorge. Elle était au comble du désespoir et d'énormes sanglots montèrent dans sa gorge.

« *Tu seras sévèrement punie.* »

Oh, ça non. Qu'il aille se faire foutre. Ras le bol de tous les mensonges qu'il lui avait dits. Il l'avait encouragée à s'élever pour être celui qui la briserait.

Avec la sensation d'être une vieille femme décrépite, elle rampa jusqu'au dressing et fouilla jusqu'à trouver un jean et un tee-shirt. Drake avait jeté tous ses vieux vêtements quand il l'avait fait emménager ; mais si elle l'avait pu, elle serait partie sans rien de ce qu'il lui avait acheté. Elle prépara en vitesse un sac avec trois jeans, une robe décontractée adaptée à la recherche d'emploi et deux paires de chaussures.

Elle laissa le reste dans la penderie. La plupart des vêtements portaient encore leur étiquette. Puis elle entreprit de faire disparaître toute trace d'elle de l'appartement. Elle passa de pièce en pièce, détruisant tout ce à quoi Drake pouvait l'associer.

Puis elle se souvint du repas qu'elle avait préparé avec tant d'application. Elle espérait qu'il avait brûlé.

Après avoir soulevé les plateaux d'argent et déversé leur contenu sur le canapé, les fauteuils et le sol, pour accompagner les bouteilles d'alcool brisées, elle alla dans la cuisine et jeta chaque poêle et chaque plat sur le sol.

—Va te faire voir, Drake Donovan. Je t'ai tout donné et voilà ce que j'obtiens en échange. J'espère que tu finiras en enfer. Au moins, Eddie a été honnête.

Les joues baignées de larmes, elle prit l'ascenseur pour se retrouver face à Edward, qui se précipita pour la prendre par le coude.

—Mademoiselle Hawthorn, dit-il, oubliant dans sa hâte toute familiarité comme s'il était tout aussi las d'elle que Drake.

Elle éclata de nouveau en sanglots et tenta de le contourner.

—S'il vous plaît, Evangeline. Dites-moi ce qui ne va pas. M. Donovan est redescendu peu de temps après être monté et il avait l'air furieux. Vous allez bien ?

—Non, et ce n'est pas près de s'arranger, déclara-t-elle platement, les joues baignées de larmes.

—Laissez-moi vous aider, s'il vous plaît. Dites-moi ce que je peux faire.

Se rendant compte qu'il était sincèrement inquiet et ignorait visiblement tout de ce qui s'était passé, elle marqua une pause.

—Il faut que je parte d'ici, dit-elle d'une voix désespérée.

—Bien sûr. Dois-je demander à l'un des hommes de M. Donovan de venir vous chercher ?

—Surtout pas ! hurla-t-elle. Il me faut un taxi et il faut que vous ne disiez jamais à personne, surtout pas à Drake ni à ses hommes, que vous m'avez vue, que vous m'avez aidée, ou j'ai peur que vous soyez mis à la porte, comme moi.

La compassion adoucit les yeux d'Edward tandis qu'il la guidait jusqu'à la porte.

—Quelle destination dois-je indiquer au taxi? demanda-t-il avec douceur.

Les épaules d'Evangeline s'affaissèrent et elle passa une main dans ses cheveux emmêlés, consciente qu'elle devait faire peur avec son maquillage qui avait coulé et sa coiffure ruinée.

—Je n'ai nulle part où aller, murmura-t-elle.

Elle ne pourrait évidemment pas revenir frapper à la porte de son ancien appartement. Elle ne supporterait pas les «Je te l'avais dit» de ses amies d'enfance, ni leur pitié. Et dire que quelques heures auparavant, elle se félicitait d'avoir choisi Drake au profit de ses meilleures amies. Comment pourrait-elle les regarder de nouveau en face? Et même si elle s'était sentie la bienvenue chez elle, c'était le premier endroit où Drake penserait à la chercher. Même s'il avait l'intention de se débarrasser d'elle – et elle était certaine que c'était précisément son intention – il la pourchasserait certainement, ne serait-ce que pour la punir et lui dire en face qu'il en avait terminé avec elle. Pourquoi laisser passer une occasion de l'humilier davantage? Il était tellement mieux de le faire devant ses amies. Putain de merde. Sa mère lui pardonnerait ses obscénités, vu les circonstances. Mais que pourrait-il faire de plus que ce qu'il lui avait fait ce soir? Il avait piétiné sa fierté et l'avait humiliée comme jamais. Elle ne serait plus la même après cet épisode.

Drake l'avait totalement détruite, et il ne restait plus rien, que les restes brisés de sa dignité. Au diable tout ça. Elle ne ferait jamais plus confiance à un homme, aussi longtemps qu'elle vivrait.

La bouche d'Edward se crispa, ne devenant plus qu'une ligne trahissant sa colère, puis il l'escorta hors de l'immeuble dans la rue, où il fit signe à un taxi en stand-by.

—Ma sœur tient un hôtel à Brooklyn. Rien de luxueux, mais je vais l'appeler et la prévenir de votre arrivée. Elle aura une chambre pour vous, où vous pourrez rester aussi longtemps que nécessaire, jusqu'à ce que vous décidiez où vous voulez aller.

Elle leva les yeux vers le visage d'Edward, dont les traits se brouillaient à travers ses larmes.

—Je ne peux pas vous laisser faire ça, Edward, ni elle. Je n'ai même pas de quoi me payer un hôtel. Du moins pas pour plus d'une nuit. Jusqu'à ce que je trouve un travail.

Il prit ses mains dans l'une des siennes tout en ouvrant de l'autre la portière arrière du taxi pour l'y installer en douceur.

—Ne vous inquiétez pas pour ça, la rassura-t-il. Ma sœur s'occupera de tout.

Puis il tira plusieurs billets de sa poche et les tendit au chauffeur, en lui donnant l'adresse de l'hôtel à Brooklyn.

—Au revoir, Evangeline, dit Edward d'une voix douce, les yeux pleins de compassion. C'était un plaisir de vous connaître, et je vous souhaite le meilleur.

Lorsque le taxi démarra, Evangeline enfouit son visage entre ses mains et éclata en sanglots.

Chapitre 31

LE DÎNER FUT UN ENFER POUR DRAKE. IL S'ÉTAIT DRAPÉ dans son orgueil en montant dans l'ascenseur en compagnie des hommes avec lesquels il faisait affaire, mais il ne restait rien de la façade derrière laquelle il s'était réfugié. Il se faisait violence pour ne pas se défiler et avait de plus en plus de mal à se retenir de leur dire d'aller se faire foutre.

Dans l'état où il était, quand l'un des hommes avait ri, tapé dans le dos de Drake et lancé : « Joli spectacle, Drake, il ne faut jamais oublier de remettre les femmes à leur place », Drake avait failli l'attraper par le col pour lui foutre la raclée de sa vie.

Remettre Evangeline à sa place ? Sans même qu'il s'en rende compte, elle était devenue son monde. Et il ne pouvait imaginer son monde sans son sourire doux et généreux, sa détermination attendrissante à prendre soin de lui et à ce qu'il sache qu'il comptait pour quelqu'un. Ce qui était exactement ce qu'elle voulait lui montrer ce soir, bordel !

Il ne pouvait empêcher la vision de l'abattement dans ses yeux de repasser encore et encore comme un ralenti sans fin dans son esprit. Ses larmes et sa peur. De *lui*, putain. Lui, qui avait juré qu'il ne lui donnerait jamais de raison de le craindre, qu'elle serait toujours en sécurité avec lui et qu'il la protégerait plus que tout. Et l'idée qu'il lui avait fait bien pire que son connard d'ex était insupportable.

Mais il ne pouvait rien faire. Il ne pouvait pas expédier le dîner pour se ruer chez lui et implorer son pardon. Un pardon qu'il ne méritait pas. Car alors ces hommes sauraient ce qu'Evangeline représentait pour lui, et ils feraient tout ce qui était en leur pouvoir pour le faire chanter et lui extorquer tout ce qu'ils pourraient.

Drake était une source de frustration infinie pour ses ennemis, parce qu'il n'avait aucune faiblesse. Les autres n'avaient aucun moyen de l'atteindre, de l'affecter, et ils le craignaient parce qu'il était impitoyable et éliminait toute menace envers lui et ses intérêts commerciaux. Sans compter qu'il était entouré d'hommes prêts à donner leur vie pour le protéger.

Mais ils s'attaqueraient à Evangeline sans hésitation ni remords. Ils se serviraient d'elle pour le faire chanter, quitte à la détruire. Il n'en sortirait pas indemne. Ils saisiraient cette occasion de faire couler Drake et son empire.

Drake ne pourrait plus jamais se regarder en face si Evangeline était blessée, brutalisée ou tuée à cause de lui. Il ne pourrait jamais vivre sans elle. Il commençait tout juste à l'admettre alors qu'il le savait depuis longtemps. Seulement, il ne pouvait s'y résoudre, car cela le rendait vulnérable.

Comment le lui faire comprendre ?

Il venait de détruire quelque chose de très précieux et de piétiner la confiance qu'elle lui avait si généreusement accordée sans aucune condition. Il avait beaucoup reçu d'elle, mais ne lui avait jamais rien donné d'essentiel. Il lui avait offert des bijoux hors de prix comme on jette des friandises à un animal de compagnie. Il n'avait pas été assez courageux pour lui accorder la seule chose qu'elle voulait : son cœur. Drake n'était qu'un lâche, même pas digne de lui lécher les chaussures.

L'un des hommes se tourna vers Drake, dont le calme apparent masquait un émoi comme il n'en avait jamais connu auparavant.

— C'est un sacré morceau que vous avez là, Donovan. Pas grave si elle ne sait pas cuisiner.

Les autres s'esclaffèrent et acquiescèrent d'un signe de tête.

— Ça me dérangerait pas d'y goûter. Si vous la jetez, vous me prévenez, d'accord ? Et si vous ne vous en débarrassez pas tout de suite, prévenez-moi quand ça arrivera pour que je tente ma chance.

Drake sourit alors qu'il bouillonnait intérieurement.

— Elle a d'autres talents, si vous voyez ce que je veux dire… Elle m'amuse pour le moment, mais je garde votre proposition en tête, et je vous ferai signe quand je me serai lassé d'elle.

Drake détestait chaque mot qu'il prononçait. Cela le rendait malade de parler d'Evangeline sans aucun respect, et d'envisager de la céder à un autre homme comme un rebut.

Tout ce qu'il avait à l'esprit c'étaient les yeux de son ange quand il l'avait humiliée. Il avait passé tant de temps à l'encourager, à consolider sa confiance en elle après cette terrible soirée avec Eddie. Et en l'espace de quelques minutes à peine il avait anéanti tous ses efforts.

Et ce qu'il lui avait infligé était bien pire que ce qu'avait fait Eddie. Parce qu'elle avait confiance en Drake. Elle croyait en lui. Une foi inconditionnelle. Elle lui avait fait don d'elle-même. Elle lui avait donné ce qu'elle n'avait jamais donné à un autre et il avait piétiné tout ça.

Il avait envie de vomir.

Il aurait beaucoup à se faire pardonner quand il rentrerait à la maison. À genoux. Il ferait quelque chose qu'il avait juré de ne plus jamais faire. Il supplierait. Il ferait tout ce qu'il faudrait pour qu'Evangeline lui fasse de nouveau confiance. Il n'oublierait jamais ce qui s'était passé ce soir-là, le chagrin et l'humiliation, les larmes baignant son beau visage quand il l'avait démolie devant les autres qui se délectaient de la scène.

— Bon, il est temps d'oublier le petit cul que je me tape et de passer aux choses sérieuses, déclara Drake.

Les autres cessèrent de plaisanter, l'air grave. Le chef, à la tête de la famille Luconi, se pencha en avant, la voix basse.

— Êtes-vous prêt à soutenir notre reprise des Vanucci ?

— Ça dépend, répondit Drake d'une voix traînante.

Hors de question qu'il fasse affaire avec des hommes qui avaient manqué de respect à Evangeline, même si c'était le summum de l'hypocrisie, puisque Drake lui-même était à l'initiative de cette humiliation. Mais il pouvait s'arranger pour faire croire que l'un des membres de la famille Luconi donnait des informations aux Vanucci, ce qui déclencherait une guerre entre les deux clans rivaux. Drake, qui voulait se débarrasser d'eux, ferait ainsi d'une pierre deux coups.

— Dites-moi votre prix, Donovan, demanda l'aîné des Luconi d'une voix rocailleuse. Votre réputation n'est plus à faire. Si vous êtes lié à nous de quelque manière que ce soit, les Vanucci n'opposeront aucune résistance.

— Je vais réfléchir à votre proposition, dit Drake, faisant mine de le prendre au sérieux. Mes hommes vous contacteront dans quelques jours pour discuter des conditions. Quand les Vanucci auront vent de notre réunion, ils viendront me voir avec leur proposition. J'espère que la vôtre sera la meilleure des deux.

L'aîné des Luconi plissa les yeux.

— Et comment sauraient-ils que nous nous sommes vus à moins que vous ne le leur disiez ?

Drake ricana avec mépris.

— Allons, si vous pensez que les Vanucci n'ont pas d'homme infiltré dans votre organisation faisant un rapport chaque fois que vous allez poser une pêche, alors vous n'êtes pas aussi malin que je le pensais.

Il semait déjà le doute dans leurs esprits en prévision du moment où il divulguerait effectivement l'information aux Vanucci, ce qui déclencherait un bain de sang entre les deux clans.

Au grand soulagement de Drake, les plats furent enfin servis et il mangea rapidement, ne prêtant pas attention à ce qu'il avalait. Il s'efforçait de ne pas consulter sa montre pour voir combien de temps s'était écoulé, mais ces fils de pute semblaient prendre tout leur temps.

Ils n'étaient pas stupides. Drake mettait un point d'honneur à ne jamais sous-estimer ses associés ou ses ennemis. Il était certain qu'ils prenaient leur temps et le surveillaient de près afin de pouvoir déterminer quelles étaient ses motivations à l'égard d'Evangeline.

Ce fut donc Drake qui proposa qu'ils aillent boire un verre après le dîner pour leur faire croire qu'il n'était pas pressé.

Heureusement pour lui, une fois qu'ils eurent parlé des Vanucci en détail et que les Luconi eurent essayé d'obtenir un engagement par la force sur-le-champ, ils abandonnèrent et décidèrent que ça suffisait pour ce soir. Chacun partit de son côté. Drake sortit du restaurant en toute discrétion par l'arrière-salle.

Il appela son chauffeur et lui dit de le retrouver à deux rues du restaurant, puis il monta promptement en voiture et lui ordonna de rentrer aussi vite que possible. L'homme appuya sur l'accélérateur et Drake serra les poings, trouvant le trajet interminable.

Il maudit chaque feu rouge, mais son chauffeur zigzaguait habilement dans le labyrinthe de rues. Quand ils arrivèrent enfin, Drake s'éjecta de la voiture avant même qu'elle soit à l'arrêt.

Il prit l'ascenseur qui allait directement du hall à son appartement, en priant tout du long pour qu'Evangeline daigne le regarder ou écouter ce qu'il avait à dire.

S'il vous plaît, faites qu'elle soit douce, généreuse et indulgente une dernière fois, et jamais plus elle n'aura à douter de moi.

Dès que les portes de l'ascenseur s'ouvrirent, il se précipita dans l'appartement en criant son nom. Il grimaça en constatant le désordre dans la cuisine. La nourriture était répandue sur le sol avec les poêles et les casseroles.

Quand il passa dans le salon pour aller dans la chambre, il vit les petits-fours éparpillés dans la pièce et les bouteilles brisées sous lesquelles s'étalaient d'énormes taches sur ses meubles et sur le tapis.

Ne leur accordant pas davantage d'attention, il fit irruption dans la chambre, prêt à supplier, à genoux pour qu'elle lui pardonne. Il avait beaucoup de choses à expliquer, et cette discussion soulèverait des questions auxquelles il n'était pas prêt à répondre sans avoir peur de la faire fuir. Si ce n'était pas déjà fait.

Mais Evangeline était introuvable. Tous les bijoux qu'il lui avait offerts, y compris ceux qu'elle avait portés ce soir-là, étaient éparpillés sur le lit, et les restes de la robe qu'elle portait en lambeaux sur le sol.

Il passa dans le dressing, qui était plein à l'exception de quelques jeans et hauts et deux paires de chaussures. Détail non négligeable, son petit sac de voyage manquait.

Il tomba à genoux, la poitrine serrée comme si un poids énorme s'était abattu sur lui.